SU MATRIMONIO
VALE LA PENA

SU MATRIMONIO VALE LA PENA

Técnicas que harán funcionar su relación de pareja

Howard Markman
Scott Stanley
Susan L. Blumberg

Traducción
Helena Salazar

GRUPO
EDITORIAL

norma

Barcelona, Bogotá, Buenos Aires, Caracas, Guatemala,
Lima, México, Miami, Panamá, Quito, San José, San Juan,
Santiago de Chile, Santo Domingo.

Edición original en inglés:
Fighting for Your Marriage
Positive Steps for Preventing Divorce and Preserving a Lasting Love
de Howard Markman, Scott Stanley y Susan L. Blumberg.
Una publicación de Jossey - Bass Inc., Publishers,
350 Sansome Street, San Francisco, California 94104, U.S.A.
Copyright © 1994 por Jossey-Bass Inc., Publishers
Reservados todos los derechos

Copyright © 1999 para América Latina
por Editorial Norma S.A.
Apartado Aereo 53550, Bogotá, Colombia.
Reservados todos los derechos.
Prohibida la reproducción total o parcial de este libro,
por cualquier medio, sin permiso escrito de la Editorial.
Impreso por Banco de Ideas Publicitarias Ltda.
Impreso en Colombia - Printed in Colombia
Febrero de 2007

Edición, Amalia de Pombo
Diseño de cubierta adaptacón del original, de Cassandra Chu,
sobre una ilustración de John Rassman.

Este libro se compuso en Palatino

ISBN 958-04-5254-7

A mi familia — Fran, Mathew y Leah,
por la alegría de estar juntos, por su apoyo y comprensión,
y por los amables recordatorios de que existe vida
más allá de la computadora y el teléfono.
A mis padres,
Claire y Arnold Markman,
y a mi hermano Barry,
por estar a mi lado y darme su apoyo.

—H.M.

A Nancy,
por todo su amor y su paciencia
a lo largo de este camino compartido;
a Kyle y Luke,
por la risa y la alegría,
y a mamá y papá,
por creer en mí, siempre.

—S.S.

A Savanna McCain y Chuck Lobitz,
quienes me enseñaron lo que era capaz de hacer;
y a Lewis,
cuyo amor y apoyo infinito
permiten que todo sea posible.

—S.L.B.

5

Contenido

Prólogo

SÓLO EL MATRIMONIO tiene tanto potencial de hacernos sentir miserables o dichosos; sin embargo, ingresamos a la institución del matrimonio sin ninguna clase de preparación. Se nos exige demostrar alguna habilidad o conocimiento para obtener una licencia de conducción, pero las licencias matrimoniales pueden obtenerse tan solo firmando un papel.

He aquí un manual, una guía del usuario, para una de las más grandiosas aventuras de la vida. Markman, Stanley y Blumberg nos ofrecen sus experiencias como científicos estudiosos de las relaciones interpersonales. Su programa está basado en la investigación objetiva de las estrategias que mejoran la comunicación y la intimidad.

Su matrimonio vale la pena marca un hito en la literatura de autoayuda para las relaciones de pareja. Es una lectura esencial para las parejas que se interesan en su relación.

DEAN S. EDELL, M.D.

Introducción

LOS BUENOS MATRIMONIOS exigen trabajo. Contrariamente a las creencias populares, el mejor elemento para predecir el futuro de su relación no es el amor que ustedes se profesan el uno al otro, sino la forma como dirimen los conflictos y los desacuerdos. Infortunadamente, el conflicto es ineludible, no puede evitarse. Por lo tanto, si desean tener un buen matrimonio, más les vale aprender a discutir correctamente.

Este libro les enseñará a preservar por su matrimonio. Está diseñado para proporcionarles herramientas específicas que les ayudarán a establecer las bases para su felicidad actual y futura, tal y como ha sido demostrado a través de veinte años de investigación. Al mismo tiempo, les ayudaremos a mantener y mejorar la intimidad, la diversión, el compromiso, la amistad y la sensualidad en su matrimonio.

LOS RIESGOS DEL MATRIMONIO

La mayoría de las personas desean un matrimonio satisfactorio que dure para toda la vida. Sin embargo, las parejas de hoy en día tienen un 50% de probabilidad de divorciarse. De hecho, la tasa de divorcio aumentó, por primera vez en cinco años, en 1992. Muchas parejas, que no se divorcian, permanecen juntas pero son infelices durante años. Nosotros creemos que el matrimonio es la empresa más arriesgada que emprende rutinariamente el mayor número de personas en nuestra sociedad. Lo que empieza como una relación muy feliz y prometedora puede convertirse en el esfuerzo más frustrante y doloroso de la vida.

Los efectos perjudiciales de un conflicto marital destructivo y de un divorcio sobre los cónyuges y los hijos son incalculables. Estos efectos incluyen problemas médicos, económicos y de salud mental. Por ejemplo, los problemas maritales constituyen una de las principales causas de depresión, y ésta es el problema de salud mental más común en nuestra sociedad. Los problemas maritales y el divorcio producen trabajadores distraídos y muy poco motivados, lo cual conduce a grandes pérdidas en la productividad de la sociedad. El divorcio es también una de las causas principales de pobreza, por cuanto divide a las familias y deja a muchos niños viviendo en hogares pobres con un solo padre. Más recientemente, han sido comprobados también los poderosos efectos de los conflictos maritales sobre la salud física. Éstos pueden provocar tensión arterial alta, afectar el sistema inmune y causar problemas gastrointestinales, respiratorios y urinarios. Un reciente comité del National Institute of Mental Health [Instituto Nacional de Salud Mental de Estados Unidos] concluyó que los conflictos maritales constituyen uno de los principales factores de riesgo de muchos problemas mentales y de salud.

¿POR QUÉ ESCRIBIMOS ESTE LIBRO?

Hemos escrito este libro para ayudarles a establecer y mantener un matrimonio satisfactorio. Nuestro enfoque está basado en el Prevention and Relationship Enhancement Program (PREP™) [Programa de Prevención y Fortalecimiento de las Relaciones Interpersonales] y en quince años de investigación en la Universidad de Denver. El PREP es un programa que desarrollamos para ayudar a las parejas a tener un buen matrimonio. En los talleres del PREP, se les enseñan a las parejas las habilidades y las actitudes que producen buenas relaciones a través de pasos y ejercicios específicos. Debido a que sus raíces se fundamentan en investigaciones sólidas, y a que su enfoque es directo, el PREP ha suscitado el interés de numerosas parejas y profesionales que trabajan en el campo de la asesoría matrimonial y los medios de comunicación.

El PREP es uno de los programas para parejas más ampliamente investigado hasta el momento. Los autores de este libro y todas aquellas personas interesadas en el enfoque PREP, estamos planeando permanentemente nuevos estudios. Esta investigación ha dado luces no sólo sobre los principales factores de riesgo del fracaso marital, sino también sobre los caminos más prometedores para ayudarles a disminuir los riesgos en su relación. Sin embargo, la mala noticia es, que el matrimonio en nuestra cultura no es nada fácil y que los costos del fracaso marital son asombrosos. La buena noticia, por otra parte, es que en este libro presentamos poderosas técnicas que le permitirán tener un buen matrimonio basadas en la investigación y en nuestros talleres PREP para parejas.

Hemos capacitado a profesionales de la salud mental de todo el mundo y a líderes de instituciones tales como la Iglesia Católica y varias iglesias protestantes. Aun cuando sería muy bueno poder trabajar con ustedes personalmente, reconocemos que la mayoría no tendrá la oportunidad de asistir a uno de nuestros talleres o a alguno de los que dirigen los profesionales capacitados por nosotros. Sin embargo, este libro presenta el PREP tal como lo enseñamos en nuestros talleres. Ha sido escrito de la misma forma como redactamos los manuales que reciben las parejas que asisten a ellos, pero es también un libro que se sostiene por sí mismo, diseñado para presentar el material de una manera eficiente. Uno de nuestros primeros objetivos es dar información sólida a cuantas parejas sea posible sobre lo que pueden hacer para evitar los conflictos maritales y el divorcio.

Las técnicas y estrategias de este libro están basadas en la investigación más reciente en el campo del matrimonio. Nuestras sugerencias se sustentan en investigaciones sólidas y no en especulaciones psicológicas. Esto significa que no simplemente suponemos lo que puede ayudarle a una pareja sino que utilizamos además la investigación y los ensayos para comprobar las hipótesis de investigación. Aunque discutiremos los problemas y patrones que pueden destruir una relación, este libro habla menos sobre lo que anda mal y más sobre las cosas específicas que ustedes pueden hacer para lograr y mantener una relación exitosa y satisfactoria.

LOS RESULTADOS DE NUESTRA INVESTIGACIÓN

Nuestro programa incorpora principios basados en investigaciones con parejas realizadas en los Estados Unidos y en el mundo entero, y nos hemos beneficiado también de los hallazgos de muchos colegas cuyas investigaciones han precedido, acompañado o seguido a las nuestras. Por ejemplo, hay una gran cantidad de pruebas que evidencian importantes diferencias entre la habilidad de las parejas con problemas y la de las parejas felices para comunicarse bien y manejar los conflictos. Esto da lugar a ideas muy específicas respecto a cómo enseñarles a las parejas a manejar los problemas de manera más constructiva.

No obstante, este libro no habla solamente sobre comunicación y conflicto. El PREP también examina temas como el compromiso y la dedicación, el perdón, la amistad y la diversión. Siempre que es posible, tratamos de hablarles acerca de las investigaciones interesantes y bien fundamentadas en este campo, que pueden ayudarles a fortalecer su relación. Ustedes pueden estar pensando, "¿A quién le interesa la investigación?" Pensamos que llegarán a apreciar cuán importante puede ser una buena investigación cuando comprueben que proporciona información muy útil acerca de su propia relación.

La investigación más importante sobre el enfoque PREP se ha realizado en la Universidad de Denver. Nuestra investigación ha sido apoyada por donaciones del National Institute of Mental Health [Instituto Nacional para la Salud Mental], el National Institute of Health [Instituto Nacional para la Salud] y la National Science Foundation [Fundación Nacional para la Ciencia] y ha producido más de cincuenta publicaciones científicas y profesionales. El análisis cuidadoso de los resultados obtenidos durante años de investigación —en la que se han comparado parejas que están enfrentando problemas importantes con parejas felices— condujo al PREP y, ahora, a este libro.

En uno de nuestros estudios claves, les hicimos seguimiento durante trece años a una muestra de ciento cincuenta parejas, tanto desde antes de que se casaran como después de casadas. Estas parejas han venido a nuestro laboratorio anualmente y nos han proporcionado gran cantidad de información sobre satisfacción, ajuste, intensidad de sus problemas, compromiso, información demográfica, satisfacción sexual, violencia y abuso, desarrollo de la familia y mejoramiento sensual y sexual, entre otros temas. También les hemos pedido que hablen entre ellas sobre estos temas y hemos grabado sus conversaciones. Estas conversaciones grabadas en videocasetes son sometidas a muchas horas de análisis para evaluar distintos estilos de comunicación. Al analizar los datos, podemos rastrear los factores que pueden predecir el fracaso o el éxito marital en el futuro.

Los datos obtenidos durante nuestra investigación, referentes al desempeño de las parejas antes del matrimonio, nos han permitido predecir con un 82 a 93% de exactitud, cuáles de ellas se divorciarán y cuáles serán felices. Otros estudios en este campo también han mostrado que es posible predecir cuáles relaciones tienen mayores probabilidades de fracasar en el futuro. Aun cuando estos hallazgos pueden ser amedrentadores para algunas parejas, nosotros consideramos que los estudios son muy útiles. El hecho de saber más sobre cómo se desbaratan los matrimonios con el tiempo, nos da una idea mucho más clara de los aspectos en los cuales las parejas deben concentrar su atención. Estas investigaciones no han llegado aún al punto en el cual una pareja pueda pasar un examen sencillo con papel y lápiz para determinar el éxito matrimonial, pero los estudios arrojan mucha luz sobre cuáles son los factores que colocan a las parejas ante un mayor riesgo de fracaso.

¿CÓMO ESTÁN FUNCIONANDO LAS COSAS ENTRE USTEDES?

Considere el siguiente examen desarrollado en nuestro proyecto de investigación. Aun cuando éste no es propiamente el examen que les hacemos a las parejas, estas declaraciones se concentran en los más precisos factores de predicción del conflicto marital y del divorcio. Todo el mundo puede responder ocasionalmente de manera positiva a alguna de estas afirmaciones, pero un patrón persistente de respuestas positivas a lo largo del tiempo puede ser una señal de alerta que indica que una relación necesita ayuda. Responda verdadero o falso a las siguientes aseveraciones.

1. Las discusiones sin importancia entre nosotros pueden intensificarse hasta convertirse en peleas terribles con acusaciones, críticas, insultos o recordatorios de heridas pasadas.

2. Mi pareja critica o menosprecia mis opiniones, mis sentimientos y mis deseos.

3. Mi pareja parece darle a mis palabras o a mis acciones un contenido más negativo del que yo les doy.

4. No me siento valorado por mi pareja.

5. No siento que sea «seguro» compartir mis verdaderos sentimientos, pensamientos y deseos dentro de nuestra relación.

6. Pienso seriamente en cómo sería empezar a salir o casarme con otra persona.

7. Me siento solo en esta relación.

8. Cuando discutimos, uno de nosotros abandona la discusión —o sea, no quiere hablar más sobre el asunto— o se va del lugar.

A medida que lean este libro, ustedes comprenderán no sólo por qué estas declaraciones son importantes, sino también qué pueden hacer como pareja para construir y mantener los patrones sanos asociados con una buena relación. Recuerden: lo que mejor predice la calidad futura de su matrimonio no es cuánto se quieren el uno al otro, ni qué tan buena es su vida sexual, ni los problemas que tienen con el dinero. Como lo anotamos al comienzo, el mejor factor de predicción de éxito matrimonial es la manera como ustedes manejan los conflictos y los desacuerdos. La clave consiste en desarrollar una táctica constructiva y unas reglas básicas para manejar los conflictos y desacuerdos que son inevitables en cualquier relación significativa.

¿Puede ayudarles este libro? Sin lugar a dudas. En 1980, se inició en la Universidad de Denver un estudio a largo plazo sobre los efectos del programa PREP. Queríamos ver si era posible enseñarles a las parejas que aún no se habían casado, habilidades y estrategias que pudieran prevenir desde el comienzo el desarrollo de problemas significativos. Los resultados mostraron que las parejas que recibieron el PREP, comparadas con las que no lo recibieron, tienen matrimonios más felices, con probabilidades significativamente menores de un rompimiento en la relación o de un divorcio. Hasta ocho años después de haber participado en el programa, las parejas PREP se siguen comunicando significativamente mejor que las otras. Las parejas PREP también reportan un número menor de eventos de agresión física en los años posteriores a la capacitación.

En el estudio más reciente sobre el PREP, Susan Blumberg completó la primera fase de un importante proyecto que compara al PREP con una versión modificada del Engaged Encounter [Encuentro para prometidos] para parejas comprometidas o recién casadas. El Engaged Encounter es un programa popular para parejas que no hace tanto énfasis en habilidades específicas como el PREP.

Una vez terminados los programas, las parejas que participaron en el PREP fueron capaces de comunicarse más eficientemente que las que participaron en el Engaged Encounter. Las parejas del PREP también mantuvieron niveles más altos de satisfacción. Este estudio destaca no sólo la importancia de abordar problemas claves para las parejas sino también la necesidad de proporcionarles las habilidades para manejarlos más eficientemente. Eso es lo que trataremos de hacer aquí.

Aunque ustedes puedan no estar asistiendo a un taller PREP, aquí encontrarán toda la información y las técnicas claves.

¿PARA QUIÉN ES ESTE LIBRO?

Las técnicas de este libro, probadas a través del tiempo, pueden ser usadas por cualquier pareja, desde las recientemente comprometidas hasta las que están formadas desde hace mucho tiempo, que quiera resolver problemas o evitar que ocurran. Este libro es para cualquier persona interesada en el matrimonio, trátese de recién casados, de cónyuges con veinte años de convivencia, o de quienes estén ensayando el matrimonio por segunda o tercera vez. Algunos de ustedes pueden estar enfrentando problemas graves en este momento. Otros pueden tener una relación feliz ahora, pero pueden estar interesados en evitar los problemas que se les presentan a demasiadas parejas en nuestra cultura.

El PREP fue diseñado originalmente como un programa para ayudar a las parejas que no se habían casado todavía a evitar los problemas graves en su relación; pero al trabajar con parejas en el programa, hemos descubierto que las técnicas también son efectivas para aquellas parejas que están viviendo una relación conflictiva. Ya sea que su relación de pareja esté teniendo graves problemas en este momento, o que no los tenga, la información y las técnicas específicas de este libro serán útiles y beneficiosas para su relación.

CÓMO OBTENER EL MÁXIMO BENEFICIO DE ESTE LIBRO

Este libro comienza con lo básico y lo presenta paso por paso. Luego integra una cantidad de información útil para lograr el mejor de los matrimonios. Creemos que aprender a tener una buena relación es en gran parte una habilidad, como cualquier otra, que ustedes pueden aprender juntos como pareja. Para ayudarles en este empeño, les ofrecemos instrucciones específicas para hacer ejercicios que pueden practicar en el hogar. De ahí que este libro sea un manual del tipo "manos a la obra".

Idealmente, este libro debe ser trabajado por los dos miembros de la pareja al mismo tiempo. Podrían leer cada capítulo en compañía o individualmente y luego reunirse para discutirlo o practicar las técnicas que se están enseñando. Sin embargo, una persona puede seguir nuestros principios e iniciar una reacción en cadena que, en últimas, involucre al otro miembro de la pareja y produzca beneficios para ambos.

A menudo, uno de los miembros de la pareja compra nuestro libro con la esperanza de lograr que el otro se interese. Si ésta es su situación, tenemos una o dos sugerencias. Primero, demuestre entusiasmo al expresar su deseo de que trabajen en este libro conjuntamente. Deje en claro que esto es algo que usted quiere hacer por "los dos". Los cónyuges renuentes tienen menos probabilidad de responder ante la presión. Segundo, sugiera que su pareja hojee el libro y le tome el gusto. Creemos que mucha gente se resiste a leer libros de autoayuda porque creen que gran parte del material se basa en lo que está de moda y por lo tanto es superficial. Si ése es el caso, su pareja descubrirá que este libro es refrescante debido a que las ideas presentadas son concretas, de sentido común y nada disparatadas. Muchos libros de autoayuda sirven para que las personas aprendan a conocerse a sí mismas o a sus parejas, pero no les enseñan a cambiar los patrones. Todas las buenas intenciones del mundo no le ayudarán si su relación no cambia. En nuestros talleres les damos a los participantes trabajo para realizar en el hogar. En este libro, ustedes deben hacer los ejercicios que se encuentran al final de cada capítulo. No hay otra manera más efectiva para sacarle el mayor provecho a las ideas que presentamos.

PRESENTACIÓN GENERAL DEL LIBRO

De la misma manera que en nuestros talleres, el material de este libro está organizado en tres partes, cada una con cierto número de capítulos. Estas partes corresponden a los siguientes pasos:

1. Practicar la comunicación y el manejo de conflictos.
2. Adoptar las actitudes y las acciones de las relaciones sólidas.
3. Establecer y mejorar las relaciones para el largo plazo.

En la primera parte, introduciremos un cierto número de habilidades muy eficaces para manejar los conflictos y desacuerdos. Estas habilidades sugerirán comportamientos muy diferentes de los que actualmente tienen, pero ése es el punto. Como toda habilidad, estas sugerencias se volverán más fáciles con la práctica. Para cada habilidad o principio, también les explicaremos la teoría y las investigaciones subyacentes, de manera que entiendan cómo funciona. Descubrirán que estas técnicas no son realmente difíciles de entender, pero que requieren trabajo para que ustedes como pareja lleguen a dominarlas. Se les pedirá que practiquen juntos algunas habilidades y ejercicios nuevos. Creemos que valdrá la pena que hagan un esfuerzo para que lo que aprendan aquí llegue a formar parte de su relación.

En la segunda parte nos concentraremos en la forma como las parejas exitosas piensan y conciben sus relaciones. Mientras que la primera parte se dirige más hacia el comportamiento, ésta se concentra más en los patrones de pensamiento y las motivaciones. Hace énfasis en la responsabilidad que tiene cada uno de pensar y actuar con el fin de promover la buena salud de su relación. Se les pedirá que piensen en conceptos tales como expectativas, compromiso y perdón. Como en el resto del libro, nuestra meta es ayudarles a examinar estas importantes dimensiones de una manera provechosa y sensata, lo que, en nuestro concepto, puede influenciar fuertemente su relación para bien.

La tercera parte los ayudará a explorar algunas dimensiones importantes que están relacionadas en principio con las razones por las cuales la gente se casa: amistad, diversión, intimidad física y propósito en la vida. Estos capítulos tienen dos objetivos claves: (1) ayudarles a mejorar esas importantes dimensiones y (2) enseñarles estrategias poderosas para proteger los aspectos maravillosos de su relación, de las cosas menos positivas que se presentan en la vida y en el amor, tales como el estrés y el conflicto.

Esperamos que obtengan un gran beneficio del programa presentado en este libro. Ahora, empecemos con el primer capítulo, en el cual aprenderán más sobre investigaciones fascinantes respecto a cómo las parejas manejan el conflicto y a cómo pensamos que ustedes pueden "hacer valer su matrimonio".

CÓMO MANEJAR EL CONFLICTO

1

Cuatro patrones claves que pueden perjudicar la relación

UNA DE LAS COSAS DE MAYOR IMPACTO que pueden hacer para proteger su matrimonio es aprender formas constructivas de manejar conflictos, diferencias y desacuerdos. Investigadores de dos importantes laboratorios en los Estados Unidos descubrieron que la probabilidad del divorcio puede predecirse al estudiar cómo manejan los conflictos las parejas. En este capítulo, nos concentraremos en cuatro patrones específicos de interacciones conflictivas que a menudo conducen a problemas matrimoniales:

1. Escalada
2. Invalidación
3. Retirada y evasión
4. Interpretaciones negativas

Una vez entiendan estos patrones, podrán aprender a evitar que ellos dominen su relación. A medida que los vayamos describiendo, también presentaremos algunas ideas para contrarrestarlos. En capítulos posteriores, nos concentraremos más profundamente en cómo se puede proteger la relación de dichos patrones negativos.

Si ustedes actualmente se sienten felices en la relación, pueden usar el enfoque del PREP para evitar que esos patrones lleguen a desarrollarse. Si están enfrentando problemas en su relación, queremos motivarlos para que luchen más constructivamente, de manera que realmente logren resolverlos. Empecemos por observar los cuatro patrones de predicción.

ESCALADA: TODO SE DEVUELVE

La escalada ocurre cuando los miembros de la pareja se responden negativamente el uno al otro, continuamente subiendo el tono, de modo que las condiciones empeoran sin cesar. A menudo, los comentarios negativos crecen en forma de espiral hasta convertirse en ira y frustración. Las parejas que están felices ahora y que tienen probabilidades de permanecer así, son menos propensas a la escalada; si sus discusiones empiezan a intensificarse, ellas son capaces de detener el proceso negativo antes de que se torne en una desagradable pelea. Podemos observar claramente el proceso de escalada en las interacciones de una pareja que participó en nuestros programas e investigaciones PREP.

Tomás, un trabajador de la construcción de treinta y cuatro años, y Sara, de treinta y dos años, quien maneja un negocio de comidas a domicilio, por fuera del hogar, llevaban ocho años de casados cuando los vimos por primera vez. Como ocurre con muchas parejas, sus peleas empezaban con discusiones sin importancia:

TOMÁS: *[Sarcásticamente]* ¿No crees que podrías ponerle la tapa al tubo de dentífrico después de usarlo?

SARA: *[Con el mismo sarcasmo]* Oh, como si tú nunca olvidaras ponérsela.

TOMÁS: A decir verdad, nunca olvido ponérsela.

SARA.   Oh, había olvidado cuán compulsivo eres. ¡Tienes razón, claro está!

TOMÁS: No entiendo por qué sigo contigo. Eres tan negativa.

SARA: Tal vez no deberías quedarte conmigo. Nadie está obstruyendo la puerta.

Uno de los aspectos más perjudiciales de las discusiones que se intensifican y se salen de control es que los miembros de la pareja tienden a decir cosas que amenazan la esencia de su matrimonio. A medida que la frustración y la hostilidad crecen, los cónyuges frecuentemente tratan de herirse el uno al otro blandiendo armas verbales [y algunas veces físicas]. Observemos este patrón en la conversación de Tomás y Sara, en la que los argumentos degeneran rápidamente hasta amenazar con terminar la relación. Una vez que se han hecho comentarios muy negativos y verbalmente abusivos, es difícil dar marcha atrás. El daño puede deshacerse, pero se requiere de mucho trabajo. Decir «sólo estaba bromeando cuando te dije que deberías irte» puede no surtir efecto porque esta frase no repara los sentimientos heridos.

Los cónyuges pueden decir las cosas más desagradables durante una discusión en escalada, pero esos comentarios a menudo no reflejan lo que realmente sienten el uno hacia el otro. Tal vez piensen que las personas revelan sus «verdaderos sentimientos» en el calor de una pelea violenta, pero nosotros no creemos que usualmente sea ése el caso. En principio, la gente trata de herir a la otra persona y de defenderse a sí misma. Uno de los problemas más graves en este escenario es que los comentarios que más hieren a la pareja tienden a ser confidencias que se compartieron en anteriores momentos de intimidad. De ahí que, en el calor de la escalada, las armas elegidas a menudo provienen del conocimiento íntimo del cónyuge.

En la discusión entre Sara y Tomás, por ejemplo, Sara mencionó que Tomás era compulsivo porque ella quería realmente darle un golpe bajo. En un momento de ternura anterior él compartió con ella su preocupación por ser tan obsesivo y dijo que había aprendido este estilo en su adolescencia para complacer a su padre. Aun cuando se piense que Sara fue la primera agredida en esta discusión, la escalada la llevó rápidamente al uso de confidencias para ganar la batalla. Tales tácticas equivalen a hacer terrorismo marital y causan mucho dolor y daño en la relación. Cuando la escalada incluye el uso de confidencias como un arma, la posibilidad de futuros momentos de ternura se ve amenazada. ¿Quién va a compartir sentimientos profundos en la relación si la información puede ser usada más tarde en su contra cuando el conflicto está fuera de control?

Tal vez piensen ustedes, «Nosotros no peleamos como perros y gatos

—¿cómo se aplica esto a nosotros?» De hecho, la escalada puede ser muy sutil. No es necesario alzar la voz para entrar en el ciclo de devolver lo negativo con negativo. Es más, las investigaciones muestran que incluso patrones sutiles de escalada pueden conducir al divorcio en años venideros. Considere la siguiente conversación entre Máximo y Diana, unos jóvenes recién casados, que están empezando su vida en un apartamento:

MÁXIMO: ¿Pagaste el arrendamiento a tiempo?

DIANA: Ése iba a ser tu oficio.

MÁXIMO: Se suponía que tú ibas a hacerlo.

DIANA: No, debías ser tú.

MÁXIMO: ¿Lo hiciste?

DIANA: No. Y, tampoco pienso hacerlo.

MÁXIMO   [*Murmurando*] ¡Qué bien! ¡Estupendo!

Si ustedes hubieran podido escuchar esta discusión, no habrían oído voces elevadas. De hecho, si escucharan la conversación tras una pared, sin saber lo que se estaba diciendo, el tono les parecería bastante casual. Sin embargo, pueden observar el carácter negativo-a-negativo de esta conversación. Eso es lo que llamamos escalada tal como la hemos definido nosotros en nuestra investigación.

La escalada, incluso en grado mínimo, es destructiva con el paso del tiempo. Diana y Máximo son unos recién casados que se sienten muy felices en su matrimonio. Imagine, no obstante, años de pequeñas discusiones como ésta que maltratan la relación, y erosionan las cosas positivas que ahora comparten.

Mientras más se intensifiquen las discusiones, mayor es el riesgo que corren las parejas de tener problemas futuros. Es muy importante para la salud futura de su relación aprender a contrarrestar cualquier tendencia que tengan ustedes a permitir la escalada en las discusiones. Si no hay mucha escalada, ¡magnífico! Su meta es aprender a mantener las cosas así. En caso de que sí se dé la escalada, su meta es reconocer el problema y ponerle fin.

CÓMO INTERRUMPIR LA ESCALADA

Todas las parejas sostienen discusiones que, de vez en cuando, se intensifican, pero algunas parejas se desvían de ese patrón más rápido y con resultados mucho más positivos. Compare la anterior discusión de Tomás y Sara con la de María y Héctor. María tiene cuarenta y cinco años y trabaja como vendedora de una joyería, y Héctor es un abogado de cuarenta y nueve años y trabaja para el Departamento de Justicia, han estado casados durante veintitrés años. Esta pareja llegó a nuestro taller en Vail, Colorado, referida por un terapeuta marital local quien pensó que podrían beneficiarse con nuestro taller de comunicación de fin de semana. Al igual que Tomás y Sara, María y Héctor también mostraban una tendencia a discutir sobre eventos de la vida diaria, como en este ejemplo:

MARÍA: [*Molesta*] Dejaste nuevamente la mantequilla fuera de la nevera.

HÉCTOR: [*Irritado*] ¿Por qué son tan importantes para ti cosas tan insignificantes? Simplemente ponla allí de nuevo.

MARÍA: [*Suavizando su tono*] Cosas como ésa son importantes para mí. ¿Es eso tan grave?

HÉCTOR: [*Más calmado*] Creo que no. Lo siento estaba irritable.

Observe la diferencia. Al igual que la discusión de Sara y Tomás, la de Héctor y María presentaba escalada, pero ellos la interrumpieron rápidamente. Cuando las secuencias de escalada se interrumpen, usualmente se debe a que uno de los cónyuges da marcha atrás y dice algo para suavizar la discusión, rompiendo así el ciclo negativo.

Tanto María como Héctor hicieron algo constructivo para interrumpir la escalada. María suavizó el tono en lugar de ponerse a la defensiva y Héctor tomó la decisión de dar marcha atrás y aceptar el punto de vista de María. Suavizar el tono de su voz y aceptar el punto de vista de su pareja son dos herramientas poderosas que ustedes pueden usar para disminuir la tensión y poner punto final a la escalada. A medida que avancemos, les enseñaremos formas específicas y poderosas para hacer justamente eso.

INVALIDACIÓN: LAS HUMILLACIONES DOLOROSAS

La invalidación se define como un patrón en el cual un cónyuge, en forma sutil o directa, menosprecia los pensamientos, los sentimientos o el carácter del otro. Algunas veces tales comentarios, intencionalmente o no, disminuyen la autoestima de la persona atacada. La invalidación puede adoptar muchas formas. Escuchemos otras dos discusiones entre Tomás y Sara y entre María y Héctor.

SARA: [*Enfurecida*] ¡Perdiste nuevamente tu cita con el médico! Eres tan irresponsable. Me imagino que te morirás y me dejarás sola como lo hizo tu papá.

TOMÁS: [*Herido*] Muchas gracias. Tú sabes que no me parezco en nada a mi papá.

SARA: Él era un bueno para nada y tú también lo eres.

TOMÁS: [*Exudando sarcasmo*] Lo siento. Olvidé la suerte que tengo de estar casado con un parangón de la responsabilidad. Tú ni siquiera puedes mantener tu cartera ordenada.

SARA: Por lo menos no soy tan obsesiva con pequeñeces estúpidas.

TOMÁS: Sí que eres arrogante.

• • •

MARÍA: [*Con llanto en los ojos*] Sabes, estoy realmente frustrada con la injusta y malintencionada evaluación que hizo Miguel de mi trabajo.

HÉCTOR: No creo que fuera tan crítico. Me sentiría feliz de recibir una evaluación tan positiva como ésa de Francisco.

MARÍA: [*Con un suspiro y alejándose*] Tú no entiendes. Me molestó mucho.

HÉCTOR: Sí, eso veo, pero sigo pensando que estás exagerando.

Aun cuando estos dos ejemplos ilustran la invalidación, el primero es mucho más mordaz que el segundo. En el caso de Sara y Tomás se puede sentir cómo se filtran en las frases la beligerancia y el desprecio. La discusión se convierte en un ataque al carácter. Y aunque Héctor y María no muestran el mismo grado de agresividad expresado por Tomás y Sara, Héctor, de manera sutil, está menospreciando los sentimientos de María. Es posible que él esté pensando que ha sido constructivo o que ha tratado de darle ánimos puesto que, de hecho, ha dicho, «No es tan grave». Sin embargo, esta clase de comunicación también constituye una invalidación. María se siente más herida ahora porque Héctor ha dicho, en el fondo, que sus sentimientos de tristeza y frustración son inapropiados.

Otra forma sutil de invalidación ocurre cuando la persona está esperando un elogio por algún acto positivo que, de hecho, es ignorado por su pareja, en tanto que algún problema menor es recalcado. Por ejemplo, suponga que usted trabajó mucho durante toda la tarde reorganizando y limpiando la cocina y su cónyuge llega a la casa y se queja porque usted no fue a hacer las compras. Usted se sentirá bastante invalidado. Cuando una persona hace un esfuerzo para realizar algo positivo y luego es ignorada o criticada, queda herida y frustrada.

La invalidación hiere. Conduce, de manera natural, a encubrir lo que se es y se piensa, porque es demasiado arriesgado actuar de otra forma. La gente naturalmente encubre sus sentimientos más profundos cuando cree que serán «menospreciados». Nuestra investigación ha demostrado que la invalidación es uno de los mejores factores de predicción de problemas futuros y de divorcio. Es interesante anotar que la cantidad de validación en una relación no dice tanto sobre la salud de ésta, como sí la invalidación. La invalidación es un veneno altamente tóxico para el bienestar de su relación.

CÓMO PREVENIR LA INVALIDACIÓN

En las dos discusiones anteriores, a ambas parejas les habría ido mejor si uno de los miembros hubiera respetado y aceptado el punto de vista del otro. Observe la diferencia en la forma como habrían podido desarrollarse las conversaciones:

SARA: [*Enfurecida*] Estoy muy enfadada contigo porque perdiste nuevamente la cita con el médico. De verdad me interesa tenerte a mi lado por mucho tiempo.

TOMÁS: [*Herido*] ¿Realmente estás afectada, no es cierto?

SARA: Por supuesto. Quiero estar segura de que en el futuro estarás aquí para mí y me preocupa que pierdas una cita que considero importante.

TOMÁS: Comprendo que te sientas preocupada cuando yo no me cuido.

• • •

MARÍA: [*Con lágrimas en los ojos*] Sabes, estoy realmente frustrada con la injusta y malintencionada evaluación que hizo Miguel de mi trabajo.

HÉCTOR: Realmente te sientes reprendida.

MARÍA: Sí, así me siento. Y además me inquieta pensar que tal vez no podré conservar este empleo. ¿Qué haríamos si lo perdiera?

HÉCTOR: No sabía que estuvieras tan preocupada de perder el empleo. Cuéntame un poco más sobre lo que estás sintiendo.

En estos ejemplos, hemos vuelto a plantear los problemas pero con resultados muy diferentes para ambas parejas. Ahora observamos la sincera expresión de los sentimientos, el respeto por el carácter de cada persona y un énfasis en la validación. La validación se presenta cuando se respeta y escucha a la persona que está expresando su preocupación. No es necesario estar de acuerdo con su pareja para validar sus sentimientos. La validación es una herramienta poderosa que se puede usar tanto para fomentar la intimidad como para reducir la ira y el resentimiento. Pero requiere disciplina, especialmente cuando la persona está realmente frustrada o enfadada. En capítulos posteriores, les enseñaremos algunas formas muy eficaces para incrementar la validación.

RETIRADA Y EVASIÓN: JUGANDO A LAS ESCONDIDAS

La retirada y la evasión son manifestaciones diferentes de un patrón en el cual uno de los cónyuges no se muestra dispuesto a entrar o a permanecer en una discusión importante. La retirada puede ser algo tan obvio como levantarse e irse del lugar o algo tan sutil como «desconectarse» o «encerrarse» durante una discusión. Quien se retira tiende a callar durante la discusión o acepta rápidamente una sugerencia solamente para terminar la conversación, sin intención real de cumplirla.

La evasión refleja la misma renuencia a participar en ciertas discusiones, pero se dirige más a evitar que la conversación tenga lugar. Una persona propensa a la evasión preferiría que el tema difícil no se plantee nunca, y si se plantea, puede manifestar los signos de retirada descritos anteriormente.

Observemos este patrón como se presentó en una discusión entre Paula, una agente de finca raíz de veintiocho años, y Jorge, un funcionario bancario de treinta y dos años. Ellos llevan tres años de casados y tienen una niña a quien ambos adoran. Ambos se sentían preocupados porque la tensión en su relación estaba empezando a afectar a su hija:

PAULA: ¿Cuándo vamos a hablar acerca de la forma como estás manejando tu mal genio?

JORGE: ¿No puedes esperar? Tengo que trabajar en los impuestos.

PAULA: Ya he planteado este tema por lo menos cinco veces. ¡No, no puedo esperar!

JORGE: [*Un poco tenso*] ¿En cualquier caso, sobre qué hay que hablar? Eso no es asunto tuyo.

PAULA: [*Frustrada y mirando de frente a Jorge*] Tania es asunto mío. Tengo miedo de que pierdas el control y puedas llegar a hacerle daño, y tú no haces absolutamente nada para manejar mejor tu mal genio.

JORGE: [*Alejándose y mirando por la ventana*] Yo amo a Tania. Ahí no hay ningún problema. [*Sale del cuarto mientras habla*]

PAULA: [*Muy enfadada ahora, sigue a Jorge al otro cuarto*] Tienes que buscar ayuda. No puedes simplemente esconder la cabeza en la arena.

JORGE: No voy a discutir nada contigo mientras estés así.

PAULA: ¿Mientras esté cómo? No importa si estoy calmada o frustrada — tú no hablas conmigo sobre nada importante. Tania tiene problemas y tú tienes que enfrentar eso.

JORGE: [*Callado, tenso, inquieto*]

PAULA: ¿Y bien?

JORGE: [*Se dirige al armario y saca un suéter*] Voy a salir a tomar algo y a buscar un poco de paz y tranquilidad.

PAULA: [*Alzando la voz, enfadada*] Háblame, ahora. Estoy cansada de que te vayas cuando estamos hablando sobre algo importante.

JORGE: [*Evitando la mirada de Paula y caminando hacia la puerta*] Yo no estoy hablando, estás hablando tú. Es más, estás gritando. Te veo más tarde.

Muchas parejas realizan esta danza cuando llega el momento de manejar problemas difíciles. Un cónyuge persigue manejar los problemas [Paula] y el otro se retira y evade el manejo de éstos [Jorge]. Este escenario común es muy destructivo para la relación. Al igual que los demás patrones que hemos presentado, la escena no tiene por qué ser tan dramática para predecir futuros problemas. Este es uno de los más poderosos factores de predicción de infelicidad y divorcio.

El que persigue es el que pone sobre la mesa, con más frecuencia, temas de discusión o llama la atención sobre la necesidad de tomar una decisión respecto a algo. El que se retira es aquél que tiende a evitar estas discusiones o a salirse de ellas. Los estudios muestran que los hombres tienden a representar el papel del que se retira más frecuentemente y las mujeres tienden a ser las que buscan manejar los problemas. Sin embargo, en muchas relaciones, este patrón se invierte. También es común que los cónyuges intercambien de papeles dependiendo del tema. Por ejemplo, uno de ustedes puede ser el que maneja el presupuesto y ser quien busca plantear discusiones sobre problemas relacionados con el dinero. Su cónyuge puede manejar los problemas relacionados con los estudios de los niños con mayor frecuencia y, por lo tanto, ser quien busca hablar sobre esos asuntos. No obstante, en comparación con las mujeres, los hombres tienden a asumir con más frecuencia el papel de la retirada ante un amplio rango de problemas.

CÓMO SE PUEDE EVITAR LA RETIRADA

Las investigaciones muestran claramente que la retirada y la evasión masculinas son factores claros de predicción de problemas actuales y futuros. En el próximo capítulo, les explicaremos por qué los hombres tienen más probabilidad de asumir el papel del que se retira y en qué consiste la retirada. Si ustedes han observando ese patrón en su relación, mantengan en mente que probablemente se agravará si permiten que continúe. Esto se debe a que, como los que persiguen plantear el problema presionan más, sus cónyuges se retiran más y mientras más se retiran ellos, más presionan los otros. Es obvio que evitar el manejo de problemas serios sólo puede traer consecuencias perjudiciales para la relación. Una persona no puede meter la cabeza en la arena y esperar que los problemas importantes o delicados desaparezcan.

Para el caso de la retirada y la evasión, el primer paso que pueden dar ahora mismo es comprender que ustedes no son independientes el uno del otro. Sus actos producen reacciones y viceversa. Por esta razón, tendrán mucho mayor éxito si trabajan juntos para cambiar o evitar los patrones negativos discutidos aquí. Los que se retiran no disminuirán su evasión a menos que los que persiguen plantear los problemas presionen menos o lo hagan de manera más constructiva. Los que persiguen, por su parte, se verán en dificultades para disminuir la presión a menos que los que se retiran manejen más directamente los problemas existentes.

He aquí una manera como Jorge y Paula pudieron manejar su dilema después de asistir a uno de nuestros talleres. Antes de que las cosas se salieran de sus manos, Jorge decidió adoptar un enfoque más constructivo.

JORGE: Está bien. Veo que estás realmente frustrada con esto y necesitamos conversar al respecto.

PAULA: ¡Perfecto!

JORGE: En verdad necesitamos hablarlo, pero en este momento no siento el deseo de hacerlo. Qué tal si esta noche nos sentamos frente a frente, después de que Tania se duerma y hablamos sobre ella.

PAULA: ¿Realmente harás eso?

JORGE: Sí, si no me hablas más de ello hasta entonces.

PAULA: Está bien. Acepto la propuesta. Esta noche, tan pronto como Tania se haya dormido, hablaremos.

JORGE: Puedes contar con eso.

Éste es un patrón mucho más constructivo. Ellos acordaron un plan que le dio a cada uno lo que quería. Jorge obtuvo un tiempo para calmarse y poder pensar sobre cómo ve los problemas que conciernen a Tania. Paula logró la conversación que buscaba, pero en un momento en que le permitía a Jorge participar de manera constructiva. Paula tuvo que dejar de perseguir en ese momento y Jorge aceptó dejar de evitar la conversación. Este plan funcionó bien porque ambos lo cumplieron, hicieron lo que habían acordado y trabajaron en equipo para cambiar el patrón negativo.

En los próximos capítulos, seremos mucho más específicos sobre la manera de combatir estos patrones. Por ahora, intenten acordar que si están teniendo dificultades con la persecución y/o la retirada, trabajarán juntos para cambiar ese patrón.

LA VIOLENCIA FÍSICA Y LA RETIRADA SALUDABLE

Ocasionalmente, la retirada es mejor que el enfrentamiento, particularmente si el conflicto tiene probabilidades de llegar hasta la agresión física. La violencia física es un problema que se ha expandido en nuestra cultura. Aproximadamente 25% de las parejas reportaron incidentes de empellones o golpes en el año anterior. Tanto los hombres como las mujeres recurren a la táctica física de vez en cuando, pero, potencialmente, es más peligroso que el esposo se vuelva violento y controle a su esposa a través del temor y las amenazas. Para muchas parejas, la agresión física es el producto del mal manejo de la escalada y la retirada.

En el caso de algunas parejas, existe un patrón mucho más peligroso, en el cual el esposo golpea a su cónyuge y su intención es agotarla, subyugarla y dominarla. Si es éste su caso, por favor, busque ayuda. En una emergencia, puede llamar a la policía. También puede recibir apoyo llamando a organizaciones que ayudan a las mujeres a encontrar seguridad y a obtener consejo para manejar la violencia doméstica. Este libro está diseñado, en parte, para ayudar a las parejas a manejar el conflicto, pero un conflicto con este nivel de peligro físico y emocional requiere ayuda profesional e intervención legal.

Si ustedes tienen un patrón de agresión física ocasional que consiste en empellones, golpes o bofetadas, el enfoque PREP puede enseñarles a cortar los ciclos de intensificación que conducen a dichos actos y cómo usar una forma constructiva de retirada acordada mutuamente. A medida que avancemos, les enseñaremos técnicas para manejar la escalada y la retirada de la manera más productiva. Sin embargo, si alguno de ustedes corre peligro físico, por favor busque ayuda adicional.

INTERPRETACIONES NEGATIVAS: CUANDO LA PERCEPCIÓN ES PEOR QUE LA REALIDAD

Las interpretaciones negativas ocurren cuando un cónyuge cree, permanentemente, que los motivos del otro son más negativos de lo que en realidad son. Éste puede ser un patrón muy destructivo en una relación y hará que cualquier conflicto o desacuerdo sea más difícil de manejar constructivamente.

Podemos observar los efectos de las interpretaciones negativas en las discusiones de dos de las parejas de nuestra investigación, pero con grados diferentes. Margot y David llevan doce años de casados y, de manera general, son felices en su relación. No obstante, sus discusiones han estado teñidas, en ocasiones, por una interpretación negativa específica. Cada diciembre ellos tienen problemas para decidir si viajan a la casa de los padres de Margot a pasar vacaciones. Margot cree que David no quiere a sus padres, pero, en realidad, él los quiere a su manera. Ella tiene esta creencia equivocada debido a unos pocos malentendidos al comienzo del matrimonio, que David olvidó hace mucho tiempo. He aquí cómo se desarrolla una discusión típica sobre el tema de los planes de viaje para la Navidad:

MARGOT: Deberíamos empezar a conseguir los pasajes de avión para visitar a mis padres en esta Navidad.

DAVID: [*Pensando en su problema presupuestal*] Me he estado preguntando si este año podremos permitírnoslo.

MARGOT: [*Furiosa*] Mis padres son muy importantes para mí, aun cuando a ti no te gusten. Yo voy a ir.

DAVID: Me gustaría ir, realmente me gustaría. Simplemente no veo cómo podemos gastar mil dólares en pasajes de avión y además pagar la cuenta del ortodoncista de Juan.

MARGOT: No puedes ser honesto y admitir que simplemente no quieres ir, ¿no es cierto? Sólo admítelo. No te gustan mis padres.

DAVID: No hay nada que admitir. Yo disfruto las visitas a tus padres. Estoy pensando en el dinero, no en tus padres.

MARGOT: Ésa es una excusa conveniente. [*Sale del cuarto muy enfadada*].

Aun cuando a David le gusta realmente visitar a los padres de Margot, su interpretación negativa se ha vuelto demasiado poderosa y él no puede penetrarla. ¿Qué puede él decir o hacer para cambiar las cosas mientras ella piense tan radicalmente que a él no le gustan sus padres? Si una interpretación negativa es lo suficientemente fuerte, nada la cambiará. En este caso, David quiere estudiar la decisión que deben tomar desde el punto de vista del presupuesto, pero la interpretación de Margot es más fuerte que su habilidad para comunicarse eficientemente y llegar a una decisión que los haga felices a los dos. Afortunadamente para ellos, este problema es relativamente aislado y no un patrón uniforme en su matrimonio.

Cuando las relaciones se tornan más difíciles, las interpretaciones negativas crean un ambiente de desesperanza y desmoralización. Alfredo y Natalia son una pareja que inició su romance en el bachillerato, llevan casados dieciocho años, y tienen tres niños, pero han sido muy infelices en su matrimonio desde hace siete años, en parte debido al efecto corrosivo de las interpretaciones negativas. Aun cuando en su matrimonio existen cosas positivas, prácticamente nada de lo que hace cada uno de ellos es reconocido de manera positiva por el otro, como se observa en la reciente conversación respecto al estacionamiento de su automóvil:

ALFREDO: Dejaste el automóvil afuera otra vez.

NATALIA: ¡Oh! Supongo que se me olvidó guardarlo cuando regresé de la casa de Magda.

ALFREDO: [*En tono un poco burlón*] Me imagino. Tú sabes cuánto me molesta eso.

NATALIA: [*Exasperada*] Mira, se me olvidó. ¿Crees que lo dejo afuera sólo para molestarte?

ALFREDO: [*Fríamente*] En verdad, eso es exactamente lo que pienso. Te he dicho muchas veces que quiero que el automóvil esté guardado por la noche.

NATALIA: Sí, lo has hecho. Pero no lo dejo afuera sólo para irritarte. Simplemente lo olvido.

ALFREDO: Si te importara lo que yo pienso, te acordarías.

NATALIA: Tú sabes que guardo el automóvil nueve de cada diez veces.

ALFREDO: Más bien la mitad de las veces, y esas son las veces en que yo te dejo la puerta del garaje abierta.

NATALIA: Piensa lo que quieras. La realidad no importa. Tú siempre la verás a tu manera.

Esta puede parecer una discusión leve, pero no lo es. Representa una tendencia de vieja data que tiene Alfredo de interpretar el comportamiento de Natalia en la forma más negativa posible. Supongan que Natalia está en lo cierto cuando dice que simplemente se le olvidó guardar el automóvil y que eso no ocurre sino una de cada diez veces. Alfredo ve esto de otra forma, especialmente al interpretar que ella lo deja afuera sólo para molestarlo.

Un matrimonio andaría verdaderamente muy mal si cualquiera de los cónyuges, de manera rutinaria e intencional, hiciera cosas tan sólo para frustrar al otro. Lo que es mucho más frecuente es que los actos de uno de los cónyuges sean interpretados negativa e injustamente. Éste es un signo de que la relación va a tener grandes problemas en el futuro. Las interpretaciones negativas son muy destructivas, en gran parte porque son muy difíciles de detectar y contrarrestar una vez que hechan raíces en la relación. La dificultad reside, en gran medida, en la forma como formamos y mantenemos nuestras opiniones respecto a los demás.

Tanto la investigación seria como la experiencia nos dicen que las personas tienden a ver lo que esperan ver en las otras personas y en las situaciones. De hecho, tenemos una fuerte tendencia hacia el "sesgo de confirmación", que consiste en buscar evidencias que confirmen lo que de antemano pensamos sobre una persona o una situación. Podemos estar equivocados en nuestros supuestos, pero todos tenemos opiniones y expectativas formadas con respecto al comportamiento de las personas.

Por ejemplo, usted piensa que su vecino Pedro es incapaz de decirle algo amable; no importa lo que diga, siempre interpretará sus comentarios a la luz de lo que usted supone que él piensa. Si él le dice: "¡Caramba, realmente hiciste un buen trabajo en ese proyecto!", usted probablemente pensará, "Sólo está tratando de manipularme, ¿qué querrá ahora?" Si Pedro fue sincero, los supuestos que usted ha construido anulan las posibles buenas intenciones de él. Todos buscamos información que nos confirme nuestras propias expectativas.

En el ejemplo anterior, Alfredo tenía la siguiente expectativa: "A Natalia no le importan para nada las cosas que para mí sí son importantes". Este supuesto empaña las cosas buenas que ocurren. En las relaciones con problemas, las parejas tienden a descartar las cosas positivas que ven, atribuyéndolas más a la casualidad que a las buenas intenciones del cónyuge. Debido a las interpretaciones negativas, Alfredo considera que Natalia guarda el automóvil cuando él le ha dejado la puerta abierta y desprecia las buenas intenciones de ella. Natalia no puede ganar esta discusión y nunca podrán llegar a un acuerdo aceptable mientras la mentalidad negativa de él subsista.

CÓMO LUCHAR CONTRA LAS INTERPRETACIONES NEGATIVAS

No estamos defendiendo un tipo de "pensamiento positivo" irreal. Usted no puede simplemente sentarse a esperar que su pareja cambie sus comportamientos negativos, pero puede llegar a considerar que algunos de los motivos de su pareja son más positivos de lo que usted está dispuesto a aceptar.

La cuestión de fondo en las interpretaciones negativas es que el comportamiento positivo es visto negativamente, y el comportamiento negativo es visto como una extensión de las fallas de carácter, incluso si la intención real es positiva. Podemos mostrarle cómo trabajar como pareja para cambiar los patrones negativos tales como la escalada y la invalidación, pero las interpretaciones negativas son algo que usted tiene que enfrentar en su propio interior. Solamente usted puede controlar la forma como interpreta el comportamiento de su pareja.

En primer lugar, usted debe preguntarse si es posible que esté siendo excesivamente negativo en su interpretación de los actos de su pareja.

En segundo término, y esto es difícil, usted debe esforzarse por buscar evidencias contrarias a la interpretación negativa que usted usualmente adopta. Por ejemplo, si usted cree que a su cónyuge no le importan determinadas cosas y generalmente interpreta sus actos bajo esa luz, debe esforzarse por buscar evidencias de lo contrario. ¿Hace su cónyuge cosas para usted que le gustan? ¿Podría esto deberse a que su cónyuge está tratando de darle fortaleza a la relación? De usted depende examinar su interpretación de un comportamiento que otros pueden calificar como obviamente positivo.

Por supuesto, las interpretaciones negativas pueden ser correctas. Pero suponga que usted empieza a sospechar que está siendo muy duro con su cónyuge. Un tercer paso constructivo que usted puede dar es preguntarse si es posible que tenga algunas razones personales para mantener un patrón de interpretaciones negativas con su cónyuge. Si usted está siendo injusto, debe haber alguna razón. Tal vez aprendió una determinada manera de pensar cuando estaba creciendo. Tal vez tenga usted alguna necesidad profunda de verse a sí mismo como el que realmente cuida la relación. Tal vez quiera compadecerse de sí mismo y sentirse como una especie de mártir. Esta clase de reflexiones sobre sí mismo puede ser difícil, pero también puede llegar a ser muy productiva, si logra descubrir por qué maneja esa tendencia a ver las cosas negativamente.

En el caso de Alfredo, él creció en un hogar con padres perfeccionistas y autoritarios. Las interpretaciones negativas llegan a él fácilmente. No era nada inusual para él escuchar a su padre decir, "Si te importara un poco lo que para mí es importante, habrías jugado mejor ese partido". Al igual que su padre, Alfredo desarrolló un patrón para interpretar las motivaciones de los demás negativamente, a no ser que ellos se desempeñaran de manera tal que cumplieran sus estándares perfeccionistas. No importa cómo llegó a pensar así, el caso es que sólo Alfredo puede enfrentar su sesgo interno contra Natalia. La forma como él piensa es responsabilidad suya, no de ella. Si él no cambia ese patrón —y Natalia no cambia otras áreas en las cuales ella tiene problemas similares— su matrimonio fracasará con certeza.

A medida que ustedes trabajen con este libro, y si piensan realizar cambios positivos en su relación, asegúrense de intentar otorgarle a su cónyuge el beneficio de la duda en cuanto a desear mejorar las cosas. No permitan interpretaciones inadecuadas que saboteen el trabajo que están realizando.

CÓMO SE EROSIONAN LOS SENTIMIENTOS POSITIVOS EN EL MATRIMONIO: EL EFECTO DE LOS PATRONES NEGATIVOS A LARGO PLAZO

Al contrario de lo que popularmente se cree, las cosas positivas en un matrimonio no se desvanecen lentamente sin ninguna razón en particular. Nosotros creemos que la razón principal de que los matrimonios fracasen en tasas alarmantemente altas reside en que el conflicto se maneja mal, como lo evidencian patrones tales como los descritos en este capítulo. Con el tiempo, estos patrones van erosionando todas las cosas buenas de la relación.

Por ejemplo, cuando las parejas, de manera rutinaria, acuden a la escalada cuando surgen los problemas, pueden llegar a la conclusión de que es más fácil simplemente no hablar. En fin de cuentas, hablar lleva a pelear, ¿no es cierto? Cuando los cónyuges se interesan más en salirse con la suya, la invalidación se convierte en un arma que se empuña fácilmente. Con el tiempo, ningún tema parece seguro.

No sólo muchas parejas manejan mal los problemas; también pueden no disponer de tiempo para discutirlos o para llegar a un acuerdo respecto a cómo deberían manejarlos. Incluso, en el que empieza como el mejor de los matrimonios, estos factores pueden llevar a un distanciamiento creciente y a una falta de confianza en la relación. ¿Recuerdan a Jorge y a Paula, en otra sección de este capítulo? Aun cuando ellos forman una pareja genuinamente compenetrada, su inhabilidad para discutir temas difíciles —en este caso, el mal genio de Jorge— ha causado una grieta que se agrandará y tal vez destruirá el matrimonio, si no se hace nada.

Cuando los patrones negativos no se cambian, la verdadera intimidad y la sensación de conexión mueren, y las parejas se acostumbran a la soledad y al aislamiento. Si ustedes quieren mantener una relación sólida o renovar una que está flaqueando, deben aprender a combatir patrones destructivos tales como los que hemos descrito. Afortunadamente, eso puede hacerse. Es posible evitar la erosión de la felicidad en los años venideros.

En este capítulo hemos descrito cuatro patrones de manejo del conflicto que predicen la discordia marital y el divorcio. Hemos establecido que ciertas formas de manejar el conflicto son particularmente destructivas para una relación. ¿Cómo pueden manejar las parejas sus tendencias hacia patrones destructivos y limitar el daño que causan? Nosotros les sugeriremos un conjunto específico de reglas y estrategias acordadas para manejar el conflicto y los problemas difíciles en su relación.

Mantengan en mente que la mayoría de las parejas maneja algunos de estos patrones en algún grado. No importa que actualmente ustedes presenten algunos de estos patrones siempre que decidan hacer algo para proteger su relación de ellos. Los ejercicios siguientes son un primer paso para lograr esto. Esperamos que estas preguntas arrojen nueva luz sobre cómo su relación está siendo afectada por patrones negativos. Eso a su vez les ayudará a reemplazar dichos patrones por las actitudes y comportamientos positivos que más adelante ilustraremos en este libro.

Algunas veces, el proceso de considerar preguntas como las de los ejercicios y reflexionar acerca de dónde se encuentra su relación en este punto causa ansiedad y tristeza. Aun cuando no es agradable pensar sobre patrones negativos, creemos que eso les ayudará a avanzar en este libro y a aprender maneras constructivas de mantener sólido su matrimonio. En el próximo capítulo, profundizaremos la discusión sobre cómo manejan las parejas el conflicto, pero mostraremos que la diferencia principal entre hombres y mujeres en el matrimonio no reside en cómo manejan la intimidad, o en cómo hacen el amor — sino en cómo hacen la guerra.

♣ EJERCICIOS

Por favor, tomen papel y lápiz y respondan las siguientes preguntas, cada uno por separado. Cuando hayan terminado, compartan sus percepciones. Sin embargo, si esto es motivo de conflicto, posterguen la discusión de sus respuestas hasta cuando hayan aprendido más acerca de cómo hablar tranquilamente sobre los temas difíciles en los próximos capítulos. Antes de entrar en las preguntas específicas sobre los cuatro patrones negativos, considere la primera pregunta sobre su impresión general en cuanto a la manera como ustedes manejan juntos el conflicto: Cuando ustedes están en desacuerdo o sostienen una discusión, ¿qué ocurre típicamente? Para responder esta pregunta, piensen en los cuatro patrones claves descritos anteriormente.

ESCALADA

La escalada ocurre cuando usted dice o hace algo negativo, su pareja responde algo negativo, y ahí se inicia una verdadera batalla. La ira va aumentando como una bola de nieve y ustedes se tornan cada vez más hostiles a medida que la discusión continúa.

1. ¿Con qué frecuencia hay escalada en sus discusiones de pareja?

2. ¿Se vuelven hostiles el uno hacia el otro durante la escalada?

3. ¿Qué cosa o quién pone punto final usualmente a la pelea?

4. ¿Alguno de los dos amenaza alguna vez con terminar la relación cuando está furioso?

5. ¿Cómo se siente cada uno de ustedes cuando están intensificando una discusión como pareja? ¿Se siente tenso, ansioso, asustado, furioso u otra cosa?

INVALIDACIÓN

La invalidación ocurre cuando usted, sutil o directamente, menosprecia los pensamientos, los sentimientos, los actos o el valor de su pareja. No es lo mismo que estar en desacuerdo con su pareja o que no le guste algo que él o ella ha hecho. La invalidación implica menospreciar o pasar por alto algo que es importante para su cónyuge, ya sea por insensibilidad o por puro y simple desprecio.

1. ¿A menudo se siente usted invalidado en su relación? ¿Cuándo y cómo ocurre esto?

2. ¿Cuál es el efecto sobre usted mismo?

3. ¿A menudo invalida usted a su cónyuge? ¿Cuándo y cómo sucede esto?

4. ¿Cuál cree usted que es el efecto sobre él o ella? ¿Sobre la relación? ¿Qué está tratando usted de lograr cuando hace eso? ¿Logra usted su objetivo?

RETIRADA Y EVASIÓN

Los hombres y las mujeres con frecuencia manejan el conflicto en las relaciones de manera bastante diferente. En general, los hombres son más propensos a retirarse y las mujeres a perseguir la discusión de problemas.

1. ¿Uno de los dos tiene mayor tendencia a asumir el papel de perseguidor? ¿Alguno de los dos tiene mayor tendencia a asumir el papel del que se retira?

2. ¿Cómo se retira usualmente quien se retira? ¿Cómo persigue usualmente el perseguidor? ¿Qué ocurre entonces?

3. ¿Cuándo tienen ustedes mayor probabilidad de caer en este patrón como pareja? ¿Existen temas o situaciones particulares que invocan este patrón?

4. ¿Cómo lo afecta a usted este patrón?

5. En el caso de algunas parejas, los dos cónyuges tienden a perseguir o ambos tienden a retirarse al mismo tiempo. ¿Sucede esto en su relación? ¿Porqué cree usted que ocurre esto?

INTERPRETACIONES NEGATIVAS

Las interpretaciones negativas ocurren cuando usted interpreta el comportamiento de su cónyuge de forma mucho más negativa de lo que pretendía ser. Es de gran importancia que usted admita la posibilidad de que la visión que tiene de su cónyuge puede ser injusta en algunos campos. Las siguientes preguntas le ayudarán a reflexionar sobre esto.

1. ¿Puede pensar en algunas áreas en las cuales usted siempre considera que el comportamiento de su cónyuge es negativo? ¿Qué beneficios obtiene usted con estas interpretaciones?

2. Reflexione sobre esto por un momento. ¿Piensa usted realmente que su visión negativa del comportamiento de su cónyuge es justificada?

3. ¿Existen algunas áreas en las cuales usted tiene una interpretación negativa, pero estaría dispuesto a aceptar que puede estar pasando por alto algunas evidencias de lo contrario?

4. Elija dos problemas en los cuales estaría dispuesto a descubrir motivaciones más positivas en el comportamiento de su cónyuge de las que usted ha pensado que tiene. Luego, busque pruebas contrarias a su interpretación.

2

Las diferencias en la actitud del hombre y la mujer ante el conflicto

EN EL CAPÍTULO ANTERIOR, discutimos la importancia de la forma como las parejas manejan el conflicto para predecir el éxito de su relación y destacamos la retirada del hombre como uno de los mayores signos de riesgo para las parejas. En este capítulo, observaremos más de cerca la retirada del hombre y nos concentraremos en las diferencias importantes respecto a la manera como el hombre y la mujer manejan el conflicto. Al hacerlo, también observaremos cómo difieren el hombre y la mujer respecto a la intimidad. Pensamos que muchas de las diferencias características entre hombres y mujeres no son las que la gente comúnmente piensa. A través de una mejor comprensión de estas diferencias, esperamos convertir la batalla de los sexos en un deporte en equipo.

¿QUÉ QUIEREN OBTENER LAS MUJERES Y LOS HOMBRES DEL MATRIMONIO?

Algunas veces se puede saber lo que la gente quiere, al observar de qué se lamenta. Las mujeres con frecuencia expresan su preocupación respecto a los esposos evasivos o apartados que no comparten, ni hablan sobre sus puntos de vista o sus sentimientos. En tales casos, las mujeres usualmente se sienten excluidas y sienten que sus maridos no se interesan en la relación. De hecho, ésta es la principal queja que escuchamos de las mujeres que vienen a solicitar asesoría matrimonial. Para muchas mujeres, la ausencia de conversación equivale a ausencia de interés. Es muy importante para las mujeres que sus maridos se comuniquen con frecuencia y abiertamente.

Por otra parte, los hombres a menudo se quejan de que sus esposas se irritan demasiado, insisten exageradamente en una u otra cosa y buscan peleas. Los hombres pueden sentirse perturbados y desear paz —a menudo, a cualquier precio. De una u otra manera, esto es lo que más comúnmente piden los hombres cuando vienen a solicitar asesoría matrimonial. Parece importante para ellos tener armonía y calma en las relaciones con sus esposas.

Este era el caso de Mauricio y Sandra, una pareja que llevaba diez años de casada cuando los conocimos. Mauricio era el administrador de un restaurante y Sandra era una profesora de colegio que estaba retirada, temporalmente, para estar en su hogar con los niños mientras fueran pequeños. Como ocurre con muchas parejas, el dinero era escaso. Mauricio trabajaba muchas horas para lograr cubrir los gastos. Sandra estaba atormentada por el dilema de quedarse en casa con los niños o volver a enseñar, y producir algún ingreso extra. Sandra deseaba profundamente conversar con Mauricio sobre sus sentimientos conflictivos, pero él nunca parecía interesado en escuchar lo que ella pensaba. Su frustración crecía día a día. Ella sentía que él evitaba hablar con ella sobre cualquier cosa que fuera importante. La siguiente conversación típica tuvo lugar un sábado en la mañana mientras los niños jugaban fuera de la casa:

SANDRA: [*Sentada junto a Mauricio y mirándolo*] Me encantaría poder relajarme respecto al dinero. Cuando veo cuánto te preocupas, simplemente ... Me pregunto si estoy haciendo lo correcto, sabes, quedándome aquí en casa.

MAURICIO: [*Sin levantar los ojos del periódico*] Todo se arreglará.

SANDRA: [*Ella piensa, "Él no quiere escucharme. Desearía que dejara de leer ese maldito periódico".*] No sé. ¿Estaré haciendo lo correcto al estar retirada de la enseñanza? Pienso en ello todos los días. Algunos días, yo... no me siento segura.

MAURICIO: [*Él se pone tenso, mientras piensa, "siempre terminamos peleando cuando hablamos de dinero. ¿Por qué está tocando este tema en este momento? Yo creía que esto ya lo habíamos discutido y decidido"*] Realmente pienso que estás haciendo lo correcto. Simplemente es más difícil cuadrar el presupuesto, pero pronto nos pondremos al día. No creo que sea necesario discutirlo de nuevo.

SANDRA: [*Ella piensa, "¿Por qué no puede relajarse y abrirse un poco más? Quiero hablar y saber que él me está escuchando"*] Me doy cuenta de que realmente no quieres hablar sobre eso. Me molesta que no puedas hablar conmigo sobre ese tema. Siempre cambias el tema o te quedas callado.

MAURICIO: [*Respira profundamente y exhala un suspiro. Quiere decir algo para detener la escalada, pero no se le ocurre ninguna buena idea. No dice nada, se siente tenso.*]

SANDRA: [*Sintiéndose frustrada y cada vez más furiosa*] Eso es exactamente a lo que me refería. Simplemente me desconectas, una y otra vez, y ¡estoy cansada de eso!

MAURICIO: [*Él piensa, "Ya lo sabía. Siempre peleamos cuando hablamos de dinero"*] ¿Por qué haces eso? Estoy aquí tranquilo, simplemente descansando. Es el único rato que tengo en todo el día para sentarme en paz y tú te inventas una pelea. ¡Detesto eso! [*Él arroja el periódico, al suelo se levanta de la mesa y camina hacia el salón.*]

Si resumimos, en pocas palabras, las preocupaciones de cada cual, Sandra quiere que Mauricio se "abra" y él quiere que ella lo "deje en paz". A primera vista, se diría que ellos tienen metas muy diferentes para su relación. Tales patrones se explican comúnmente diciendo que ella desea intimidad y él no. Sin embargo, si este patrón se analiza más profundamente, usualmente se observa algo muy diferente.

Muchas parejas y terapeutas han llegado a la conclusión de que los hombres están menos interesados en la intimidad que las mujeres y buscan evitarla. Nuestra investigación y la experiencia clínica sugieren lo contrario. Es más, tampoco creemos que las mujeres deseen el conflicto o se deleiten provocando disturbios. Creemos que los hombres y las mujeres quieren prácticamente las mismas cosas en una relación: respeto, conexión, intimidad, amistad, paz y armonía. Nuestras afirmaciones no nacen de la especulación sino que están basadas en muchos estudios de hombres y mujeres dentro del matrimonio y en nuestra experiencia con parejas del programa PREP.

¿QUÉ ES "ÍNTIMO" PARA USTED?

La investigación muestra que las mujeres tienden a definir la intimidad en términos de comunicación verbal, mientras los hombres tienden a definirla en términos de actividades compartidas. Éste es un punto crítico que se debe tener en mente. Cuando una esposa le pide a su marido que pasen más tiempo hablando sobre sentimientos, ella puede estar demostrando su preferencia por la intimidad, pero su marido también lo está haciendo cuando le pide a su esposa que den una caminata o hagan el amor. Estas diferencias surgen desde la crianza: Las niñas dedican mucha más energía a dominar la intimidad verbal y los niños se vuelven íntimos a través de actividades, especialmente a través de juegos que tienen reglas, tales como los deportes.

Incluso en sus metas respecto a la terapia, los hombres y las mujeres no son tan diferentes como pueden parecerlo. Mientras que la meta número uno de un hombre puede ser reducir el conflicto, y la de una mujer puede ser mejorar la comunicación, a menudo descubrimos que la segunda meta más importante de ella es reducir el conflicto y la de él es comunicarse mejor. Entonces incluso en las metas típicas de la asesoría matrimonial, lo que quieren los hombres y las mujeres es parecido —ambos quieren mejorar la comunicación y reducir el conflicto— pero difieren en la prioridad que le otorgan a cada meta. Por lo tanto, la diferencia clave entre los hombres y las mujeres respecto a la intimidad reside en la preferencia, no en el interés, ni en la capacidad. De hecho, un importante estudio en este campo demostró que cuando las condiciones son adecuadas, los hombres son tan capaces de tener intimidad verbal como las mujeres. Este estudio tiene unas implicaciones tan interesantes que lo describiremos para ustedes en detalle.

El estudio fue llevado a cabo a finales de los años 80 en la Universidad de Denver por Judy Schwartz y sus colegas. Se invitó a adultos jóvenes a participar con su mejor amigo del mismo sexo en un estudio sobre relaciones. Se pidió a las parejas de amigos que se sentaran cómodamente a conversar, como lo harían en otras situaciones. Las conversaciones fueron grabadas y transcritas. Los investigadores estaban interesados en los temas de conversación, desde el punto de vista de su relación con la intimidad, y en la forma como amigos del mismo sexo conversan el uno con el otro.

Como era de esperarse, las mujeres hablaron más sobre temas íntimos tales como las relaciones, los sentimientos y las cuestiones familiares. Los hombres prefirieron conversar sobre deportes, automóviles y mujeres. Sin embargo, éste no era el final del estudio. Después de la primera conversación, los investigadores entraron al salón y le pidieron a las parejas que sostuvieran otra discusión, pero esta vez les pidieron que fueran "íntimos". Nuevamente, las conversaciones fueron grabadas y transcritas. Las transcripciones fueron luego evaluadas por otra muestra de jóvenes adultos. ¿Qué creen ustedes que descubrieron los psicólogos?

Créanlo o no, los jóvenes evaluadores no pudieron descubrir, al leer las transcripciones, si los diálogos habían tenido lugar entre dos hombres o dos mujeres. Por lo tanto, cuando a ambos sexos se les solicitó que fueran íntimos, las conversaciones de los hombres con sus mejores amigos y las de las mujeres con sus mejores amigas fueron indistinguibles. Este estudio indica que los hombres tienen la capacidad de ser íntimos pero pueden no elegir hacerlo de la misma forma que las mujeres.

Parte del trabajo de Lillian Rubin demuestra este punto de manera algo distinta. Ella describe una entrevista que le hace a una pareja acerca de su relación. Cada cónyuge fue entrevistado por separado. La doctora Rubin habló primero con la esposa, quien dijo, "una de las cosas que me enerva de nuestra relación es que él quiere pasar todo el tiempo mirando televisión. Incluso si estoy en el mismo cuarto con él, no me habla. Algunas veces me dan deseos de coger su bate de béisbol y darle un golpe en la cabeza". Por otra parte cuando la doctora Rubin habló con el marido, él dijo, "una de mis cosas favoritas en nuestro matrimonio

es que podemos sentarnos simplemente juntos, mirar televisión, co-
gernos de la mano, sin presiones para conversar, y en esos momentos
me siento realmente cercano a ella". Sin saberlo ella, él valoraba su
relación y en especial esos momentos. Sin saberlo él, ella odiaba
precisamente los momentos de la relación que él tanto apreciaba.

Esta corta anécdota ilustra no sólo que los hombres y las mujeres
tienen preferencias diferentes para la intimidad, sino además que pueden
definir la misma experiencia íntima de manera diferente. Sin embargo,
nosotros afirmamos que la capacidad y el interés por la intimidad es
similar en el hombre y en la mujer. La clave reside en que los hombres
y las mujeres difieren más en su preferencia por un tipo de intimidad.

En consecuencia, no es justo ni aconsejable que uno de ustedes desprecie
las preferencias que tiene el otro respecto a la intimidad. Las parejas que
tienen relaciones que funcionan bien han aprendido a entender sus
similitudes y diferencias para trabajar en equipo en vez de como enemigos. Usualmente, han desarrollado la capacidad para conectarse en
varias dimensiones de la intimidad que incluyen la comunicación verbal,
la actividad compartida y una la camaradería sensual, para nombrar tan
solo algunas. Nosotros les ayudaremos a mejorar todas estas dimensiones
a medida que vayamos avanzando.

EL CONFLICTO: LA VERDADERA DIFERENCIA

Si tanto los hombres como las mujeres desean la intimidad y, simplemente, son diferentes en cuanto al tipo que prefieren, ¿por qué razón
tantas parejas tienen problemas para preservar, proteger y alimentar la
intimidad? ¡El conflicto! La diferencia importante entre los hombres y
las mujeres no reside en su deseo de intimidad, sino en la forma como
manejan el conflicto. La clave está en cómo la experiencia de la intimidad
se ve afectada por el conflicto, aún más, por el conflicto potencial. Nosotros
pensamos que cuando los hombres entran en un determinado patrón de
manejo de conflicto, limitan sus opciones respecto a la intimidad porque
están excesivamente concentrados en evitar que el conflicto surja. Ellos
tienden a evadirlo o a huir de él, a toda costa.

La razón de este comportamiento reside en que la mayoría de los hombres no maneja el conflicto marital tan bien como la mayoría de las mujeres. Tal vez comenten ustedes, "Pero si los hombres parecen tan calmados y las mujeres tan emocionales durante las discusiones, ¿cómo puede decirse que los hombres manejan el conflicto menos bien?" Esta afirmación puede sorprenderlos pero nosotros podemos respaldarla. Uno de nuestros colegas, John Gottman, lo expresó de esta forma: "En una mar de conflicto, las mujeres nadan y los hombres se ahogan". No se trata de que a las mujeres les guste el conflicto, pero ellas parecen estar mucho mejor equipadas para manejarlo en el matrimonio.

¿SON LOS HOMBRES REALMENTE MENOS EMOTIVOS?

¡No! Volvamos al caso de Mauricio y Sandra. Cuando ellos sostienen discusiones, Mauricio parece bastante calmado y Sandra bastante emotiva. De hecho, Mauricio usualmente parece completamente encerrado en sí mismo, para desconsuelo de Sandra. Ella quiere que él reaccione y él casi parece que estuviera muerto. Pero decir que Mauricio no es emotivo durante estos conflictos es basarse en una definición limitada de lo que significa la palabra emotivo.

Supongamos que conectáramos a Sandra y a Mauricio a un equipo diseñado para medir las reacciones psicológicas ante el estrés, tales como variaciones en la presión arterial, el ritmo cardíaco o la respuesta galvánica de la piel. Éstas son formas de evaluar el estado emocional de una persona en su interior, independientemente de la forma como la persona lo exteriorice. Los estudios, en los cuales se ha utilizado un equipo como éste, han demostrado que los hombres pueden estar respondiendo intensamente en el nivel psicológico incluso cuando demuestran muy poca emoción. A esto se debe que Mauricio pueda parecer muy calmado en un momento dado y luego explotar en el siguiente, cuando ha llegado a su límite. Aun cuando no sea obvio externamente, la presión está creciendo en el interior.

De este tipo de investigaciones podemos concluir que muchos hombres son muy emotivos, independientemente de que lo demuestren o no. Un estudio mostró que el alto grado de excitación psicológica que presentan los hombres con tan sólo contemplar la idea de conversar con sus esposas al final del día predice claramente el divorcio. En otras palabras, mientras más ansioso y excitado se ponga, con solo imaginar una conversación con su cónyuge, mayor es el riesgo de divorcio en el futuro.

Por lo tanto, aun cuando parezca haber una diferencia en la forma como los hombres y las mujeres expresan la emoción, no es correcto pensar que los hombres no responden emocionalmente, en especial ante el conflicto. ¿Podría este alto grado de excitación fisiológica ayudar a explicar por qué es tan frecuente que los hombres se encierren en sí mismos durante las conversaciones con sus cónyuges? Nosotros creemos que sí y les explicaremos el por qué. Para entender mejor esto, necesitamos discutir tanto las diferencias biológicas como sociales o culturales entre hombres y mujeres.

¿POR QUÉ ES USTED ASÍ?

Biológicamente, existen diferencias importantes entre los hombres y las mujeres, especialmente en su vulnerabilidad frente al estrés. En general, los hombres son más vulnerables psicológicamente que las mujeres en cualquier momento de su existencia. Los hombres tienen más probabilidad de morir antes de nacer, tienen más probabilidad de morir a cualquier edad, y generalmente son más susceptibles a toda clase de enfermedades y lesiones relacionadas con el estrés.

Una de las razones de esto es que los hombres atraviesan por un paso extra en su desarrollo biológico. En el momento de la concepción, todo el mundo es genéticamente hombre o mujer. Si usted tiene dos cromosomas X (XX), usted es genéticamente una mujer. Si usted tiene un cromosoma X y uno Y (XY), usted es genéticamente un hombre. A medida que el feto se desarrolla, los hombres y las mujeres parecen idénticos y esencialmente lo son, hasta el momento en que los cambios hormonales en la matriz le dan al feto XY, que se está desarrollando, las características de un hombre. En otras palabras, se requiere un conjunto extra de pasos en la matriz para desarrollar las características masculinas. Y en la naturaleza, los pasos extra producen una vulnerabilidad biológica (y psicológica) mayor.

Otro signo de vulnerabilidad consiste en que, en el momento de la concepción durante el desarrollo temprano, 52% de los cigotos formados son futuros machos y 48% futuras hembras. Sin embargo, la relación al nacer es aproximadamente 50-50. Por lo tanto, los hombres tienen mayor probabilidad de morir antes del nacimiento que las mujeres. También tienen mayor probabilidad de sufrir desórdenes biológicos durante los primeros años de la niñez, especialmente de orden psicológico. Por ejemplo, los hombres presentan cuatro o cinco veces más probabilidad de sufrir de autismo en la niñez, así como diversas formas de alteraciones del aprendizaje, incluyendo trastornos de la atención.

Si sumamos todo esto, parece que en lugar de ser el sexo más fuerte, los hombres son fisiológicamente más débiles en varias dimensiones. Por supuesto, tienden a ser más fuertes físicamente, pero no más durables. Y como las investigaciones muestran que ellos experimentan a menudo mayores niveles de estrés fisiológico durante el conflicto con sus cónyuges, encontramos un motivo claro por el cual prefieren evitarlo o impedirlo. En una relación promedio, las mujeres tienen probablemente mayor capacidad de adaptación y, por lo tanto, están menos inclinadas a no enfrentar los conflictos en una conversación.

Hemos conversado con muchos hombres que tienen una sensación muy desagradable de tensión y ansiedad durante el conflicto con sus esposas. Ellos acumulan estos sentimientos desagradables, sin encontrar una forma apropiada de expresarlos. En el caso de Mauricio y Sandra, Mauricio sólo expresó su frustración cuando ya no pudo contenerla más. Incluso cuando lo hizo, él todavía estaba tratando de poner fin a la conversación. Por otra parte, las mujeres, que son más expresivas y más adaptables fisiológicamente, tienen menos razones para evitar discutir los problemas en cuestión, al menos en una relación físicamente segura. Ellas simplemente no sienten la misma inclinación hacia la evasión que los hombres.

La biología no es el único factor relevante para explicar estas diferencias de género en el manejo del conflicto. La crianza también representa un papel importante. Hay amplias razones para creer que las mujeres se sienten más cómodas con las relaciones verbales que los hombres. Esto puede explicar parcialmente por qué, en principio, las mujeres prefieren la intimidad verbal más que los hombres. Las mujeres característicamente han practicado las habilidades verbales con su familia y amistades desde la niñez. No se trata de que los hombres no lo hayan hecho, pero las niñas son educadas socialmente para hacerlo mucho más. El hecho de haber enfrentado los problemas verbalmente durante su crecimiento les da una mayor confianza para manejar los conflictos a través de la comunicación, cuando llegan a la edad adulta.

La reacción común de cualquier persona que está manejando una situación que causa ansiedad y para la cual no se siente capacitada, es la evasión o la retirada. De ahí que, cuando el hombre y la mujer entran en conflicto, el hombre esté más propenso a elegir la manera equivocada para manejarlo —la retirada.

EL EFECTO DE LAS REGLAS SOBRE EL CONFLICTO

Existen tres áreas principales en las que nos inclinamos a pensar que los hombres son eficientes en el manejo del conflicto: en el deporte, en la milicia y en los negocios. ¿Qué tienen estos campos en común? ¿Qué los diferencia del conflicto del matrimonio? ¡Las reglas!

En el ambiente de los deportes, de la milicia y de muchos negocios, existen conjuntos relativamente claros de expectativas sobre cómo se maneja el conflicto. Los deportes son particularmente importantes, en nuestra cultura para la socialización de los hombres. Aun cuando las mujeres se están involucrando cada vez más en los deportes, ésta ha sido un área en la cual, históricamente, los hombres han aprendido a enfrentar el conflicto. Los deportes están manejados por reglas. Existen incluso reglas sobre qué es y qué no es aceptable en la guerra, tales como las de la Convención de Ginebra.

Las investigaciones indican que cuando surge el conflicto en un juego, las niñas tienen más probabilidad de abandonar el juego y los niños tienen más probabilidad de intentar solucionar el conflicto para que el juego continúe. Ellos hacen esto apoyándose en reglas o inventando reglas nuevas para resolver los conflictos. Lo que no implica que las niñas estén evadiendo el conflicto, sino que, para ellas, la relación es más importante que el juego, mientras que para los niños el juego es la relación; esto es lo que los lleva a preferir la intimidad construida desde la actividad. Algunos ejemplos personales con Mateo, el hijo de Hugo, y sus compañeros de clase demuestran estos puntos.

Mateo estaba jugando una partida de baloncesto durante el almuerzo con algunos de sus compañeros de segundo grado. Uno de los niños estaba driblando hacia la canasta y dio cerca de cuatro pasos sin driblar antes de lanzar la pelota. Mateo inmediatamente dijo, "no hay cesta, hubo carrera" y surgió una discusión entre los niños.

La discusión, básicamente, tenía dos componentes. Primero, algunos de los niños no conocían las reglas del baloncesto. Ellos preguntaron, "¿qué es una carrera? ¿por qué correr implica que no valga la cesta?" Otro grupo de niños, que estaban más familiarizados con las reglas del baloncesto, trataron de recordar cuántos pasos estaba permitido dar sin que hubiera carrera. También trataron de establecer cuántos pasos había dado realmente el niño antes de hacer la cesta.

Uno de los monitores de quinto grado escuchó el alboroto en la cancha de baloncesto y se dirigió a ella. Él les explicó a los niños que no conocían la regla, que sí existía, y les explicó a los que no estaban seguros de cómo era, que dos pasos era el límite. El monitor decidió que la cesta no contaba puesto que todos estaban de acuerdo en que el jugador había dado más de dos pasos. Esto demuestra cómo los niños tienden a aprender un comportamiento social en el cual se apela a las reglas, o a quienes las conocen, para manejar el conflicto.

Observen el contraste con la forma como dos niñas de la clase de Mateo resolvieron un desacuerdo que surgió cuando estaban planeando el diseño de un dinosaurio. Parte del proyecto exigía que hicieran un dinosaurio que tuviera movimiento y que le dieran un nombre. Juana quería llamar al dinosaurio Cretasaurio. A Julia no le gustaba ese nombre pero no se le ocurría otro. Juana empezó a dar las razones por las cuales creía que debían llamarlo Cretasaurio, y aun cuando su posición tenía sentido para Julia, ella dijo que simplemente no le gustaba el nombre. Las niñas trataron de resolver el problema y de evitar que se perjudicara su relación; luego, después de unos minutos de intentar resolverlo, Julia sugirió que decidieran cuáles partes del dinosaurio debían moverse y que se preocuparan más tarde por el nombre. Se fueron juntas y se dedicaron a esa nueva tarea.

Cuando estaban tratando de decidir cuál parte del dinosaurio debía ser móvil, Mateo se acercó y sugirió que una de las niñas podía servir como fuente de movimiento. Las niñas acordaron que eso podría funcionar y luego siguieron conversando sobre su idea de utilizar algunas partes mecánicas para mover los brazos hacia arriba y hacia abajo. En lugar de discutir la idea de las niñas, Mateo dijo que él pensaba que usar partes mecánicas no estaba permitido por las reglas. Las niñas no estaban seguras de que eso fuera así y siguieron conversando sobre varias opciones, pero Mateo no estaba interesado en conversar y fue a buscar a la madre de Julia para preguntarle exactamente qué decían las reglas.

Este ejemplo muestra algunas de las diferencias precursoras de la relación hombre-mujer en el matrimonio, ya que Mateo se apoya en las reglas y en las fuentes externas y las niñas tratan de resolver ellas mismas el problema. Estas experiencias ayudan a explicar una paradoja. Culturalmente, tendemos a pensar que los hombres están más orientados hacia el conflicto, que no lo evaden, como ocurre con tanta frecuencia en el matrimonio. Podríamos pensar que las experiencias que tienen los hombres siendo niños ofrecen algunas guías que podrían usar como adultos en el manejo de los conflictos maritales, pero así como la presencia de reglas en los juegos permite a los niños manejar el conflicto, la ausencia de éstas para manejar el conflicto emocional en el matrimonio establece el escenario para que los hombres se retiren. Las mujeres, que no están educadas para apegarse tanto a las reglas y que son más libres para comprometerse en el proceso verbal, usualmente no tienen los mismos problemas con el conflicto en el matrimonio.

El centro del problema de muchos de los conflictos de pareja reside en su naturaleza emocional, más que intelectual. Si el conflicto matrimonial no provocara emoción (una expectativa insensata) habría menos evasión y retirada. En los ambientes en los cuales los hombres están más acostumbrados a manejar verbalmente el conflicto, tales como el ambiente de trabajo, es más probable que éste sea expresado intelectual y no emocionalmente. Los hombres parecen sentirse más cómodos para enfrentar la solución de problemas en el plano intelectual, tanto dentro como fuera del matrimonio. De hecho, muchas mujeres se quejan de que los hombres son demasiado intelectuales, mientras los hombres se quejan de que las mujeres son demasiado emocionales. Esto ha llevado a mucha gente a concluir que los hombres son más racionales que las mujeres cuando manejan problemas, pero no hay evidencias de que sea así. Esas diferencias parecen estar relacionadas con la expresividad emocional, no con la racionalidad. Los hombres pueden intentar mantener en el nivel intelectual las discusiones con sus esposas para evitar la percepción de las complicaciones de la emoción.

Es evidente que existen pocas reglas o métodos ampliamente aceptados diseñados para ayudar a los hombres y a las mujeres a manejar el conflicto emocional en el matrimonio. No estamos diciendo que no exista ninguno, pero es difícil para muchas parejas comprender los que existen. Nosotros sugerimos que muchos hombres, así como muchas mujeres, pueden manejar mejor el conflicto y las diferencias, cuando las reglas están claramente establecidas.

Las reglas son estrategias y técnicas acordadas en común para manejar el conflicto en el matrimonio. Por ejemplo, en el próximo capítulo les enseñaremos las reglas para usar una técnica de comunicación muy poderosa. Las reglas no evitan el conflicto, ni resuelven el problema pero preparan el escenario para la discusión. Proporcionan guías acordadas mutuamente para saber qué está dentro de los límites y qué no, quién puede hablar y en qué forma, cómo deben turnarse para escucharse el uno al otro. Como verán, las reglas sobre las que hacemos énfasis no suprimen la emoción que acompaña los asuntos que se discuten, pero son de gran ayuda para que ésta sea manejable.

Cuando lleguen a un acuerdo respecto a las reglas y estrategias, y una vez dominadas en la práctica, se darán cuenta de que pueden aumentar su habilidad para manejar los problemas sin evasión, retirada, escalada, ni invalidación. En cierto sentido, los próximos capítulos presentan algo que consideramos una especie de Convención de Ginebra para matrimonios. No estamos sugiriendo que el matrimonio sea una guerra, pero puede parecérsele mucho, cuando las parejas no han aprendido a manejar sus conflictos con habilidad y respeto.

Todas las parejas tienen desacuerdos y conflictos. Esto significa que todas ellas experimentan emociones negativas tales como ira, hostilidad, desconfianza, temor y tristeza. Una tarea importante para los cónyuges en una relación cercana es, por lo tanto, lograr ser capaces de manejar estos sentimientos negativos constructivamente, sin niveles altos de conflicto o sin la soledad de la evasión.

A la luz de las diferencias de género que hemos discutido, vemos que un determinante esencial del futuro del matrimonio es saber si las esposas pueden plantear problemas, que incluyan sentimientos negativos, constructivamente y si los esposos pueden responder, escuchando y conversando, en vez de evadiendo y encerrándose en sí mismos. Si los cónyuges que se retiran aprenden a plantear cuestiones por sí mismos y a no discutir un tema simplemente porque sus cónyuges lo plantearon, la situación mejora aún más.

Las reglas acordadas en común pueden mejorar inmensamente su habilidad como pareja para manejar el conflicto en una forma que proteja la intimidad y promueva el crecimiento de su relación. Ustedes pueden estar pensando que éste es un enfoque rígido, pero se darán cuenta de que no lo es. Verán que las reglas que sugerimos a continuación son muy efectivas para ayudarlos a evitar que los conflictos mal manejados destruyan las cosas buenas de la relación.

En el tercer capítulo iniciaremos este proceso presentándoles las reglas de la técnica del hablante–oyente, y en el cuarto capítulo, les ofreceremos un método eficaz para resolver problemas. Los esposos desarrollan un mayor sentimiento de confianza cuando aplican de manera regular estas reglas y técnicas en el manejo de los problemas de pareja.

♣ EJERCICIOS

Los ejercicios que sugerimos aquí invitan a la reflexión. Queremos que ustedes piensen en las siguientes preguntas, escriban sus pensamientos en una libreta separada y reserven algún momento para conversar sobre sus propias percepciones respecto a cómo funcionan estos patrones en su caso. La mayoría de los ejercicios de este libro les pedirán que se concentren juntos en su relación. Aquí les pedimos que observen sus estilos individuales.

1. En el capítulo anterior, les pedimos que consideraran quién de ustedes se retiraba más y quién perseguía más. Aquí, les pediremos que examinen

por qué razón hacen ustedes lo que hacen, sea cual sea el papel con el cual se identifiquen más. Si usted tiende a evadir o a retirarse ¿por qué hace eso? ¿Cómo encaja su fisiología o su crianza en su patrón? Si usted tiende a perseguir ¿por qué lo hace? ¿Qué está usted buscando cuando persigue?

2. Después de haber reflexionado sobre su propia comprensión de lo que usted hace en su relación, programen una reunión para discutir juntos sus percepciones. Deben concentrarse en que ésta sea una conversación abierta y no conflictiva. Compartan mutuamente sus percepciones propias respecto a por qué cada uno de ustedes hace lo que hace, pero no discutan qué piensa cada uno de ustedes sobre lo que el otro hace.

3

Una comunicación clara y segura:
La técnica del hablante-oyente

¿**Q**UIEREN USTEDES REALMENTE COMUNICARSE BIEN? La mayoría de las parejas lo desean, pero muchas no han aprendido a comunicarse cuando más lo necesitan: en el conflicto. Como lo aprendimos en los dos primeros capítulos, manejar bien el conflicto es crítico para el futuro de su matrimonio. Y comunicarse bien es crítico para manejar el conflicto. Hay dos elementos claves: que la comunicación sea clara y segura.

En este capítulo aprenderemos la técnica del hablante-oyente. Cuando ustedes usen esta técnica su comunicación estará protegida de los patrones destructivos, lo cual les permitirá tener una comunicación clara y segura que los hará sentirse más unidos.

CÓMO HACER QUE LA COMUNICACIÓN SEA CLARA:
EL PROBLEMA DE LOS FILTROS

¿Ha notado usted que lo que está tratando de decirle a su pareja puede ser muy diferente de lo que él o ella escucha? Usted puede decir algo que cree que es inofensivo y, súbitamente, su cónyuge se enfurece con usted. Usted puede hacer una pregunta como por ejemplo "¿Qué quieres para cenar?", y su cónyuge empieza a quejarse de que usted no está haciendo la parte del trabajo que le corresponde.

Todos hemos experimentado la frustración de ser mal comprendidos. Creemos que somos claros, pero nuestro cónyuge simplemente parece no entendernos. O "sabemos" lo que nuestro cónyuge dijo ayer, pero hoy dice algo que parece completamente diferente. Como el resto de nosotros, Tania y Carlos también sufren de este problema común. Ellos se casaron hace cinco años. Tania trabaja en una aerolínea en la oficina de reservas y Carlos es un contador de una firma importante. Sus trabajos los dejan exhaustos al final de cada día. No tienen todavía niños, por eso usualmente pueden derrumbarse cuando llegan a su casa.

Un jueves en la noche, Carlos llegó a su hogar primero y leyó el periódico mientras esperaba a Tania. Él estaba pensando, "Realmente estoy exhausto. Me imagino que Tania también. Me encantaría salir a comer hoy y simplemente relajarme con ella esta noche". Buena idea, ¿no es cierto? Esto es lo que ocurrió con su idea:

CARLOS: [*Él está pensando que le gustaría salir a cenar con Tania, en el momento en que ella entra por la puerta*] ¿Qué haremos hoy para cenar?

TANIA: [*Ella escucha "¿Cuándo está lista la cena?"*] ¿Por qué siempre es mi trabajo preparar la cena?

CARLOS: [*Él escucha su respuesta como un ataque y piensa, "por qué es ella siempre tan negativa?"*] Tu trabajo no siempre es hacer la cena. ¡Yo la preparé una vez la semana pasada!

TANIA: [*El ciclo negativo continúa, pues Tania siente que ella es la que hace todo en la casa*] Traer a casa unas hamburguesas y unas papas fritas no es hacer la cena, Carlos.

CARLOS: [*Debido a su creciente frustración, Carlos se da por vencido*] Olvídalo. De todos modos no quería salir contigo.

TANIA: [*Tania está confundida. No recuerda que el haya dicho nada acerca de salir a cenar*] Nunca dijiste nada acerca de querer salir.

CARLOS: [*Él se siente realmente furioso*] ¡Sí lo hice! Te pregunté a dónde querías salir a cenar, y te pusiste realmente desagradable.

TANIA: *¿Yo me puse desagradable?* Tú nunca dijiste nada acerca de salir.

CARLOS: ¡Sí lo hice!

TANIA: Tú nunca te equivocas, ¿no es cierto?

¿Les suena conocido? Es fácil darse cuenta en qué momento las cosas se malograron. Carlos tuvo una gran idea, una idea positiva, y sin embargo el conflicto arruinó la noche. Carlos no fue tan claro como hubiera podido serlo al decirle a Tania lo que estaba pensando. Esto dejó abierto el campo para interpretaciones, y Tania interpretó. Ella supuso que él estaba pidiendo, no comentando, que ella debía preparar la comida tan pronto entró por la puerta.

Esta clase de fallas en la comunicación ocurre en las relaciones todo el tiempo. Muchas de nuestras discusiones más graves comienzan con una imposibilidad de comprender lo que está diciendo nuestro cónyuge, de una manera que fomenta la ira. ¿Qué obstruye el camino? Los filtros.

Los filtros cambian lo que pasa a través de ellos. Los filtros de un horno eliminan el polvo y la mugre del aire. El filtro del lente de una cámara altera las propiedades de la luz que pasa a través de ella. El filtro de la cafetera hace pasar el sabor y deja los granos molidos atrás. Como en el caso de cualquier otro filtro, lo que entra a nuestros filtros de comunicación es diferente de lo que sale luego.

Todos tenemos muchas clases de filtros instalados en nuestras mentes que afectan lo que oímos, lo que decimos y la forma como interpretamos las cosas. Éstos están determinados por la forma como sentimos y pensamos, por lo que hemos experimentado en nuestra vida y por nuestros antecedentes familiares y culturales, entre otros factores. En este capítulo, haremos énfasis en cuatro tipos de filtros que pueden afectar a las parejas en su lucha por tener una comunicación clara:

1. Falta de atención
2. Estados emocionales
3. Creencias y expectativas
4. Diferencias de estilo

FALTA DE ATENCIÓN

Un tipo de filtro básico tiene que ver con el hecho de contar o no con la atención de la persona a quien usted está tratando de dirigirse. Tanto los factores externos como los internos pueden afectar la atención. Los factores externos pueden incluir el ruido que hacen los niños, un problema auditivo, una mala comunicación telefónica o el ruido de fondo en una fiesta. No es probable que ustedes sostengan una buena conversación sobre un asunto importante, con un niño llorando junto o con una estruendosa televisión en el cuarto. Cuando quieran sostener conversaciones importantes, cuando necesiten realmente comunicarse bien, busquen un lugar tranquilo y no respondan al teléfono. Hagan que sea fácil prestarse atención el uno al otro y deshágansee de los filtros externos.

Los factores internos que afectan la atención incluyen: estar cansado, estar pensando en otra cosa, estar preparando mentalmente una refutación y estar aburrido. Estos factores internos lo distraen de la conversación. Es común que uno de los cónyuges piense —correctamente— que el otro no está prestando atención. En muchas ocasiones, en una relación alguien dice algo y descubre, frustrado, que su pareja no lo escuchó. Cuando un cónyuge cree que eso está sucediendo consistentemente, crecen los sentimientos de invalidación.

Algunas veces, quien escucha pero no oye es descortés o simplemente no está interesado en lo que dice quien está hablando. En la mayoría de los casos, sin embargo, no pensamos que ésta sea la mejor explicación. Si usted está equivocado, pensar así de su pareja puede ser una interpretación destructiva. Con más frecuencia, quien escucha está cansado o preocupado, distraído por un filtro interno. Los estudios sicológicos revelan que las personas difieren en su capacidad para prestar atención a distintas cosas al mismo tiempo. A menudo, la persona que no escucha está concentrada en otra cosa y realmente no oye lo que se está diciendo. Las personas también difieren en su capacidad para trasladar su concentración de un estímulo a otro. Y en todos nosotros, la capacidad para cambiar o mantener la atención se compromete en gran medida con la fatiga.

Entonces, asegúrese de contar con la atención de su cónyuge cuando esté tratando de explicar y hacer entender un punto. Es tan descortés iniciar un tema cuando su pareja está concentrada en otra cosa, como lo es que ella no responda. Veamos un ejemplo en el caso de María y Jacobo. María está mirando su programa favorito en la televisión y Jacobo quiere discutir los planes del fin de semana:

JACOBO: Sabes, pienso que deberíamos dar una larga vuelta en bicicleta en la pista de Overland este fin de semana. Se supone que el tiempo va a estar magnífico.

MARÍA: [*Mirando la televisión*] Ajá.

JACOBO: Podríamos alistar el almuerzo, salir temprano y estar allí antes que la demás gente.

MARÍA: [*Mirando la televisión*] ¿Cómo? Oh sí, eso puede ser.

JACOBO: ¿A qué hora crees tú que deberíamos irnos?

MARÍA: [*Volviéndose hacia Jacobo por un momento*] ¿Qué dices?

JACOBO: [*Un poco irritado*] El sábado. ¿A qué hora crees que deberíamos irnos el sábado?

MARÍA: [*Confundida*] ¿Irnos para dónde?

JACOBO: ¿No escuchaste nada de lo que acabo de decir?

MARÍA: Pues, pensé que sí. ¿Qué dijiste?

Ambos cónyuges habrían podido hacer algo para limitar la frustración que surge de esta conversación. Jacobo eligió un mal momento para conversar, justo en medio del programa de María. Él ha debido esperar el momento del comercial y luego decir, "Realmente me gustaría hablar sobre qué haremos el sábado. Podemos hablar ahora, ¿o mejor esperamos hasta que termine tu programa?" e incluso si él hubiera hablado durante el programa, María habría podido decir, "me gustaría hablar eso contigo, pero estoy concentrada ahora. Hablemos sobre ello durante los comerciales". Realmente, no se necesita más que una estrategia tan simple como ésta para limitar la frustración que proviene de los filtros de falta de atención.

Recomendamos que acepten las fallas en la atención como parte de la vida. Algunas veces, afectarán su comunicación de manera frustrante. Traten de no darles mayor importancia. La clave es asegurarse de que usted cuenta con la atención de su pareja y prestarle su atención cuando realmente importa.

ESTADOS EMOCIONALES

Los estados emocionales o estados de ánimo se convierten en filtros que afectan la comunicación. Por ejemplo, un cierto número de estudios demuestra que tendemos a darle a las personas el beneficio de la duda más frecuentemente cuando estamos en buen estado de ánimo y menos frecuentemente, cuando no lo estamos. Si usted está en un mal estado de ánimo, es más probable que perciba cualquier cosa que haga o diga su pareja negativamente, sin importar cuan positiva esté tratando ella de ser. ¿Ha notado usted que, algunas veces, cuando su cónyuge está en un mal estado de ánimo, usted es agredido sin importar qué tan amablemente diga algo?

La mejor manera de evitar que este tipo de filtro perjudique su relación es darse cuenta y aceptar que hay uno que está en funcionamiento. He aquí un ejemplo. Es la hora de cenar. Los niños están hambrientos y quejándose. Esteban acaba de llegar a casa y está leyendo el correo, mientras Carolina está preparando pasta en la cocina.

ESTEBAN: Olvidamos pagar esta cuenta de la compañía de teléfonos nuevamente. Lo mejor es que la paguemos.

CAROLINA: [*Hablando bruscamente*] No fui yo quien la olvidó. ¿No puedes ver
que estoy muy ocupada? Trata de hacer algo útil.

ESTEBAN: Lo siento. He debido notar que estabas ocupada. ¿Tuviste un mal
día?

CAROLINA: Tuve un día muy malo. No quiero agredirte, pero estoy al borde de
estallar. Si estoy susceptible, no es por algo que hayas hecho tú.

ESTEBAN: Tal vez podamos hablar sobre ello después de la cena.

CAROLINA: Gracias.

Sin utilizar el término filtro, Esteban y Carolina estaban aceptando que en ese momento había uno. Carolina había tenido un mal día y estaba irritable. Habrían podido dejar que esta conversación escalara hasta convertirse en una discusión, pero Esteban tuvo el buen sentido de darse cuenta de que había tocado un tema en un mal momento. Él decidió no ponerse a la defensiva y eligió validar los sentimientos de Carolina.

Carolina respondió esencialmente contándole a Esteban que ella tenía un filtro actuando, su mal estado de ánimo. Más aún, como estaba ocupada alistando la cena, era un mal momento para que Esteban obtuviera su atención. Una vez que Esteban se dio cuenta de su estado de ánimo, pudo interpretar el comportamiento de Carolina bajo esa óptica y comprender que su ánimo negativo no era culpa de él. Saber esto redujo la probabilidad de que se pusiera a la defensiva en reacción contra el estado de ánimo de ella. Pueden existir muchas clases de filtros emocionales en una misma persona. Si usted está furioso, preocupado, triste o molesto por algo, se puede ver afectada su interpretación de lo que su cónyuge dice y su respuesta.

CREENCIAS Y EXPECTATIVAS

Muchos de los filtros más importantes surgen de la forma como usted piensa sobre su relación y de lo que usted espera de ella. Como lo mencionamos en el primer capítulo, la investigación y la experiencia nos hablan de que la gente tiende a ver lo que espera en los demás. Esta clase de expectativa se convierte en un filtro que distorsiona la comunicación. Los estudios muestran que las expectativas no sólo afectan nuestras percepciones sino que pueden influir sobre el comportamiento de los demás. Por ejemplo, si usted cree que una persona es extrovertida, esa persona muy probablemente le parecerá extrovertida cuando hable con usted, incluso si ella es introvertida. Nosotros "les arrancamos" a los demás comportamientos que sean consistentes con lo que esperamos de ellos.

El próximo ejemplo muestra cuán difícil es, o puede ser, eliminar tales filtros. Alonzo y Heidi son una pareja que asistió a nuestro taller. Tenían problemas para decidir qué hacer para divertirse en su tiempo libre. Con tres niños en la escuela elemental, el tiempo libre sin los niños era muy valioso. Pero ellos rara vez se organizaban para salir y hacer algo, y por eso ambos se sentían frustrados. Esta conversación era típica en ellos. Observe que ambos actúan como si pudieran leer la mente del otro:

ALONZO: [*Él realmente quiere jugar bolos pero piensa que Heidi no está interesada en salir y hacer cualquier cosa divertida juntos.*] Tenemos algo de tiempo libre esta noche. Me pregunto si podríamos intentar hacer algo.

HEIDI: [*Ella piensa que le gustaría salir pero nota la vacilación en su voz y cree que él realmente no quiere salir.*] Oh, no lo sé. ¿Tu qué crees?

ALONZO: Pues, podríamos ir a jugar bolos, pero esta noche podría estar la liga y tal vez no obtengamos cancha. Tal vez deberíamos simplemente quedarnos en casa y mirar el programa "Mejoras en su hogar".

HEIDI: [*Ella piensa, "Ajá, eso es lo que él realmente quiere hacer".*] Eso me parece bien. ¿Por qué no preparamos palomas de maíz y miramos un poco de televisión?

ALONZO: [*Él está desilusionado, y piensa, "Lo sabía. A ella realmente no le gusta salir y hacer cosas que son divertidas".*] Sí, está bien.

En esta conversación no hubo escalada, invalidación, ni retirada. Sin embargo, ellos no se comunicaron bien debido a sus filtros. La creencia de Alonzo de que a Heidi no le gusta salir, afectó toda la conversación —de tal forma que la manera como le pidió a ella que salieran la hizo pensar que él no quería salir. Él "sabía" que ella realmente no quería ir; esto es lo que llamamos lectura de la mente. La lectura de la mente se manifiesta cuando usted considera que sabe lo que su pareja está pensando o sintiendo. Es una forma común de filtrar basada en sus creencias y expectativas predeterminadas.

DIFERENCIAS DE ESTILO

Cada persona tiene un estilo diferente para comunicarse y los diferentes estilos pueden conducir a filtrar. Tal vez uno de ustedes es mucho más expresivo y el otro mucho más reservado. Ustedes pueden tener algunos problemas para comprenderse porque usan estilos muy diferentes. Los estilos están determinados por muchas influencias que incluyen la cultura, el género y la crianza. Algunas veces, las diferencias de estilo que están enraizadas en los antecedentes familiares pueden causar graves equívocos que se convierten en poderosos filtros que distorsionan la comunicación.

Susana y Tomás provienen de familias muy diferentes. Los miembros de la familia de él siempre ha sido muy expresivos, y llegan a ser muy intensos cuando están emotivos. Esa es simplemente su forma de ser. La familia de Susana siempre ha sido más reservada. Como resultado, un leve aumento del tono de la voz podría significar una gran ira en su familia, mientras que apenas sería notada en la de él. En muchas conversaciones, por lo tanto, Susana interpreta exageradamente la intensidad de los sentimientos de Tomás, y Tomás subestima los sentimientos de Susana, como en este ejemplo:

TOMÁS: ¿Cuánto costó arreglar el amortiguador?

SUSANA: Cuatrocientos veintiocho dólares.

TOMÁS: [*Vehemente, acalorándose rápidamente*] ¿Qué? ¿Cómo pudieron cobrar tanto? Eso es extravagante.

SUSANA: [*Atacando ferozmente*] ¡Quisiera que dejaras de gritarme! Te he dicho una y mil veces que no puedo escucharte cuando me estás gritando.

TOMÁS: No te estoy gritando. Simplemente no puedo creer que eso costara tanto.

SUSANA: ¿Por qué no podemos sostener una conversación tranquila como la demás gente? Mi hermana y mi cuñado nunca se gritan el uno al otro.

TOMÁS: Tampoco hablan sobre nada. Mira, cuatrocientos veintiocho dólares es demasiado, eso es todo lo que me está haciendo reaccionar.

SUSANA: Por qué no llevas tú la próxima vez el automóvil. Estoy cansada de que me griten por cosas como esa.

TOMÁS: Querida, mira. No estoy molesto contigo. Estoy molesto con ellos. Y tú sabes que me irrito fácilmente, pero no estoy insinuando que tú hiciste algo mal.

SUSANA: [*Serenándose*] Algunas veces, así parece.

TOMÁS: Pues no estoy furioso contigo. Déjame llamar a ese lugar. ¿Cuál es el número?

Tomás y Susana se enredan en un malentendido debido a sus diferencias de estilo. Pero en la conversación anterior, realizan un gran trabajo al no permitir que el problema se intensifique. Como en los ejemplos precedentes en los cuales una conversación volvió a su curso normal, uno de los cónyuges descubre que hay un filtro que está distorsionando el mensaje y emprende una acción correctiva. Aquí, Tomás aclara enérgicamente que él no está furioso con Susana.

El hecho de adquirir más conciencia del efecto que pueden tener sus diferentes estilos de comunicación puede ser de gran utilidad para impedir los desacuerdos y los malentendidos. En compañía de su cónyuge dediquen algún tiempo a pensar sobre estas diferencias.

FILTROS Y MEMORIA: ¡ESO NO ES LO QUE USTED OYÓ!

Algunas de las discusiones más graves entre las parejas se refieren a algo que se dijo en el pasado. ¿Con cuánta frecuencia ha deseado usted haber tenido grabada una conversación anterior? Nos pasa a todos. Estas diferencias en la memoria se presentan, en gran medida, debido a la variedad de filtros que operan en toda relación. Cualquiera de los filtros que hemos discutido aquí puede conducir a diferencias, y discusiones, respecto a lo que realmente se dijo o se hizo en el pasado. Lea nuevamente la conversación que presentamos anteriormente, en este capítulo, entre Carlos y Tania. Observe que ellos acabaron discutiendo acerca de lo que Carlos había dicho realmente al comienzo de la conversación. Él verdaderamente pensaba que la había invitado a salir a cenar, pero lo que dijo fue vago. Ella verdaderamente pensó que él le había dicho que preparara la cena, lo que tampoco fue cierto. Sin una grabación, habría sido imposible convencerlos para que alguno de los dos cambiara su versión de la historia.

Recomendamos dos cosas que pueden librar a su relación de esas discusiones áridas sobre el pasado. Primero, no suponga que su memoria es perfecta. Acepte que no lo es. Innumerables estudios en el campo de la sicología muestran cuán frágil es la memoria humana y cuán susceptible es a la motivación y a las creencias. Éste es un problema tremendo en nuestro sistema legal, y es igualmente grave en las relaciones. Acepten que los dos tienen filtros y que existe una gran posibilidad de que algo se haya dicho u oído de manera diferente a la intención que se tenía.

En segundo lugar, cuando ustedes estén en desacuerdo no persistan en discusiones acerca de lo que uno de ustedes dijo en el pasado; no llegarán a ninguna parte. Consultar la memoria es un juego que no produce ganadores. En vez de eso, acepten que cada uno de ustedes recuerda la conversación de manera diferente y que había filtros que estaban actuando en ambos casos. Avancen entonces concentrándose en lo que piensan o sienten sobre el tema de discusión en este momento.

Todos tenemos filtros. Podemos reaccionar ante ellos con escasa conciencia, lo cual perjudica la relación, o bien, podemos aprender a buscarlos cuando las conversaciones se tornan enredadas. Intenten adquirir el hábito de anunciar su filtro cuando estén conscientes de que pueden tenerlo, por ejemplo, "sé que soy sensible respecto al sexo, por eso es posible que no logre ser realmente claro en lo que estoy tratando de decirte en este momento". Todos tenemos distintos estados de ánimo, niveles de atención, creencias. También tenemos experiencias y una crianza diferentes que pueden producir filtros contra una comunicación clara. Después de que hablemos sobre la importancia de la seguridad en su relación, les presentaremos una técnica de comunicación muy eficaz para reducir el efecto de los filtros en sus discusiones importantes.

CÓMO HACER PARA QUE LA COMUNICACIÓN SEA SEGURA: EL VALOR DE LA ESTRUCTURA

Para tener un excelente matrimonio, ustedes dos deben tener la capacidad de expresar sus creencias, preocupaciones y preferencias claramente, sin perjudicar la relación en el proceso. Si se permiten los patrones que discutimos en el p rimer capítulo se puede volver peligroso expresar sus puntos de vista sobre lo que es más importante para usted. Los filtros agravan el problema, lo cual hace que sea un verdadero prodigio que las parejas puedan comunicarse sobre cualquier cosa realmente importante.

A menos que usted se sienta emocionalmente seguro, probablemente no podrá compartir pensamientos o sentimientos importantes con su pareja. Para muchas parejas, la relación termina por parecerse más a un campo minado que a un paraíso seguro. Las personas generalmente no comparten sus sentimientos abiertamente con nadie, ni siquiera con su cónyuge, a menos que se sientan seguras. ¿Son los matrimonios necesariamente seguros? No. La mayoría de las personas casadas ambicionan el paraíso seguro de una relación amigable, pero muchas de ellas simplemente no llegan allí o no pueden permanecer allí.

Para no tomar riesgos, las personas con frecuencia deciden no compartir partes importantes de sus vidas tales como sus sueños personales, sus deseos sexuales o sus sentimientos. En cierta forma, la creencia de que la relación no es segura se vuelve un filtro también, ya que uno aprende a esconder lo que piensa, siente o desea. Si su relación le parece que es segura y que le permite compartir su corazón y su alma, aprenda a mantenerla así. Si no es segura, aprenda a cambiarla. Le ayudaremos a empezar.

Por "segura", no entendemos sin riesgo. Si usted va a compartir lo que le preocupa, lo que lo hiere, o lo que espera, estará tomando riesgos. Existe una relación directa entre el riesgo y la recompensa, en gran parte de la vida. Usted no podrá ser aceptado sinceramente, si no ofrece algo sincero para que su pareja lo acepte. Inversamente, usted puede tomar el riesgo, compartir sinceramente y ser rechazado. Esto duele mucho, porque usted ha elegido arriesgar una parte muy profunda de sí mismo en la relación. Pero si las cosas salen bien, usted logrará ser aceptado de manera sincera y satisfactoria por lo que es, incluidos todos sus defectos.

Cuando ustedes están en desacuerdo, o piensan que lo están, hay más riesgo y más cosas pueden salir mal. Para que su relación crezca a través del conflicto, en lugar de perjudicarla, es necesario utilizar estrategias y técnicas previamente acordadas para mantener las conversaciones seguras y bajo control. Esto no significa que las conversaciones siempre serán agradables, sino que ustedes estarán trabajando para mantener controladas la escalada, la invalidación, la retirada y las interpretaciones negativas.

El hecho de utilizar técnicas y estrategias acordadas previamente le da una estructura a su interacción. Esto es exactamente lo que se hace en los ambientes políticos y de trabajo. Imaginen por un momento cómo sería el Congreso de los Estados Unidos si no hubiera reglas sobre cómo y cuándo las cosas pueden compartirse. Con una estructura adecuada, ustedes pueden manejar el conflicto con menos probabilidad de perjuicio para su relación. Para mostrarles cómo hacer esto, describiremos, primero, cómo funciona un reactor nuclear con el fin de demostrar los beneficios de la estructura. Presentaremos, luego, una manera estructurada para comunicarse que puede hacer que cualquier conversación sea más clara y más segura.

EL MODELO DEL REACTOR NUCLEAR

Los reactores nucleares son estructuras para almacenar el calor producido por material radioactivo, de manera que su energía pueda ser usada constructivamente. Los reactores producen energía utilizable al generar calor, el cual es utilizado para producir vapor, que se usa luego para mover turbinas, que a su vez hacen girar generadores que producen electricidad. El calor es producido en el receptáculo cuando las partículas radioactivas rebotan dentro de él, se chocan y se rompen liberando gran cantidad de energía y calor. Estas partículas son liberadas del material radioactivo a medida que él se descompone.

Hay dos extremos que los ingenieros pretenden evitar en un reactor. En esto es en lo que el reactor se parece a su relación. Primero, y sobre todo, ellos pretenden evitar el fundido nuclear. El fundido nuclear se produce cuando el calor se sale del control de los ingenieros, destruye el reactor y posiblemente contamina el entorno por muchos años. Por otra parte, los ingenieros no quieren que el reactor se enfríe tanto que no se produzca calor, lo cual iría en contra del propósito mismo que se busca.

Para mantener control sobre la reacción, los ingenieros pueden subir y bajar las varillas de control y limitar la cantidad de calor que el reactor genera. Las varas de control tienen como función absorber las partículas volátiles de manera que haya menos partículas golpeándose unas con otras y se produzca menos fricción. Mientras más bajas estén las varillas de control, menor será la temperatura, puesto que se impide la mayor parte de la reacción. Las varillas de control son el elemento con el cual los ingenieros estructuran la reacción. Mientras más estructura haya, más lenta es la reacción y hay menos calor. Mientras menos estructura haya, mayor es la reacción y mayor es el calor. Pero, ¿qué significa todo esto para ustedes?

Su relación es como un reactor nuclear de las siguientes maneras:

1. Ciertos problemas generan calor.
2. Este calor puede ser usado constructivamente o puede producir consecuencias destructivas que son difíciles de borrar.
3. Ustedes pueden controlar qué tanta estructura necesitan para manejar una cuestión en particular, tal como los ingenieros pueden controlar las varillas en la reacción.

Si un tema es demasiado ardiente, deben utilizar más estructura para manejar la conversación; lo que corresponde a bajar las varillas de control. Esto implica usar todas las reglas que les enseñaremos en este libro. Cuando hay menos cosas en juego, o cuando no estén en conflicto, no necesitan tanta estructura. Simplemente, comuníquense en la forma que los haga sentirse más cómodos, puesto que utilizar la estructura en esos momentos hará que las cosas parezcan más frías de lo que deben ser.

LA TÉCNICA DEL HABLANTE-OYENTE

La técnica del hablante-oyente ofrece a las parejas una forma alternativa de comunicación cuando las cuestiones son difíciles o delicadas, o cuando amenazan volverse así. Cualquier conversación en la cual se desee fomentar la claridad y la seguridad puede beneficiarse con esta técnica. Sin embargo, no esperamos que las parejas usen esta técnica en el curso de sus conversaciones normales. Muchas parejas (aunque no todas) pueden decidir si salen a comer comida china sin usarla, pero cuando se trata de manejar cuestiones delicadas sobre dinero, sexo, o parientes políticos, por ejemplo, disponer de la malla de seguridad que dicha técnica proporciona puede ser un gran alivio. Sin embargo, estas habilidades para hablar sobre cuestiones difíciles deben ser aprendidas cuando las cosas andan bien.

Hemos tenido un éxito especial con esta técnica del hablante-oyente debido a que es simple y eficaz. La técnica funciona porque ustedes dos deben seguir ciertas reglas, que describiremos ahora.

REGLAS PARA LOS DOS:

1. *El Orador tiene la palabra.* Utilice un objeto real para designar la "palabra". En los seminarios, nosotros les damos a los asistentes trozos de linóleo o de tapete para que los utilicen como representación de la palabra. Ustedes pueden usar cualquier cosa: el control remoto de la televisión, una hoja de papel, un libro — cualquier cosa—. El que no tiene la palabra, es el oyente. Tanto el hablante como el oyente deben seguir las reglas que corresponden a cada papel.

2. *Compartir la palabra.* La palabra se comparte durante el curso de la conversación. Una persona la tiene al comenzar y puede decir una serie de cosas. En un momento dado, cambian de papeles y continúan mientras la palabra cambia nuevamente de manos.

3. *No se trata de resolver problemas.* Cuando usen esta técnica, deben concentrarse en tener buenas discusiones, no en tratar de llegar a soluciones prematuramente.

REGLAS PARA EL HABLANTE

1. *Hable a nombre suyo. No trate de leer la mente.* Hable sobre sus pensamientos, sentimientos y preocupaciones, no sobre las percepciones que se han tomado de los motivos o de los puntos de vista del oyente. Trate de construir sus frases en primera persona, y hable sobre su propio punto de vista. "Creo que eres un pelmazo" no es una frase en primera persona. "Estoy molesto porque olvidaste nuestra cita", sí lo es.

2. *No hable interminablemente.* Usted tendrá muchas oportunidades para decir todo lo que necesita decir. Para ayudar a su pareja a escuchar activamente, es muy importante que se exprese con frases cortas y manejables. Si usted está acostumbrado a hacer monólogos, recuerde que el hecho de tener la palabra lo protege de interrupciones, de manera que puede hacer una pausa y asegurarse de que su pareja lo entienda.

3. *Deténgase y permita que el oyente lo parafrasee.* Luego de haber hablado durante un corto lapso, deténgase y permita que el oyente

parafrasee lo que acaba de decir. Si la paráfrasis no es lo suficientemente exacta, puede repetir cortésmente lo que no se oyó en la forma en que usted pretendía que fuera oído. Su objetivo es ayudar al oyente a escuchar y a entender su punto de vista. Éste no es un examen —asegúrese de que el oyente, verdaderamente lo esté escuchando.

REGLAS PARA EL OYENTE:

1. *Parafrasee lo que ha escuchado*. Usted debe parafrasear lo que el hablante está diciendo. Brevemente, repita lo que el otro dijo, utilizando sus propias palabras si así lo desea y asegúrese de que entendió lo que él dijo. La clave es mostrarle a su pareja que usted está escuchando, al repetir lo que usted oyó. Si la paráfrasis no es correcta (cosa que sucede a menudo), el hablante debe clarificar el punto, amablemente. Si usted realmente no entiende alguna frase o ejemplo, debe pedirle al hablante que los clarifique, pero no debe hacer preguntas sobre ningún otro aspecto de esa cuestión, a no ser que sea usted quien tenga la palabra.

2. *Concéntrese en el mensaje del hablante. No refute*. Cuando usted esté en el papel del oyente, no debe dar su opinión ni expresar sus pensamientos. Ésta es la parte más difícil para lograr ser un buen oyente. Si está molesto por lo que su pareja está diciendo, debe reprimir cualquier respuesta que quiera dar y prestar atención a lo que su pareja está diciendo. Espere hasta que usted tenga la palabra, para dar su respuesta. Su trabajo como oyente consiste en hablar solamente para contribuir a entender a su pareja. ¡No están permitidas palabras ni gestos que expresen su opinión!

Antes de mostrarles cómo funciona esta técnica de comunicación, queremos darles algunas ideas sobre paráfrasis adecuadas. Suponga que su cónyuge le dice "¡Realmente tuve un mal día, mi madre se puso a criticar la forma en que hice los arreglos para la fiesta de papá. Uf!" Cualquiera de las siguientes puede ser una excelente paráfrasis:

"Parece que tuviste un día realmente difícil".

"Entonces, tu madre te criticó la forma en que manejaste la fiesta, y realmente te reprendió por ello".

"¿Mal día, no?"

Cualquiera de estas respuestas indica que usted ha escuchado y demuestra que ha comprendido. Una buena paráfrasis puede ser corta o larga, detallada o general. Si usted no sabe cómo iniciar una paráfrasis, puede ser de ayuda comenzar con:

"Lo que estás diciendo es..." y luego, complete lo que acaba de oír decir a su pareja. Otra manera de comenzar una paráfrasis es con las palabras "parece que ....".

Cuando se está utilizando la técnica del hablante-oyente, el que habla es siempre el que determina si la paráfrasis del oyente fue correcta. Solamente el hablante sabe cuál era el mensaje enviado. Si la paráfrasis no fue exacta, es muy importante que quien habla amablemente clarifique o vuelva a explicar el punto, en lugar de replicar airada o críticamente. Otro punto clave es el siguiente: cuando usted esté en el papel del oyente, sea sincero en sus esfuerzos por demostrar que está escuchando cuidadosa y respetuosamente. Incluso cuando no esté de acuerdo con el punto que su cónyuge está planteando, su meta es mostrar respeto y validación de su perspectiva.

Manifieste respeto y escuche bien. Si usted está en desacuerdo, espere hasta que tenga la palabra para expresar su punto de vista.

CÓMO USAR LA TÉCNICA DEL HABLANTE-OYENTE

He aquí un ejemplo de cómo esta técnica puede transformar una conversación que no va hacia ninguna parte, en una real oportunidad de comunicación. Pablo y Tatiana tienen algo más de treinta años de edad y cuatro hijos entre dos y diez años. Durante años, han tenido dificultades para manejar los problemas. Pablo permanentemente evita discutir áreas problemáticas y si Tatiana logra arrinconarlo, él se retira encerrándose en sí mismo. Los dos saben que necesitan comunicarse más clara y seguramente en los temas difíciles y han acordado que la estructura de la técnica del hablante-oyente puede ayudarlos.

En este caso, Tatiana y Pablo han quedado atrapados en el ciclo del perseguidor y el que se retira ante el tema del jardín infantil de Jeremías.

Sin embargo, han estado practicando la técnica del hablante–oyente y están listos para ensayar algo diferente. Veamos qué ocurre:

TATIANA: Estoy realmente cansada de que el problema del jardín infantil de Jeremías siga en el aire. Tenemos que discutirlo ahora mismo.

PABLO: [*Sin desviar los ojos de la televisión*] ¿Oh?

TATIANA: [*Caminando hacia la televisión y parándose enfrente a ella*] Pablo, no podemos dejar esta decisión en el aire. Me molesta realmente que no quieras enfrentarla.

PABLO: [*Reconociendo que éste sería un buen momento para actuar constructivamente y no retirarse*] Está bien. Me doy cuenta de que necesitamos hablar, pero lo he estado evitando porque parece que hablar sólo nos conduce a pelear. Tratemos de utilizar la técnica del hablante-oyente que hemos estado practicando.

La técnica del hablante–oyente no es una manera normal de comunicarse, pero es una forma relativamente segura de comunicarse sobre cuestiones difíciles. Cada persona tendrá la oportunidad de hablar, cada uno será escuchado, y ambos demostrarán su compromiso en cuanto a discutir los problemas constructivamente. Cuando la persona que usualmente se retira, se acerca al perseguidor de esta forma, el efecto sobre la relación es a menudo muy positivo. Esa acción ataca la base de la creencia del perseguidor en cuanto a que, el que se retira, no se preocupa por la relación.

La conversación continúa y Pablo toma la palabra y la representa con un tapete que recoge.

PABLO: [*Hablante*] Yo también he estado muy preocupado pensando en cuál será el jardín al que enviaremos a Jeremías, pero no estoy ni siquiera seguro de que éste sea el año en que debamos hacerlo.

TATIANA: [*Oyente*] Tú también has estado preocupado y, en parte, no estás seguro de que él esté listo.

PABLO: [*Hablante*] Sí, eso es. Él es todavía muy inmaduro para su edad, no estoy seguro de cómo se comportaría, a no ser que la situación sea justamente la adecuada.

Fíjese cómo confirma Pablo que el resumen de Tatiana es perfecto, antes de continuar con otro punto.

TATIANA: [*Oyente*] Estás preocupado de que él no pueda enfrentarse con niños más maduros, ¿no es cierto?

Tatiana no está muy segura de haber comprendido el punto de Pablo. Por lo tanto, su paráfrasis es tentativa.

PABLO: [*El que habla*] Bien, en parte es eso, pero además no estoy seguro de que él esté listo para estar alejado tanto tiempo de ti. Por supuesto, tampoco quiero que él se sienta demasiado dependiente.

Observe cómo Pablo aclara amablemente el punto. Él está avanzando en la conversación en vez de retroceder. En general, siempre que usted sea el hablante y sienta que se requiere una aclaración, use su siguiente declaración para volver a expresar o ampliar el punto que está tratando de plantear.

TATIANA: [*Oyente*] Entonces, por un lado crees que él me necesita mucho y por otro, piensas que necesita ser más independiente y esta dualidad te preocupa.

PABLO: [*Hablante*] Eso es. Toma, tienes la palabra ahora.

SE PASAN LA PALABRA

TATIANA: [*Ahora, el hablante*] Bueno, aprecio lo que estás diciendo. En verdad, no me había dado cuenta de que estuvieras pensando tanto sobre este tema. Estaba preocupada porque creía que no te importaba.

Ahora en su papel del hablante, Tatiana valida los comentarios que ha hecho Pablo.

PABLO: [*Oyente*] Parece que estás contenta de escuchar que estoy pre-ocupado.

TATIANA: [*Hablante*] Sí. Estoy de acuerdo en que ésta no es una decisión fácil. Si decidimos inscribirlo en el jardín infantil este año, tendría que ser justo en el lugar adecuado.

PABLO: [*Oyente*] Estás diciendo que tendría que ser justo el jardín infantil adecuado para que valga la pena hacerlo este año.

TATIANA: [*Hablante*] Exactamente. Tal vez vale la pena ensayar si podemos encontrar un excelente entorno para él.

Tatiana se siente bien puesto que Pablo está escuchando muy cuidadosamente, y se lo hace saber.

PABLO: [*Oyente*] Entonces lo ensayarías si encontráramos exactamente el ambiente adecuado.

TATIANA: [*Hablante*] Podría ensayarlo. No estoy segura de estar lista para asegurar que sí lo haría.

PABLO: [*Oyente*] No estás lista para decir que definitivamente quieres hacerlo, incluso en un jardín infantil perfecto.

TATIANA: [*Hablante]* Correcto. Ten, tienes nuevamente la palabra.

SE PASAN LA PALABRA MUTUAMENTE.

Como usted se dará cuenta Pablo y Tatiana han estado practicando bastante. Ambos están haciendo un excelente trabajo siguiendo las reglas y demostrando interés y respeto por los puntos de vista del otro. Las parejas pueden tener discusiones como ésta sobre temas difíciles, incluso si están en desacuerdo. La clave es que la conversación sea segura y que se demuestre respeto por los pensamientos, sentimientos y opiniones del otro.

LAS VENTAJAS DE UTILIZAR LA TÉCNICA DEL HABLANTE–OYENTE

La técnica del hablante-oyente tiene muchas ventajas sobre las conversaciones no estructuradas cuando se discuten cuestiones difíciles. Lo más importante es que neutraliza los estilos destructivos que describimos en los capítulos uno y dos —escalada, invalidación, persecución y retirada— y los filtros:

1. *Escalada*. Es casi imposible escalar, si ambos siguen las reglas y se esfuerzan por demostrar respeto. ¡No se pueden gritar si tienen

que detenerse luego de algunas pocas frases para solicitar una paráfrasis! El ímpetu de la escalada muere instantáneamente.

2. *Invalidación.* El simple proceso de parafrasear impide eficazmente la invalidación porque el que habla obtiene retroalimentación inmediata. Se puede reforzar la validación diciendo "comprendo" o "veo lo que quieres decir" al final de una paráfrasis o cuando se toma la palabra. Esto no quiere decir que tengan que estar de acuerdo, solamente indica que cada uno está viendo la situación desde el punto de vista del otro. Esperen para expresar su acuerdo o desacuerdo cuando les llegue su turno de tener la palabra. ¡No es necesario estar de acuerdo con su cónyuge para poder ser un buen oyente!

3. *Persecución y retirada.* La estructura de esta técnica ofrece más seguridad al miembro de la pareja que tiende a retirarse de las conversaciones en las que es posible que surja el conflicto. Cuando se tiene la sensación clara de que ambos están comprometidos en evitar que las cosas se salgan de su cauce, hay menos motivo de ansiedad porque el conflicto tiene menor probabilidad de volverse inmanejable. Así mismo, la estructura de las conversaciones asegura que el cónyuge que usualmente busca las discusiones sea escuchado y que los problemas sean tratados. Si usted es el que se retira, en la medida en que se sienta más seguro y más dispuesto a tratar las cuestiones, la retirada se vuelve menos útil o necesaria. Esto los acerca a ambos a una situación en la que los dos son ganadores y los aleja de los ciclos sin esperanza en los que hay un ganador y un perdedor.

4. *Filtros.* La técnica del hablante-oyente hace más fácil identificar los filtros tan pronto como aparecen. Serán evidentes en las paráfrasis. El hablante tendrá entonces una oportunidad para decir sin amenazar, "eso no fue exactamente lo que dije. Dije 'tal y cual'. ¿Podrías parafrasear nuevamente por favor?" Toda clase de filtros puede ser controlada utilizando esta técnica, y en particular las interpretaciones negativas.

Nuestra investigación muestra que las parejas se benefician al aprender a usar la estructura cuando están manejando conflictos. Esto tiene mucho sentido. Las reglas acordadas, como la técnica del hablante–oyente, aportan algún grado de predicción, que reduce la ansiedad y la evasión y ayuda a ambos cónyuges a ganar en vez de perder cuando están manejando un conflicto. En lugar de pelear entre sí, deben trabajar juntos para pelear contra los patrones negativos. A medida que se sientan más cómodos con la técnica, podrán sacarle mayor provecho a muchas otras ideas presentadas en este libro.

Al aceptar la utilización de las habilidades y las reglas básicas que presentamos para manejar el conflicto, ustedes habrán aceptado utilizar más estructura. Como en el caso del ingeniero con el reactor nuclear, una de las cosas más importantes que pueden hacer como pareja es aprender a decidir cuándo necesitan más estructura y cuándo necesitan menos. Si practican, aprenderán como pareja cómo y cuándo deben bajar las varillas de control para manejar los tiempos difíciles. La práctica es la clave. Si desean fortalecer su matrimonio y disminuir sus probabilidades de divorcio, aprendan a acercarse el uno al otro y a manejar constructivamente aquellas cuestiones que tienen tendencia a separarlos. Cubriremos muchos otros principios importantes en este libro, pero ninguno es tan crítico como éste.

En el próximo capítulo les explicaremos un modelo estructurado para resolver problemas. Si trabajan en él, se darán cuenta de que usándolo junto con la técnica del hablante-oyente podrán mejorar significativamente su habilidad para manejar cualquier cuestión que deban enfrentar como pareja.

♣ EJERCICIOS

La técnica del hablante-oyente no hace milagros, pero sí funciona bien. Para que sirva es necesario practicarla. Como ocurre con cualquier nueva habilidad, es probable que se sientan un poco inseguros al comienzo. Deben aprender la técnica de tal manera que las reglas se vuelvan automáticas cuando tengan que discutir sobre algo realmente difícil.

Si usted estuviera aprendiendo a jugar tenis, no trataría de perfeccionar su revés en la cancha central de Wimbledon. Más bien, lo practicaría frente a un muro durante horas para adquirir el golpe perfecto. No es aconsejable intentar aprender una nueva habilidad cuando se está enfrentando una situación de gran estrés. Por esta razón, les pedimos que sigan las sugerencias a continuación para aprender la técnica del hablante–oyente.

1. Practiquen esta técnica varias veces a la semana durante quince minutos cada vez. Si no reservan un tiempo para practicar, nunca les resultará muy útil esta técnica.

2. Durante la primera semana, ensayen la técnica solamente con temas no conflictivos. Conversen sobre cualquier cosa que sea de interés para alguno de los dos: sus vacaciones favoritas, las noticias, los deportes, sus sueños para el futuro, sus preocupaciones en el trabajo, etcétera. Su meta aquí no es resolver algún problema, sino practicar nuevas habilidades.

3. Después de haber realizado tres sesiones de práctica exitosas sobre temas no conflictivos elijan áreas de conflicto menor para discutir. Algunas veces, las parejas no saben qué cosa podrá o no desencadenar una pelea. Si la discusión sobre un tema que ustedes elijan se acalora, abandónenla (El tema no desaparecerá, simplemente podrán discutirlo cuando hayan practicado más).

    Practiquen varias discusiones en las cuales ambos intercambien algunos pensamientos y sentimientos sobre estas cuestiones menores. No intenten resolver problemas, simplemente sostengan buenas discusiones. Su meta es entender el punto de vista de cada cual, tan clara y completamente como sea posible. En el proceso, puede que resuelvan algunos problemas, porque todo lo que se necesitaba era comprender lo que la otra persona estaba pensando. Eso está bien, pero no busquen —o traten intencionalmente— de encontrar soluciones. En este momento se están concentrando en sostener buenas discusiones. En el próximo capítulo, aprenderán y practicarán la solución de problemas.

4. Cuando ya lo estén haciendo bien en esta última tarea, avancen hacia cuestiones más y más difíciles. A medida que lo hagan, recuerden que deben esforzase por cumplir las reglas. Tendrán éxito si trabajan en ello.

4

Solución de problemas

EN EL CAPÍTULO ANTERIOR, no nos concentramos en solucionar problemas, sino en la necesidad de tener una comunicación clara y segura cuando más se necesita. Si ustedes están progresando en su habilidad para conversar de manera eficiente, estarán mejor preparados para lo que les diremos ahora acerca de solucionar problemas.

Todos queremos solucionar problemas que afectan nuestras relaciones. Eso es natural. Pero hemos esperado hasta ahora para discutir este tema, debido a que muchas parejas tratan de solucionar problemas prematuramente, antes de haber adquirido un profundo conocimiento mutuo de cuáles son los problemas existentes. Comprender, antes de resolver, es crucial para mantener el respeto y la conexión en su relación. En este capítulo, presentamos un enfoque directo para la solución de problemas, que puede ayudarlos en momentos en los cuales realmente necesiten soluciones prácticas y útiles.

TRES SUPUESTOS CLAVES

Quisiéramos describir tres supuestos claves, basados en la investigación, antes de presentarles los pasos específicos que pueden ayudarlos a resolver problemas eficazmente en su relación:

1. Todas las parejas tienen problemas.
2. Las parejas que tienen más éxito en la solución de sus problemas trabajan juntas como un equipo, no el uno contra el otro como si fueran adversarios.
3. La mayoría de las parejas se apresuran a buscar soluciones rápidas que no toman en cuenta las preocupaciones reales de cada cónyuge, y por lo tanto no producen soluciones duraderas.

Exploremos estos tres puntos.

TODAS LAS PAREJAS TIENEN PROBLEMAS

¿Alguna vez se han preguntado ustedes por qué ciertas parejas parecen navegar en su vida matrimonial? No se trata de que ellos no tengan problemas. Aún cuando la naturaleza de los problemas cambia para las parejas con el tiempo, todas las parejas enfrentan problemas.

Las parejas informan que los principales problemas que surgen antes del matrimonio tienen que ver con los celos y con los parientes políticos. Estos hechos indican que la tarea básica que tienen que realizar al comienzo de su relación es establecer límites con los demás. Durante el primer año de matrimonio, informan sobre otros problemas que consideran más importantes, tales como la comunicación y el sexo. Éstas son cuestiones centrales para la interacción de los cónyuges entre sí. Incluso con estos simples datos, resulta claro que la comunicación, con el paso del tiempo, se vuelve una preocupación cada vez más importante. Y, ya sea que estén en una relación nueva o de varios años, la mayoría de las parejas informa que el dinero es un problema primordial, independientemente de la cantidad que tengan.

Entonces, aun cuando la naturaleza de los conflictos pueda cambiar con el tiempo, todas las parejas informan problemas que reflejan un conjunto básico de cuestiones que tienen que resolver. Debemos admitir que algunas parejas enfrentan circunstancias más difíciles en la vida que otras. Sin embargo, nuestras observaciones de parejas en el PREP y en nuestra investigación coinciden en indicar que aquellas personas que manejan los problemas bien tienden a utilizar un conjunto común de habilidades —habilidades que pueden ser aprendidas—.

USTEDES NECESITAN TRABAJAR JUNTOS COMO UN EQUIPO

Algunas parejas combinan habilidades y respeto mutuos para producir una sensación poderosa de que son un equipo que trabaja unido para encontrar soluciones que mejorarán su vida. Cuando se maneja un problema, ustedes tienen dos alternativas. Pueden alimentar la sensación de estar trabajando juntos frente al problema o pueden operar como si estuvieran trabajando uno en contra del otro. Este principio es válido para todos los problemas, grandes o pequeños.

Por ejemplo, Jaime y Lisa, una pareja de recién casados cercanos a los treinta años de edad, recibieron como regalo de matrimonio por parte de la familia de Jaime el dinero para asistir a un seminario de fin de semana en nuestro programa. Ellos estaban dialogando sobre cómo manejar la alimentación de su bebé recién nacido, ya que Lisa trabajaba en el hospital local como enfermera pediátrica. Jaime había perdido recientemente su trabajo como ejecutivo porque su empresa se fusionó con otra, pero él confiaba en que encontraría otra posición próximamente. La siguiente conversación ilustra cómo, para ellos, el trabajo en equipo generalmente fluye de manera natural:

LISA: La mayor preocupación que tengo es respecto a la lactancia del bebé con leche materna.

JAIME: ¿A qué te refieres? ¿No puede él alimentarse así cuando tu estés en la casa y darle yo un tetero mientras trabajas?

LISA: No. Eso no funcionará porque yo me llenaré de leche, cuando esté fuera. Yo sigo produciendo leche aún cuando él no la beba, ¿sabes?

JAIME: No tenía idea que eso sería un problema. ¿Quieres decir que no puedes pasar las ocho horas de tu turno sin darle de comer?

LISA: No sin explotar.

JAIME: ¡Auch! ¿Qué podemos hacer para solucionar esto?

LISA: Pues, o Pablo se alimenta durante mi descanso o tendría que sacarme la leche.

JAIME: ¿Qué es mejor para ti? Yo podría ayudarte en cualquier forma.

LISA: ¿Estarías dispuesto a traerlo a mi trabajo a la hora del almuerzo? Si él comiera bien en ese momento, eso me permitiría pasar el día de trabajo y tú podrías darle tetero el resto del tiempo.

JAIME: Claro está. Me encantaría llevarlo. No hay ningún problema, puesto que estoy sin trabajo por ahora.

LISA: Eso nos ayudaría mucho. Además tendría la oportunidad de verlo durante el día. Ensayémoslo la semana próxima.

Tomen nota de la forma como Jaime y Lisa están trabajando juntos; ellos se escuchan el uno al otro con gran sentido del respeto y la cooperación. Ésta es la forma como han aprendido a enfrentar toda clase de problemas —los desafíos que deben afrontar juntos. Dado que fueron capaces de manejar esta cuestión tan bien, en esta conversación no tuvieron necesidad de utilizar un enfoque más estructurado, tal como la técnica del hablante-oyente.

Demasiado a menudo, las personas enfrentan los problemas como si su cónyuge fuera el enemigo que debe ser conquistado. En esos casos, las cuestiones se enfrentan como si fuera a haber un ganador y un perdedor. ¿Quién quiere perder? Con toda seguridad ese tipo de actitud produce tensión y conflicto. Las personas no se casan para tener un enemigo con quien pelear durante años; aunque, tristemente, muchas parejas terminan en este tipo de situación brutal.

La buena noticia que les tenemos es que ustedes no tienen que encerrarse en un ciclo en el cual un cónyuge trata de ganar a costa del otro. Ustedes pueden aprender a trabajar como equipo. Pero incluso cuando las parejas trabajan bien en equipo, muchas no dedican el tiempo necesario para avanzar hasta lograr darle soluciones sólidas y duraderas a los problemas.

NO SE APRESUREN A ENCONTRAR SOLUCIONES

Muchos intentos bien intencionados para solucionar un problema fallan porque las parejas no dedican tiempo a comprender juntos el problema; esto les impide encontrar una solución que ambos cónyuges puedan apoyar. Si ustedes están decidiendo acerca de qué película van a ver, no es mucho lo que se pone en juego, si se apresuran a encontrar la solución, excepto, tal vez, que tengan que soportar una película aburrida. Pero si ustedes están decidiendo alguna cosa más importante, como por ejemplo cómo manejar a los hijos o cómo dividir las responsabilidades del hogar, es crucial dedicar tiempo a encontrar una solución mutuamente satisfactoria.

Dos factores principales impulsan a las parejas a apresurar la solución: La presión del tiempo y la evasión del conflicto.

La Presión del Tiempo

La mayoría de nosotros no somos muy pacientes. Queremos las cosas ya mismo. Infortunadamente, los arreglos apresurados rara vez duran. Esta tendencia refleja el ritmo acelerado de nuestras vidas. Usualmente, no dedicamos tiempo a planear lo que estamos haciendo dentro de nuestras relaciones familiares. A lo largo de los años, nos han visitado muchos colegas de Europa, y a menudo comentan cómo somos de locos en América. Ellos piensan que somos acelerados, que siempre estamos ocupados, y que dedicamos poca atención a las cosas realmente importantes. Cuando esta presión de tiempo se combina con el deseo de controlar nuestras vidas, experimentamos un deseo abrumador de resolver los problemas rápidamente y seguir adelante hacia el próximo desafío.

Pero cuando se trata de manejar cuestiones importantes en la familia, las decisiones apresuradas a menudo son malas. Si queremos tomar decisiones acertadas debemos dedicarle tiempo a la solución de los problemas. Un colega recientemente expresó que "el tiempo es la moneda de los años noventa". El hecho de no gastar suficiente cantidad de esta moneda en las relaciones familiares y maritales se convierte en un problema fundamental para mucha gente.

La Evasión del Conflicto

El siguiente ejemplo, bastante típico, ilustra cómo, debido al deseo de evitar un mayor conflicto, una pareja puede apresurarse a adoptar una solución que está destinada al fracaso. Lina y Bernardo han estado casados durante veinticuatro años y tienen un hijo en la universidad y otro que está terminando el colegio. Bernardo es un vendedor de seguros y Lina trabaja, casi tiempo completo, como voluntaria en una caridad religiosa local. Siempre han tenido suficiente dinero, pero las cosas se han vuelto un poco más difíciles con los gastos de la universidad. Para Bernardo, el hecho de que Lina dedique tanto tiempo a un trabajo sin remuneración es un problema. La siguiente conversación es típica de sus intentos para resolver el problema:

BERNARDO: [*Irritado*] Noto que la cuenta de la tarjeta de crédito fue superior a seiscientos dólares nuevamente. Simplemente no sé cómo podremos mantener esto. Me preocupa. Estoy haciendo todo lo que puedo, pero...

LINA: [*No da muestras de estar prestando atención a Bernardo*]

BERNARDO: [*Frustrado*] ¿Me escuchaste?

LINA: Sí. No creí que habíamos gastado tanto esta vez.

BERNARDO: [*Realmente molesto ahora*] ¿Cuánta ropa necesitó Juana, al fin de cuentas?

LINA: [*Molesta, pero calmada*] Pues, pensamos que necesitaba un vestido realmente bonito para presentarse a las entrevistas de trabajo. Supongo que hicimos más gastos extras de lo que pensé, pero todas son cosas que ella puede usar. Es muy importante que tenga muy buen aspecto en las entrevistas. Y tú sabes que mientras más pronto consiga un trabajo, mejor le irá a nuestro presupuesto.

BERNARDO: [*Tranquilizándose un poco*] Comprendo, pero este tipo de cosas incrementan mi preocupación. [*Pausa prolongada*] No estamos ahorrando nada para nuestro retiro, y no nos estamos rejuveneciendo. Si tú tuvieras algún ingreso por tu trabajo, eso nos ayudaría mucho.

LINA: Por qué no nos deshacemos de esa tarjeta de crédito. Así no tendrías que preocuparte más.

BERNARDO: Podríamos hacer eso, y también intentar ahorrar 150 dólares más al mes en mi plan de retiro. Eso nos ayudaría a encauzarnos en la dirección correcta. ¿Qué opinas de un empleo de medio tiempo?

LINA: Voy a pensarlo luego. Lo que estoy haciendo me parece mucho más importante. Por ahora tratemos de deshacernos de la tarjeta de crédito y ahorrar más. Eso suena bien. Ensayémoslo.

BERNARDO: Está bien, veamos qué ocurre.

Fin de la discusión. Una cosa buena de esta discusión, es que ellos la hayan tenido. Sin embargo, ¿cuáles son las probabilidades de que hayan llegado a una solución satisfactoria para su problema de dinero? Dos meses más tarde, nada había cambiado, no habían ahorrado nada, la tarjeta de crédito seguía en uso, los intereses crecían, y no estaban más cerca de resolver juntos el problema del presupuesto. Además, no habían enfrentado realmente la preocupación central de Bernardo sobre el trabajo voluntario de Lina.

Una de las principales dificultades reside en que no establecieron nada específico para llevar a cabo su acuerdo. Bernardo y Lina, generalmente, no buscan soluciones apresuradas, pero algunas veces lo hacen porque detestan el conflicto. Para ellos, esta conversación fue una pelea relativamente grande. Ambos estaban ansiosos de poder volver a ser amables el uno con el otro, después de este desacuerdo.

Encontrar una solución puede ser un alivio cuando usted y su cónyuge están conversando sobre una cuestión que causa un poco de ansiedad. Sin embargo, si acuerdan una solución prematuramente, probablemente pagarán la falta de planeación con un mayor conflicto posterior. La buena noticia es que, una vez que ustedes se hayan puesto de acuerdo en una solución para un problema molesto, éste estará bajo el control de las reglas y dejará de ser causa de conflicto permanente. El control de las reglas implica que han acordado juntos un principio o una regla que los guiará siempre que el problema se presente en el futuro.

CÓMO PUEDEN RESOLVER SUS PROBLEMAS

El enfoque que adoptamos aquí para resolver problemas, de acuerdo con el enfoque general del PREP, es estructurado. En otras palabras, recomendamos un conjunto específico de pasos que es el que siguen quienes resuelven problemas exitosamente. Los pasos que presentamos han sido modificados y adaptados de ideas presentadas en anteriores trabajos, especialmente en *We Can Work It Out: Making Sense of Marital Conflict* (Notarius y Markman, 1993), y en *A Couple's Guide to Communication* (Gottman, Notarius, Gonso y Markman, 1976). Aún cuando estos pasos son muy directos, no se dejen engañar por la sencillez del enfoque. Ustedes deben estar dispuestos a trabajar juntos, a ser creativos y flexibles y a experimentar con el cambio. Bajo estas condiciones, podrán descubrir soluciones para la mayoría de los problemas que tienen que enfrentar juntos.

Los pasos para manejar problemas bien incluyen:

I. Discusión del problema

II. Solución del problema

    A.   Definición de una agenda

    B.   Lluvia de ideas

    C.   Acuerdo y compromiso

    D.   Seguimiento

DISCUSIÓN DEL PROBLEMA

La discusión del problema es crítica para manejar los problemas bien. En este paso, ustedes estarán sentando la base para la solución del problema. Aún cuando ustedes puedan no estar de acuerdo sobre cómo resolver el problema, una buena discusión puede llevarlos a tener la clara sensación de que están trabajando juntos y respetándose mutuamente.

Independientemente de que el problema sea grande o pequeño, no deben avanzar hacia su solución sino hasta cuando ambos se sientan comprendidos por su pareja. Esto implica que cada uno de ustedes haya expresado sus principales sentimientos y preocupaciones sobre el tema y crea que la otra persona ha visto claramente su punto de vista. Recomendamos que utilicen la técnica del hablante-oyente para este paso. Darle importancia a la validación en esta fase produce una atmósfera de respeto mutuo, la cual permite que la solución del problema se lleve a cabo de una manera mucho más afable.

En todos los ejemplos presentados hasta el momento, las parejas experimentaron mayor dolor y distancia debido a que no dedicaron tiempo a discutir los problemas antes de llegar a un acuerdo. Repetidamente, hemos visto que cuando está precedida por una buena discusión, la solución del problema puede ser rápida y fácil, incluso si se trata de problemas difíciles. Al poner sobre la mesa todos los aspectos relevantes y los sentimientos, se establecen las bases para trabajar en equipo.

Es probable que uno de ustedes o ambos puedan tener una queja específica que deba ser expresada durante la discusión del problema. De ser así, es muy importante que cada uno de ustedes exprese sus sentimientos y preocupaciones de manera constructiva. Una forma de hacer esto es usar lo que Gottman Notarius, Gonso y Markman llaman una afirmación XYZ en su libro *A Couple's Guide to Communication* (1976). Con la afirmación XYZ, usted presenta su queja dentro del siguiente formato:

"Cuando tú haces X, en la situación Y, yo siento Z"

Cuando usted usa una afirmación XYZ, le está dando a su cónyuge información útil: el comportamiento específico, el contexto en el cual ocurre y lo que usted siente cuando ocurre. Esto es mucho mejor que lo que, a menudo, se hace: una vaga descripción del problema y algún tipo de insulto, en lugar de una afirmación en "primera persona".

Por ejemplo, suponga que a usted le molesta que su cónyuge haga desorden al final del día. ¿Cuál de las siguientes declaraciones cree usted que tiene más posibilidad de ser oída?

"Eres un desastre".

"Cuando arrojas tus paquetes y tu chaqueta en el piso (X), al entrar por la puerta al final del día (Y), siento furia (Z)".

O, suponga que usted está furioso por un comentario que su cónyuge hizo en la fiesta, el sábado por la noche. He aquí un contraste:

"Eres tan desconsiderada".

"Cuando dijiste que lo que yo hacía en el trabajo no era realmente difícil (X), a Jorge y a Susana en la fiesta del sábado (Y), me sentí muy avergonzado (Z)".

A menos que uno sea cuidadoso, es muy fácil caer en un ataque no específico al carácter. Tales afirmaciones conducen sin duda a la escalada y a que su cónyuge se ponga a la defensiva. Las afirmaciones XYZ son mucho más constructivas: un comportamiento específico es identificado en un contexto específico. La parte de "Yo siento Z", requiere que usted asuma la responsabilidad de sus propios sentimientos. Su cónyuge no le "hace" sentir nada en particular —usted es el responsable de lo que siente.

Mantengan en mente que a nadie le gusta escuchar un reclamo ni una crítica, no importa que haya sido expresada constructivamente. Pero, a menos que usted se esté escondiendo en la evasión, hay momentos en que necesita expresar una preocupación, y debe tratar de hacerlo sin promover un conflicto indeseado. El formato XYZ le ayudará a hacer justamente eso.

Antes de que entremos en la solución del problema, recuerden que con la discusión de éste ustedes están sentando las bases para resolverlo productivamente en equipo. Entonces, insistimos, no pasen de la discusión a la solución, a menos que ambos estén de acuerdo en que la cuestión o el problema a tratar ha sido discutido plenamente. En muchas ocasiones, descubrirán que, luego de una excelente discusión, no existe realmente necesidad de resolver el problema. Con sólo sostener una buena discusión es suficiente. De hecho, en nuestros seminarios PREP, a menudo sorprendemos a las parejas cuando les contamos que nuestra experiencia indica que aproximadamente 70% de las cuestiones que manejan las parejas no necesitan realmente ser solucionadas, solamente deben ser bien discutidas. "¿Cómo puede ser eso?", preguntan ellos.

Es difícil que las parejas lleguen a apreciar este punto si antes no han experimentado la sensación que deja la discusión de un problema y que los terapeutas llaman la sensación del "¡ajá!" Con frecuencia, después de una discusión de este tipo, no queda nada por resolver. Eso se debe a que, a menudo, deseamos en nuestra relación algo mucho más fundamental que darle soluciones a los problemas.

En un estudio, les preguntamos a personas con todo tipo de relaciones qué querían ellas de la relación. ¿Qué creen ustedes que nos dijeron? ¿Seguridad financiera? No. ¿Buen sexo? No. ¿Seguridad emocional? No. El principal deseo de las personas es que su cónyuge sea su amigo. Cuando les preguntamos, "¿qué es un amigo?", nos respondieron que un amigo es alguien que escucha, comprende, valida. Esta clase de atención y validación ocurre en las buenas discusiones de problemas. La mayoría del tiempo, lo que los cónyuges desean más cuando están molestos, no es un acuerdo ni un cambio, simplemente quieren ser oídos y comprendidos.

SOLUCIÓN DE PROBLEMAS

Hemos descubierto que los siguientes pasos funcionan muy bien entre las parejas, siempre y cuando el trabajo de la discusión del problema haya sido realizado anteriormente.

Programación de Agendas

El primer paso en la solución de problemas es establecer la agenda para su trabajo en equipo. La clave aquí es aclarar qué están tratando de resolver en este momento. A menudo, su discusión los habrá llevado a través de muchas facetas de una misma cuestión. Ahora, es necesario decidir en qué deben concentrarse. Mientras más específico sea el problema que ustedes estén tratando ahora, mayores son sus posibilidades de encontrar una solución satisfactoria y factible. Muchos problemas en el matrimonio parecen insuperables, pero su tamaño puede reducirse si se siguen los siguientes procedimientos.

Por ejemplo, ustedes pueden haber tenido una discusión sobre dinero que cubrió una serie de cuestiones, tales como problemas relacionados con tarjetas de crédito, chequeras, presupuestos y ahorros. Como pueden ver los problemas de dinero pueden incluir varios problemas específicos que deben ser considerados aisladamente. También es aconsejable trabajar primero en los problemas más fáciles. Por ejemplo, se podría pensar en decidir primero quién va a sacar el balance de la chequera al final de cada mes y dejar para más tarde la planeación del presupuesto. Asegúrense de establecer un momento específico para hablar sobre estas cuestiones.

En ocasiones, la discusión del problema se habrá centrado desde el comienzo hasta el fin en un problema específico. En este caso, no tendrán que definir una agenda para solucionar el problema. Puede que estén tratando el problema de a dónde ir durante las vacaciones —a casa de sus padres o a la casa de los padres de su cónyuge. No hay forma de dividir este problema en partes más pequeñas, por lo tanto, fijarán una agenda para trabajar en el problema en su totalidad.

Lluvia de ideas

Hasta donde sabemos, el proceso conocido como lluvia de ideas ha existido desde siempre. Sin embargo, parece haber sido refinado y promovido por la National Aeronautics and Space Administration [Administración Nacional de la Aeronáutica y el Espacio] durante los comienzos del programa espacial de los Estados Unidos. Tenían allí la necesidad de reunir a los numerosos ingenieros y científicos que estaban buscando soluciones para los variados problemas de los vuelos espaciales. El método funcionó para la NASA y luego llegó a ser usado frecuentemente en ambientes de negocios. Hemos descubierto que también funciona muy bien para las parejas. Hay varias reglas que conciernen a la lluvia de ideas:

- Cualquier idea puede ser sugerida. Uno de ustedes debe escribir las ideas.
- No evalúe las ideas durante el proceso de la lluvia de ideas ni verbal ni preverbalmente (¡esto incluye hacer gestos!).
- Sea creativo. Sugiera cualquier cosa que se le venga a la mente.
- Diviértase, si puede. Este es un momento para tener sentido del humor; todos los demás sentimientos deben ser tratados durante la discusión del problema.

Lo mejor de este proceso es que fomenta la creatividad. Si pueden hacer a un lado su tendencia a comentar críticamente las ideas que se presentan, se animarán el uno al otro a producir excelentes ideas. Pueden surgir soluciones maravillosas al examinar los puntos planteados durante la sesión de lluvia de ideas. Seguir las reglas ayuda a evitar la tendencia a establecer prematuramente una solución, que no necesariamente es la mejor.

Acuerdo y Concesión

En este paso, la meta es dar con una solución específica o con una combinación de soluciones que ambos estén de acuerdo en ensayar. Hacemos énfasis en la expresión de acuerdo, porque la solución no servirá a menos que ambos lo estén en ensayarla. También hacemos énfasis en el adjetivo específica, porque mientras más específica sea la solución, mayor será la probabilidad de que la lleven a cabo. Este es el momento para discutir las ideas que surgieron durante el paso de la lluvia de ideas. Exploren combinaciones de ideas que ustedes piensen que pueden funcionar bien. Éste no es el momento para tener discusiones profundas, sino para intentar buscar una solución específica.

Aun cuando es fácil ver el valor del acuerdo, algunas personas tienen problemas con la idea de hacer concesiones. Para algunas, la palabra concesión les sugiere más una situación en la que ambos son perdedores en lugar de ganadores. Obviamente, la concesión implica ceder en algo que usted deseaba, para lograr llegar a un acuerdo. Pero queremos hacer énfasis en que la concesión debe ser enfrentada de manera positiva.

El matrimonio implica trabajo en equipo. Dos individuos separados pueden ver las cosas de manera diferente y pueden tomar decisiones diferentes. Pero, a menudo, la mejor solución será un compromiso en el cual ninguno de los dos obtiene todo lo que quería. Esto se debe a que usted no puede tener un buen matrimonio, si siempre obtiene todo lo que quiere. Nuestra meta es ayudarlos a ganar como equipo, con soluciones que reflejan el respeto mutuo y que los acercan cada vez más como pareja. Es cierto que a veces tendrán que ceder un poco como individuos, pero si ganan como pareja, el resultado puede ser mucho más valioso.

Seguimiento

Muchas parejas llegan a un acuerdo para ensayar una solución particular para un problema. Es igualmente importante hacer un seguimiento para ver como funcionó el acuerdo. El seguimiento tiene dos ventajas claves: Primero, las soluciones a menudo necesitan ser ajustadas un poco, para que funcionen a largo plazo. Segundo, el seguimiento implica mayor responsabilidad. Por lo general, no tomamos en serio un cambio que debemos hacer, a menos que sepamos que en algún punto del futuro tendremos que responder por nuestro comportamiento.

Algunas veces, se requiere mucho seguimiento durante la fase correspondiente a la solución del problema; en otras, no es realmente necesario. Se llega a un acuerdo y funciona, y no es necesario hacer nada más. Algunas parejas eligen ser menos formales respecto al seguimiento, pero nosotros pensamos que al hacer esto están tomando un riesgo. La mayoría de las personas vive tan ocupada que no planea el siguiente paso, y nada ocurre. Hay un viejo dicho que es muy cierto: "Si usted no hace planes, su plan es fracasar". Establezcan un momento específico (en una semana o en un mes), para sentarse y analizar qué tan bien está funcionando el plan o para discutir sobre algunos pequeños cambios que es necesario hacer para que funcione mejor.

Dejar por escrito lo que ha sido acordado, puede ayudarlos en el seguimiento. Esto puede aclarar más tarde cualquier diferencia en la memoria y puede servir para recordarles que deben hablar sobre cómo está funcionando la solución. Sin embargo, aconsejamos no ir tan lejos como para pensar que estos acuerdos son contratos. La metáfora legal puede no alimentar su sensación de estar trabajando en equipo. Si en verdad les gusta el término contrato, conviertan sus soluciones en acuerdos "de buena fe", en los cuales cada uno de ustedes hace su mejor esfuerzo para cumplir con la parte que le corresponde, independientemente de lo que haga su cónyuge.

UN EJEMPLO DETALLADO: BERNARDO Y LINA

No les llevó mucho tiempo a Lina y Bernardo caer en cuenta de que sus intentos de resolver sus problemas respecto a la tarjeta de crédito, al trabajo voluntario de ella y a los ahorros para el retiro no estaban funcionando. Por eso decidieron tratar los pasos que sugerimos aquí.

Primero, reservaron el tiempo necesario para trabajar en dichos pasos. Dependiendo de la clase de problema, estos pasos pueden no consumir mucho tiempo, pero reservar específicamente algún tiempo es muy útil. Acompañemos a Bernardo y a Lina a lo largo de los pasos:

DISCUSIÓN DEL PROBLEMA UTILIZANDO LA TÉCNICA DEL HABLANTE–OYENTE

LINA: [*Hablante*] Me doy cuenta de que realmente debemos intentar hacer algo diferente. No estamos logrando nada respecto a nuestros ahorros para el retiro.

BERNARDO: [*Oyente*] Te has dado cuenta de que no estamos logrando nada y también estás preocupada.

LINA: [*Hablante*] [*Dejando saber a Bernardo que ella lo ha escuchado correctamente*] Sí. Necesitamos diseñar algún plan para ahorrar más y para hacer algo respecto a las tarjetas de crédito.

BERNARDO: [*Oyente*] Estás de acuerdo en que necesitamos ahorrar más, y te das cuenta de que la forma como gastamos en las tarjetas de crédito puede ser parte del problema.

LINA: [*Hablante*] También me doy cuenta por qué estás preocupado con el trabajo voluntario —ya que podría estar invirtiendo un poco de ese tiempo en traer algún ingreso a casa. Pero mi trabajo voluntario es realmente importante para mí. Siento que estoy haciendo algo bueno en el mundo.

BERNARDO: [*Oyente*] Parece que puedes apreciar mi preocupación, pero también deseas que escuche que eso es realmente importante para ti —que añade mucho significado a tu vida. (Aquí, él la valida a ella al escuchar cuidadosamente).

LINA: [*Hablante*] Sí. Eso es exactamente lo que siento. Ten, toma tú la palabra, quiero saber qué estás pensando.

LE ENTREGA LA PALABRA.

BERNARDO: [*Hablante*] He estado preocupado sobre esto desde hace bastante tiempo. Si no ahorramos más, no podremos mantener nuestro estilo de vida en el retiro. Y ese momento no está muy lejos.

LINA: [*Oyente*] Estás realmente preocupado, ¿no es cierto?

BERNARDO: [*Hablante*] Sí, lo estoy. Tú sabes cómo sucedieron las cosas en el caso de mi padre y mi madre. No quiero terminar viviendo en un apartamento de dos alcobas.

LINA: [*Oyente*] Te preocupa que nosotros también acabemos viviendo de esa manera.

BERNARDO: [*Hablante*] Me sentiría mucho mejor si tuviésemos tres veces más de lo que hemos ahorrado.

LINA: [*Oyente*] Ya es demasiado tarde. [*Se da cuenta de que está introduciendo su opinión*] Oh, he debido parafrasear. Tu quisieras que tuviésemos muchos más ahorros de los que tenemos ahora.

BERNARDO; [*Hablante*] [*Esta vez, siente que está recibiendo realmente su atención*] Claro que sí. Siento una gran presión por este motivo. Realmente quiero que trabajemos juntos para que podamos vivir confortablemente. [*Esto le hace saber a ella que quiere que trabajen en equipo*].

LINA: [*Oyente*] Tú quieres que trabajemos juntos, reduzcamos la presión y planeemos nuestro futuro.

BERNARDO: [*Hablante*] [*Sugiriendo algunas alternativas*] Sí. Necesitamos gastar menos para poder ahorrar más. Debemos utilizar las tarjetas de crédito con más prudencia. Creo que si tú tuvieras algún ingreso, la situación sería muy diferente.

LINA: [*Oyente*] Piensas que para ahorrar más debemos gastar menos en las tarjetas de crédito, pero que es más importante aún que yo traiga algún dinero a casa.

BERNARDO: [*Hablante*] Sí. Pienso que el ingreso es un problema más grave que los gastos.

LINA: [*Oyente*] Incluso si gastamos menos, piensas que necesitamos aumentar los ingresos si queremos mantener el mismo nivel de vida durante el retiro. ¿Puedo tener la palabra?

BERNARDO: [*Hablante*] ¡Exactamente! Tienes la palabra.

LE ENTREGA LA PALABRA.

LINA: [*Hablante*] [*Respondiendo a las aclaraciones de Bernardo*] Algunas veces creo que piensas que yo soy la única que gasta más de lo necesario.

BERNARDO: [*Oyente*] Crees que yo pienso que tú eres la mayor culpable del exceso en los gastos. ¿Puedo tener nuevamente la palabra?

LE ENTREGA LA PALABRA.

BERNARDO: [*Hablante*] En realidad, no pienso eso, pero comprendo que lo hayas entendido así, [*validando la experiencia de Lina*]. Creo que yo me excedo en los gastos tanto como tú, simplemente lo hago en sumas más grandes pero más espaciadas.

LINA: [*Oyente*] Es bueno escuchar eso, [*validando su comentario y sintiéndose bien al escuchar que él está aceptando su responsabilidad*]. Te das cuenta de que ambos gastamos demasiado, simplemente de manera diferente. Tú compras unas pocas cosas costosas que podemos no necesitar y yo compro muchas cosas pero no tan costosas.

BERNARDO: [*Hablante*] Exactamente. Ambos somos culpables y ambos podemos mejorar.

LINA: [*Oyente*] Necesitamos trabajar juntos.

BERNARDO ENTREGA LA PALABRA.

LINA: [*Hablante*] Estoy de acuerdo en que debemos manejar nuestros ahorros para el retiro de manera más radical. Mi más grande temor es perder el trabajo que tanto amo. Ha sido la cosa más significativa que he hecho desde que los niños crecieron.

BERNARDO: [*Oyente*] Te resulta difícil imaginar no tener eso —ya que es algo tan importante.

LINA: [*Hablante*] Exactamente. Tal vez exista alguna forma de manejar esto, de manera que no pierda todo lo que estoy haciendo y al mismo tiempo pueda ayudarnos a tener lo que necesitamos para el retiro.

BERNARDO: [*Oyente*] Te preguntas si podría haber una solución que satisfaga tus necesidades y nuestras necesidades al mismo tiempo.

LINA: [*Hablante*] Sí. Estoy dispuesta a pensar soluciones contigo.

Abandonan la Técnica del hablante–oyente.

BERNARDO: Está bien.

LINA: Entonces, ¿estamos sintiéndonos los dos lo suficientemente comprendidos como para avanzar al paso de la solución del problema?

BERNARDO: Yo sí, ¿y tú?

LINA: [*Ella asiente con la cabeza*]

En este momento, ellos reconocen que han sostenido una buena discusión y que están listos para intentar resolver el problema. Están dando conscientemente esta vuelta a la esquina, para pasar a la solución del problema.

SOLUCIÓN DEL PROBLEMA

Bernardo y Lina recorren ahora los cuatro pasos de la solución del problema.

Definición de una Agenda

Aquí, lo importante es que ellos elijan una parte específica del problema general que fue discutido. Esto incrementa sus posibilidades de encontrar una solución que realmente funcione.

LINA: Deberíamos acordar la agenda. Podríamos hablar sobre cómo invertir más en la cuenta para el retiro, pero ése puede no ser el punto adecuado para comenzar. También pienso que necesitamos una discusión para decidir cómo gastamos el dinero y cómo usamos las tarjetas de crédito.

BERNARDO: Tienes razón. Vamos a necesitar varios intentos diferentes para tratar la cuestión en su totalidad. Parece que la podríamos dividir en dos partes: la necesidad de traer más dinero y la necesidad de gastar menos. No quiero presionarte, pero, si no te importa, me gustaría concentrarme primero en la parte de "traer más dinero".

LINA: Me parece bien. Busquemos primero la solución para ese problema y luego hablamos en el curso de la semana, sobre el problema de cómo gastar menos.

BERNARDO: Entonces, hagamos una lluvia de ideas alrededor de cómo podemos incrementar nuestros ingresos.

Lluvia de ideas

La clave, aquí, es generar ideas libremente.

LINA: ¿Por qué no escribes las ideas que vayan surgiendo? Tienes un bolígrafo a mano.

BERNARDO: Está bien. Podrías trabajar medio tiempo.

LINA: Podría solicitarle a la junta directiva que considere la posibilidad de remunerar parte de mi trabajo. De todos modos, prácticamente soy una trabajadora de tiempo completo.

BERNARDO: Podríamos consultar con un asesor financiero para obtener una mejor idea de la cantidad que necesitamos conseguir. Yo también podría conseguir un segundo empleo.

LINA: Yo podría buscar empleos de medio tiempo similares al que ya tengo, como esos programas para niños con un solo padre.

BERNARDO: Sabes, Juan y María están haciendo algo de ese estilo. Podríamos hablar con ellos para enterarnos mejor de qué se trata.

LINA: Pienso que esta lista es bastante buena. Hablemos acerca de lo que trataremos de hacer.

Acuerdo y Concesión

Ahora, ellos examinan las ideas que fueron generadas en la sesión de lluvia de ideas. La clave es encontrar un acuerdo que ambos puedan sostener.

BERNARDO: Me gusta tu idea de hablar con la Junta Directiva. ¿Qué daño podría hacer?

LINA: A mí también me gusta. También creo que tu idea de consultar a un asesor financiero es buena. ¿De lo contrario, cómo sabremos realmente cuál es nuestro objetivo, si voy a intentar traer algún dinero extra? Pero no creo que sea factible que tú trabajes más.

BERNARDO: Sí. Creo que tienes razón. ¿Qué opinas de hablar con María y Juan?

LINA: Me gustaría dejar eso en espera. Eso podría llevarlos a tratar de involucrarme, y no estoy segura de estar interesada.

BERNARDO: Está bien. ¿Y qué opinas de averiguar si existe algún tipo de empleo de medio tiempo en el cual pudieras hacer algo que tuviera significado para ti y al tiempo ganaras algún dinero?

LINA: Me gustaría pensar en ello. Sería una buena manera de salirme de donde estoy, si allí no tienen campo para mí en el presupuesto. De ninguna manera quisiera trabajar más de medio tiempo. No quiero abandonar todo lo que estoy haciendo ahora.

BERNARDO: Y yo no quiero que lo hagas. Si pudieras lograr un ingreso de medio tiempo, estoy seguro de que podríamos ahorrar lo suficiente para que todo funcione.

LINA: Entonces ¿qué te parece si hablo con la junta directiva, tú le preguntas a Jack sobre el asesor financiero que ellos usan y, además, empiezo a buscar empleos de medio tiempo?

BERNARDO: Magnífico. Programemos algún tiempo la semana entrante para conversar sobre cómo estamos avanzando en la búsqueda de la solución que necesitamos.

LINA: De acuerdo.

Acuerdan una hora para reunirse y hacer el seguimiento.

Seguimiento

Al final de la semana, Lina y Bernardo se reúnen nuevamente para comentar sobre lo que han averiguado y para decidir qué hacer enseguida. Para su sorpresa, el miembro de la junta con el cual Lina habló, pareció dispuesto a buscar una solución. Ella empezó además a buscar empleos de medio tiempo que pudieran satisfacer sus necesidades. Entretanto, Bernardo programó una reunión con el asesor financiero para la semana siguiente.

En este caso, la solución fue un proceso conformado por una serie de pequeños pasos y acuerdos. Las cosas ahora estaban mejorando una cuestión que para ellos había constituido un problema durante mucho tiempo, principalmente porque se sentían bien trabajando juntos y ya no estaban evadiendo una cuestión difícil.

Posteriormente, ellos recorrieron los pasos nuevamente y llegaron a un acuerdo específico sobre la reducción de los gastos. Decidieron en cuánto debían disminuirlos y acordaron registrar todas sus compras con tarjeta de crédito en un cuaderno de contabilidad para poder evaluar cómo iban respecto a su objetivo. En contraste con la solución del problema sobre el ingreso, que fue un proceso que duró varias semanas, la solución respecto al gasto se puso en marcha inmediatamente.

Nos gustaría decirles que este modelo siempre funciona así de bien, pero hay ocasiones en que no es así. ¿Qué hacer entonces?

CUANDO NO ES TAN FÁCIL

En nuestra experiencia con las parejas, comúnmente se presentan unos cuantos dilemas para el manejo de los problemas:

1. Puede haber fricciones y las discusiones pueden acalorarse. Si éstas se vuelven tan tensas que ustedes recurren a un comportamiento negativo, es el momento de un receso. En el próximo capítulo hablaremos más sobre esto. Si pueden regresar al buen camino sin abandonar la estructura (por ejemplo, la técnica del hablante–oyente), magnífico. Si no es así, necesitan hacer un receso hasta que puedan ser constructivos nuevamente.

2. Algunas veces, pueden surgir sentimientos negativos en la fase de la solución del problema. Es necesario hablar sobre ellos. Lo más recomendable entonces, es volver a la etapa de la discusión del problema. Simplemente, tomen nuevamente la palabra y reinicien la discusión. Es preferible apaciguar las cosas, que presionar por una solución que puede no funcionar.

3. La mejor solución que hayan encontrado en el curso de una sesión, puede no ser siempre la mejor solución para el problema en su totalidad. Algunas veces, deben establecer la agenda simplemente para acordar los próximos pasos que deben dar en busca de la mejor solución. Por ejemplo, pueden hacer una sesión de lluvia

de ideas sobre la clase de información que necesitan para tomar su decisión.

La fase del acuerdo podría centrarse en quién de ustedes debe recolectar datos específicos de información y cuándo se reunirán nuevamente para trabajar en la decisión basados en la información que obtengan. Esto fue lo que hicieron Bernardo y Lina en el ejemplo anterior. Dividieron un problema muy complejo en partes más pequeñas.

Recuerden esta práctica cuando el problema parezca demasiado grande o cuando no sepan qué hacer a continuación. Si la usan consistentemente, aumentarán sus posibilidades de solucionar problemas de manera regular y eficiente.

CUANDO NO EXISTE NINGUNA SOLUCIÓN

Aun cuando algunos problemas no tienen soluciones satisfactorias para las dos partes, hay menos problemas insolubles que los que las parejas piensan. Si ustedes han trabajado juntos durante algún tiempo utilizando la estructura que sugerimos y no encuentran una solución, tienen dos opciones: permitir que la falta de una solución perjudique al resto de su matrimonio, o planear cómo convivir con la diferencia. Algunas parejas permiten que un buen matrimonio se termine porque insisten en resolver un conflicto insoluble específico.

Por ejemplo, Felipe y Diana sostenían discusiones recurrentes y desagradables sobre el hábito de fumar de Diana. Felipe había sido fumador durante muchos años, y luego había abandonado el hábito. Ahora, el hecho de que Diana fumara lo volvía loco. Esta cuestión se había convertido en una lucha de poder en la cual ambos habían desarrollado filtros alrededor del problema. Ambos sentían que el otro no los amaba debido a la falta de una solución, y cada uno interpretaba la obstinación del otro como un rechazo. Tenían la opción de enfrentar la realidad tal cual era o permitir que la frustración acumulada dañara todas las demás cosas buenas que había en su matrimonio.

Si ustedes tienen un problema que parece insoluble, pueden utilizar la agenda en el paso de la solución del problema, para proteger el resto del matrimonio de las repercusiones de este problema específico. Literalmente, ustedes "acuerdan no acordar", constructivamente. Esta clase de solución surge tanto del trabajo en equipo como de la tolerancia. No siempre es posible que su cónyuge sea exactamente como usted quiere que sea, pero ambos pueden trabajar en equipo para manejar las diferencias.

Felipe y Diana decidieron manejar el problema concentrándose en las maneras de proteger su matrimonio. Luego de sostener una excelente discusión, en la cual ambos realmente escucharon lo que el otro tenía que decir, lograron encontrar una solución para limitar el daño. Felipe aceptó no recriminar a Diana y ella aceptó fumar solamente en un determinado lugar y fumar menos cuando estuvieran juntos. Este problema habría podido llevarlos al fin de su matrimonio, pero ellos se negaron a permitir que eso ocurriera.

Aquí, les hemos dado un modelo muy específico que les servirá para ayudarlos a mantener y a mejorar el trabajo en equipo, para resolver los problemas que se les presentarán en la vida. No esperamos que las parejas utilicen un enfoque tan estructurado para manejar problemas menores, pero sí esperamos que la mayoría de las parejas se beneficien de este enfoque cuando estén enfrentando problemas más importantes, especialmente aquéllos que pueden llevar a un conflicto improductivo. Ésta es otra forma de agregar estructura cuando más se necesita para proteger las cosas buenas de su relación.

En el siguiente capítulo profundizaremos aún más en las técnicas presentadas hasta ahora para ayudarlos a prosperar en su relación. Las reglas básicas que les presentamos los ayudarán a tomar el control del conflicto en su relación en vez de permitir que éste tome el control sobre ustedes.

♣ EJERCICIOS

Para este capítulo tenemos tres asignaciones diferentes. Primero, queremos que practiquen las afirmaciones XYZ. Segundo, los invitamos a que cada uno de ustedes evalúe algunas áreas de problemas comunes en su relación. Tercero, les solicitamos que practiquen el modelo para solución de problemas presentado en este capítulo. Recuerden que las buenas ideas no les servirán de nada, a menos que estén motivados para llevarlas a la práctica.

AFIRMACIONES XYZ: QUEJAS CONSTRUCTIVAS

1. Dedique algún tiempo a pensar en cosas que hace su cónyuge que lo molestan de alguna manera. En una hoja de papel aparte, haga una lista de las preocupaciones expresadas en la forma en que normalmente las diría. Luego, intente expresar sus preocupaciones usando el formato XYZ: "Cuando tú haces X en la situación Y, yo siento Z".

2. Luego, repita el primer ejercicio, pero haga la lista de las cosas que su cónyuge hace que a usted le agradan. Descubrirá que el formato XYZ también funciona bien para dar retroalimentación específica y positiva, por ejemplo: "Cuando llegaste la otra noche con mi helado favorito, me sentí amada". Trate de compartir algunos de los pensamientos positivos con su cónyuge.

EVALUACIÓN DE ÁREAS PROBLEMA

El siguiente inventario es una medida sencilla de las áreas problema comunes en la relaciones. Originalmente fue desarrollado por Knox en 1971, y lo hemos utilizado durante años en nuestra investigación como una medida sencilla, pero muy relevante, de las áreas problema en las relaciones de pareja. Como lo explicaremos, el hecho de llenar estos formularios les ayudará a practicar las habilidades para resolver problemas que hemos presentado. Cada uno debe llenar su propio formulario independientemente.

INVENTARIO DE PROBLEMAS

Examine la siguiente lista de cuestiones que todas las relaciones deben enfrentar. Por favor, evalúe qué tanto problema presenta actualmente cada área en su relación calificándola con un número de 0 (ningún problema) a 100 (un problema grave). Por ejemplo, si los niños son un ligero problema en su relación, podría poner 25 al lado de "niños", si los niños no son un problema, puede escribir un cero, y si los niños son un problema grave, puede escribir 100. Si usted quiere agregar otras áreas que no están incluidas en nuestra lista, por favor hágalo en los espacios en blanco proporcionados. Evalúe cada área en una escala separada de 1 a 100 y asegúrese de calificar todas las áreas.

Dinero	Suegros
Recreación	Alcohol y drogas
Celos	Sexo
Comunicación	Niños (o niños potenciales)
Amigos	Religión
Profesiones	Otros (parientes, trabajo en la casa, etc.)

PRACTIQUE LA SOLUCIÓN DE PROBLEMAS

Para practicar este modelo, es necesario que sigan las siguientes instrucciones cuidadosamente. Cuando ustedes están manejando problemas reales en su relación, las probabilidades de conflicto son significativas y nosotros queremos que practiquen de manera que aumenten sus probabilidades de darle solidez a estas habilidades.

1. Reserven un tiempo sin interrupciones para practicar. Treinta minutos serían suficientes para empezar a usar la secuencia en alguno de los problemas que quieren resolver.

2. Revisen los inventarios de problemas juntos. Hagan una lista de aquellas áreas en las cuales ambos evaluaron el problema como menos serio. Éstas son las áreas problema que queremos que ustedes trabajen primero para practicar el modelo. Practiquen con problemas muy específicos y busquen soluciones muy específicas. Esto mejorará sus habilidades y les ayudará a adquirir confianza en el modelo.

3. Recomendamos que reserven tiempo para practicar la discusión del problema y la secuencia de solución del problema varias veces por semana, durante dos o tres semanas. Si ustedes invierten este tiempo, adquirirán habilidad y confianza para manejar juntos las áreas problema.

4. Mantengan este capítulo abierto mientras estén practicando, y consulten los pasos específicos que se han recomendado.

5

Reglas básicas para manejar el conflicto

COMO LO HEMOS VISTO EN CAPÍTULOS ANTERIORES, la crianza, las diferencias de género y las elecciones personales hechas durante las discusiones pueden poner en riesgo a las parejas si no aprenden a manejar los conflictos y las diferencias inevitables que surgen en el matrimonio. Si no pone en práctica alguna habilidad para superar los patrones negativos, la ira, el desprecio y la hostilidad resultantes pueden perjudicar gravemente al amor y al compromiso en su relación. Ahora que ustedes comprenden ciertas técnicas poderosas para comunicarse y resolver problemas, presentaremos nuestras cinco reglas básicas para proteger su relación del conflicto que ha sido mal manejado.

Denominamos a estos principios reglas básicas, para recalcar su importancia para su matrimonio. Usadas adecuadamente, estas reglas pueden ayudarlos a controlar las cuestiones difíciles de su matrimonio, en lugar de que las cuestiones los controlen a ustedes. Damos fin a la Primera parte del libro con este tema por dos razones. Primero, las reglas básicas resumen muchos de los puntos claves que hemos descrito hasta el momento. Segundo, estas reglas les darán la oportunidad de acordar cómo quieren cambiar la forma como se comunicarán y manejarán el conflicto en el futuro.

En los deportes, las reglas básicas especifican qué está permitido y qué no está permitido, qué está dentro de los límites y qué está fuera de ellos. Es claro que el matrimonio no es un deporte. Es más, no queremos invocar la imagen de competencia al utilizar el término reglas básicas. De hecho, en el capítulo anterior nos esforzamos mucho para ayudarlos a encontrar maneras de eliminar las actitudes competitivas. Sin embargo, cuando las cosas se les complican a las parejas, la competencia se vuelve un hecho. En nuestra experiencia, estas reglas básicas son muy útiles para ayudar a las parejas a permanecer en el buen camino y a trabajar en equipo.

REGLA BÁSICA NO. 1

Cuando el conflicto se esté intensificando, haremos un receso o suspenderemos la acción y, una de dos: (a) ensayaremos nuevamente, utilizando la técnica del hablante—oyente o (b) acordaremos conversar sobre esta cuestión más tarde, en un momento específico, utilizando la técnica del hablante-oyente.

Si pudiéramos llamar la atención de todas las parejas y lograr que acordaran un sólo cambio en su relación, les recomendaríamos que siguieran esta regla básica. Así de importante es. Esta sencilla regla básica puede proteger y mejorar las relaciones, al contrarrestar la escalada negativa que es tan destructiva en las relaciones íntimas.

Les sugerimos no sólo que acepten esta regla básica sino también que se refieran a ella con un término específico como suspender la acción o receso, el término que ustedes prefieran. Esto les ayudará a interpretar positivamente lo que su cónyuge o usted mismo esté haciendo. De lo contrario, resulta muy fácil interpretar lo que están haciendo como evasión. De hecho, declarar un receso es una de las cosas más positivas que cualquiera de ustedes dos puede hacer por el bien de su relación. Al hacerlo, estarán reconociendo antiguos comportamientos negativos y decidiendo hacer algo constructivo en su lugar.

Queremos que entiendan esto como algo que ustedes están haciendo juntos por el bien de su relación. Claro está que uno de ustedes puede declarar un receso más a menudo que el otro pero, si ambos están de acuerdo con esta regla, lo que en realidad están haciendo es hacer los recesos juntos.

Es importante saber que pueden declarar un receso cuando se dan cuenta de que usted, su cónyuge, o ambos, están perdiendo el control. Se declara un receso en la comunicación, no en la persona ni en la relación. No diga simplemente "receso" y abandone el lugar; los actos unilaterales generalmente son contraproducentes. Diga más bien, "Esto se está acalorando. Declaremos un receso y hablemos más tarde, ¿está bien?" El hecho de incluir a su cónyuge en la decisión indicará que el proceso es mutuo y, por lo tanto, la escalada disminuirá.

Otra clave de esta regla básica consiste en que ustedes están acordando continuar la discusión, pero productivamente, ya sea ahora mismo o en un futuro cercano, luego de un período de enfriamiento. Si usted es el cónyuge que persigue, esta parte de la regla básica contrarresta su preocupación de que los recesos puedan ser utilizados por el evasor para terminar las discusiones sobre cuestiones importantes. Esta regla básica está diseñada para interrumpir las discusiones improductivas, más no todo el diálogo sobre una cuestión. Ustedes sí necesitan discutir cuestiones importantes, simplemente háganlo de una manera productiva. Si acuerdan utilizar la técnica del hablante–oyente para volver a conversar sobre una cuestión, están acordando manejar más efectivamente esa cuestión que se salió de las manos.

El receso por sí mismo puede darle al cónyuge que tiende a retirarse de las discusiones la confianza de que el conflicto no se saldrá de las manos. Algunos cónyuges que se retiran son incluso capaces de tolerar mejor el conflicto, porque saben que pueden detenerlo en cualquier momento. La técnica del hablante-oyente aporta mayor seguridad aún para manejar la cuestión, al proporcionar esa estructura tan importante. Esta técnica puede funcionar sin que sea necesario usar la técnica del hablante–oyente, pero estamos convencidos de que si se usa resulta más eficaz.

Si deciden conversar más tarde, señalen inmediatamente, si es posible, el momento en que lo harán, preferiblemente una hora más tarde, o tal vez al día siguiente. Si uno de ustedes estaba realmente furioso cuando se declaró el receso, es posible que no puedan conversar cuando vuelvan a la discusión. Eso no importa. Pueden acordar una hora después de que ambos se hayan calmado. Enseguida les presentaremos un ejemplo de una pareja que asistió a nuestros talleres PREP, sobre cómo se usa esta regla básica correctamente.

Lucas y Amanda habían estado casados sólo durante un año, pero ya habían desarrollado un patrón de discusiones frecuentes e intensas que terminaban con gritos y amenazas acerca del futuro de la relación. Ambos vienen de hogares en los cuales el conflicto intenso y abierto era relativamente común, por lo cual cambiar su patrón no les resultaba fácil. Como lo verán, sus discusiones todavía escalan con facilidad, pero ahora ellos saben cómo detenerse cuando la discusión se acalora:

AMANDA: [*Molesta y demostrándolo*] Olvidaste sacar la basura a tiempo. Las canecas ya están llenas.

LUCAS: [*También molesto, levantando los ojos del periódico*] No es gran cosa. Simplemente la presionaré hacia abajo un poco más.

AMANDA: Sí, Claro. La basura inundará el garaje la próxima semana.

LUCAS: [*Irritado*] Déjalo ya.

AMANDA: [*Ahora muy furiosa, alzando la voz*] Tú no estás haciendo la mayor parte de las cosas que debes hacer aquí.

LUCAS: Declaremos un receso —esto no nos conduce a ninguna parte.

AMANDA: Está bien, ¿cuándo podremos sentarnos y conversar más sobre esto? ¿Esta noche después del noticiero?

LUCAS: Está bien. Tan pronto termine el noticiero.

No hay ningún efecto mágico aquí. Es realmente algo muy sencillo, pero el efecto es potencialmente poderoso para su relación. Esta pareja utilizó el receso muy efectivamente para terminar una discusión que no iba a ser productiva. Más tarde, acudiendo a la técnica del hablante-oyente, se sentaron y conversaron sobre la preocupación de Amanda de que Lucas no estaba cumpliendo con sus responsabilidades en el hogar. Utilizaron las técnicas de solución de problemas que presentamos en el capítulo anterior, para encontrar posibles maneras de que las tareas del hogar se llevaran a cabo.

REGLA BÁSICA NO. 2

Cuando tengamos problemas para comunicarnos, usemos la técnica del hablante–oyente.

Esperamos que ustedes no necesiten que los convenzamos de la sabiduría de esta regla básica. La clave es tener una manera de comunicarse, segura y claramente, cuando ustedes realmente necesiten hacerlo bien. Con esta regla básica, están de acuerdo con usar más estructura cuando la necesiten.

Por ejemplo, supongan que quieren hablar sobre un problema referente a cómo se está gastando el dinero. Ustedes saben por su historia que esas conversaciones usualmente se dificultan. Es aconsejable seguir esta regla básica y plantear la cuestión de la siguiente manera: "Querido, estoy realmente preocupada por el problema del dinero en este momento. Sentémonos y hablemos sobre ello". Una declaración de este tipo le dice a su cónyuge que usted está planteando una cuestión importante y que quiere hablar sobre ella utilizando una estructura. Este es el uso más común de esta regla básica. Ustedes pueden aprender a bajar las varillas de control de su reactor antes de que el problema se intensifique.

En otras ocasiones, cuando el problema ya ha escalado, un receso puede ayudar, pero puede ser mejor pasar directamente a la técnica del hablante–oyente. En el próximo ejemplo, Alicia y José usaron esta regla básica para retomar el camino. Llevan siete años de casados y antes de trabajar en cambiar las cosas, habían estado encerrados en patrones de conflicto y de comunicación improductiva. Alicia y José asistieron a nuestros talleres de trabajo y más tarde nos contaron la secuencia de eventos. En esta ocasión, sus nuevas habilidades lograron establecer una gran diferencia.

Una noche salieron a cenar y antes de haber siquiera ordenado se enfrascaron en una discusión en pleno restaurante:

ALICIA: [*Fríamente*] Acabo de recordar algo. Diego y Bárbara nos invitaron a cenar el próximo sábado. Les dije que pensaba que sí podríamos ir.

JOSÉ: [*Muy furioso*] ¿Cómo? ¿Cómo pudiste decirles que iríamos sin siquiera preguntarme? Tú sabes que detesto estar con ella.

ALICIA: [*Furiosa, pero hablando en un tono bajo y serio*] Baja tu voz la gente está mirándonos.

JOSÉ: [*Hablando tan fuerte como antes y realmente furioso*] ¿Y qué? Déjalos mirarnos. Estoy aburrido de que tomes decisiones sin hablar conmigo antes.

ALICIA: No me hables así.

JOSÉ: ¿Qué tal si más bien no te hablo de nada?

En ese momento, José se levantó, abandonó el restaurante y se dirigió al automóvil. Caminó por un momento, enfurecido y renegando de lo difícil que podía ser Alicia en ciertos momentos. Luego entró al automóvil con intención de irse y dejar a Alicia en el restaurante. "Se lo merece", se dijo a sí mismo. A medida que se tranquilizaba, lo pensó mejor. Salió del auto, caminó de vuelta al restaurante, tomó la silla frente a Alicia, cogió una carta, se la dio a ella y dijo "Está bien, tienes la palabra".

Este habría sido un buen momento para declarar un receso total, pero en vez de eso, él decidió que quería hablar sobre el tema de manera productiva. Alicia estuvo de acuerdo y procedieron a sostener una excelente discusión. Al verlos pasarse la carta el uno al otro, la gente en el restaurante tal vez pensó que tenían mucha dificultad para decidir qué debían ordenar. Su transición hacia una mayor estructura transformó lo que habría podido ser un verdadero conflicto en una victoria para su relación. Experiencias como ésta pueden servirles para afianzar su confianza en su habilidad para trabajar juntos y para mantener una relación fuerte.

REGLA BÁSICA NO. 3

Cuando usemos la técnica del hablante—oyente, separemos completamente la discusión del problema de la solución del problema.

Como ya lo afirmamos en el capítulo anterior, es de vital importancia tener claridad en todo momento, si se está discutiendo el problema o se está resolviendo. Muy a menudo, las parejas llegan rápidamente a un acuerdo y toman una solución que fracasa. Muchos problemas y disputas resultan de apresurarse a lograr acuerdos, sin haber sentado la base adecuada comunicándose enteramente el uno con el otro.

Regresen al tercer capítulo y revisen la conversación entre Tatiana y Pablo sobre Jeremías y el jardín infantil. Fíjense que ellos sostuvieron una gran discusión pero no buscaron una solución específica. Cada cual expresó sus preocupaciones y luego se sintieron listos para tratar de buscar la solución a esta cuestión. Cuando terminaron de utilizar la técnica del hablante–oyente, continuaron de la siguiente manera:

• TATIANA: Creo que estamos listos para resolver el problema. ¿Qué crees tú?

PABLO: Estoy de acuerdo. Siento que tuvimos una buena conversación y que expresamos muchas cosas. Ahora sería bueno trabajar en la búsqueda de soluciones.

Con estos sencillos comentarios, ellos hicieron la transición de la discusión del problema a la solución del problema, lo que demuestra que han aprendido el valor de separar éstos dos procesos. La discusión y la solución son procesos diferentes, y ambos funcionan mejor cuando se reconoce este hecho y se actúa en consecuencia.

REGLA BÁSICA NO. 4

En cualquier momento podemos plantear cuestiones, pero el oyente puede decir: "Éste no es un buen momento". Si el oyente no quiere conversar en ese momento, él o ella tiene la responsabilidad de fijar una hora para conversar en un futuro cercano.

Esta regla básica cumple una labor muy importante. Garantiza que la conversación sobre una cuestión difícil o importante, se realice cuando ambos estén de acuerdo en que ése es el momento adecuado. ¿Con qué frecuencia inician ustedes una conversación sobre una cuestión clave para su relación en un momento en que su cónyuge no está listo para hacerlo? No tiene sentido sostener una discusión sobre algo importante a menos que ambos estén listos para ello.

Hacemos énfasis en esta regla básica pues estamos conscientes de un hecho de la vida: la mayoría de las parejas conversan sobre sus problemas más importantes en el peor de los momentos, durante la cena, al acostarse, cuando están alistando a los niños para ir al colegio, tan pronto entran a la casa después del trabajo, cuando uno de ustedes está preocupado con un importante proyecto o trabajo, todos momentos inoportunos. Estos son momentos en los cuales su cónyuge puede ser una audiencia cautiva pero ciertamente usted no cuenta con su atención. De hecho, estos son los momentos más tensionantes en la vida de una familia común.

Esta regla básica supone dos cosas: (1) que cada uno de ustedes es responsable de saber cuando es capaz de discutir algo prestando la atención adecuada a lo que su cónyuge dice y (2) que ambos pueden respetarse el uno al otro cuando uno de los dos dice: "En este momento no puedo manejar eso". Simplemente no tiene sentido intentar sostener una discusión si uno de ustedes no está listo.

Ustedes pueden preguntarse, "¿No es ésa simplemente una receta para la evasión?" Precisamente ahí es donde la segunda parte de la regla básica adquiere su importancia. La persona que no está lista para una discusión asume la responsabilidad de garantizar que se lleve a cabo en el futuro cercano. Esto es crítico. A su cónyuge le será mucho más fácil posponer la conversación si está seguro de que más tarde tendrá lugar. Recomendamos que, cuando usen esta regla básica, acuerden fijar un mejor momento dentro de las próximas 24 a 48 horas. Esto puede no ser siempre factible, pero, en general, funciona bien. El siguiente ejemplo muestra cómo funciona.

Martina y Alex son una pareja con dos hijos, una niña de cinco años de edad y un niño de dos. Como ocurre típicamente en muchas parejas con niños pequeños, disponen de poco tiempo en su matrimonio para dormir y mucho menos para hablar sobre las cosas. Como resultado, logran estar solos a la hora de acostarse, después de que los niños están, por fin, bañados y dormidos. Una noche, sostuvieron esta conversación:

ALEX: *No puedo creer que Mónica quiera oír la misma historia diez veces seguidas. Creí que nunca se dormiría.*

MARTINA: *Lo mismo ocurre a la hora de la siesta. Uno pensaría que ya debería estar aburrida de esas historias.*

ALEX: *En mi caso, así sería. Hablando de cosas tediosas, necesitamos* conversar sobre las decisiones del seguro de vida. Sé que esa gente nos volverá a llamar cualquier día de estos.

MARTINA: Sé que es importante, pero simplemente no me puedo concentrar en eso ahora. Creo que me puedo concentrar unos diez minutos en el programa de televisión y eso es todo.

ALEX: Estás agotada, ¿no es cierto? Yo también. Entonces, ¿cuál puede ser un buen momento para conversar sobre esto?.

MARTINA: Aún cuando no garantizo que estaré viva, pienso que podría tener fuerzas a la hora del almuerzo mañana. ¿Podrías venir a casa? Tal vez tengamos suerte y Mateo esté haciendo la siesta.

ALEX: Me parece bien. Veamos el programa y descansemos.

Ahora, es responsabilidad de Martina poner nuevamente el tema al día siguiente y que esta conversación se lleve a cabo. Debido a que su acuerdo es bastante específico, Alex debería presentarse a la hora del almuerzo para esta conversación. Ellos siempre estarán muy cansados y ocupados para que exista un momento "perfecto" para conversar sobre esto, pero algunos momentos son mejores que otros.

Como una variación de esta regla básica, tal vez quieran llegar al acuerdo de que ciertos momentos no son nunca buenos para plantear cosas importantes. Por ejemplo, hemos trabajado con muchas parejas que han acordado que ninguno de los dos planteará nada importante en la media hora anterior a acostarse. Estas parejas decidieron que simplemente estaban muy cansados a la hora de acostarse, y que era más importante relajarse y descansar.

REGLA BÁSICA NO. 5

Semanalmente tendremos "reuniones de pareja".

La mayoría de las parejas no reserva un tiempo fijo para manejar problemas y cuestiones claves. La importancia de hacerlo ha sido sugerida por tantos expertos en el matrimonio, a lo largo de los años, que ya es prácticamente un cliché. No obstante, queremos darles nuestro punto de vista sobre este sabio consejo.

Las ventajas de tener una reunión semanal son de lejos más grandes que cualquier desventaja. Primero, ésta es una forma tangible de darle una alta prioridad a su matrimonio, dedicándole tiempo a su desarrollo. Sabemos que ustedes son personas ocupadas. Todos lo somos. Pero si ustedes deciden que es importante, pueden encontrar el tiempo para que esto funcione.

Segundo, el hecho de seguir esta regla básica garantiza que, aún cuando no haya ningún otro momento adecuado para manejar cuestiones y problemas de su matrimonio, por lo menos aseguran esta reunión semanal. Se sorprenderán de lo mucho que pueden hacer en treinta minutos de concentrar su atención sobre una cuestión. Durante esta reunión pueden conversar sobre la relación, discutir problemas específicos o practicar las habilidades de la comunicación. Eso incluye utilizar todas las habilidades y técnicas que hemos recomendado en la Primera parte de este libro.

Una tercera ventaja de esta regla básica es que el hecho de tener un tiempo semanal reservado para una reunión elimina mucha de la presión diaria sobre su relación. Esto es especialmente cierto en el caso de que ustedes estén atrapados en el patrón perseguidor-evasor. Si ocurre algo que hace nacer en usted un motivo de queja, es mucho más fácil posponer ese tema para otro momento, si sabe que ese otro momento existirá. Si usted es el cónyuge que persigue, puede relajarse; tendrá la oportunidad de plantear su problema. Si usted es el cónyuge que evade se sentirá alentado para plantear sus preocupaciones porque tiene una reunión fijada sólo para este propósito.

Tal vez piensen ustedes que ésta es una idea bastante buena. Pero, para ponerla en práctica, deben ser consecuentes y dedicarle tiempo a permitir que estas reuniones tengan lugar. Repetidamente hemos escuchado que, cuando las parejas se están llevando bien, sienten el deseo de evitar las reuniones. No sucumban a este deseo.

Observen a Roberto y Margarita. Ellos habían establecido que los miércoles por la noche a las 9:00 p.m. tendrían su reunión pero, si se estaban llevando bien durante la semana, cuando llegaba la noche del miércoles cada uno de ellos empezaba a pensar "No necesitamos reunirnos esta noche, no hay para qué agitar las cosas ahora que todo está bien". Entonces alguno de los dos decía, "Oye, querido, vamos bien —no hagamos reunión esta noche".

Roberto y Margarita comprendieron que estaban teniendo menos conflictos, en parte debido a que se reunían regularmente. Luego de cancelar varias reuniones, notaron que durante la semana se presentaban más conflictos. Ya no dedicaban tiempo a manejar los problemas y habían vuelto a caer en la incertidumbre de manejar los problemas sólo cuando pudieran. Decidieron que esa incertidumbre no le estaba dando la suficiente importancia a su matrimonio y volvieron a hacer sus reuniones.

Si en verdad ustedes tienen muy poco que enfrentar, está bien. Sostengan una reunión corta, pero sosténganla. Aprovechen estas reuniones para darle salida a sus quejas, discutir problemas importantes, planear los eventos claves futuros o simplemente evalúen cómo está comportándose la relación. Cuando estén concentrados en un problema específico, usen los pasos para discutir el problema y solucionar el problema, presentados en el último capítulo. Cuando no haya ninguna otra cosa urgente, practiquen algunas de las habilidades presentadas en el programa. Dediquen el tiempo a mantener una relación fuerte.

REGLA BÁSICA NO. 6

Debemos disponer de tiempo para las cosas buenas: la diversión, la amistad y la sensualidad. Debemos estar de acuerdo en proteger estos momentos del conflicto y en la necesidad de enfrentar los problemas.

De la misma manera que es importante reservar tiempo para manejar las cuestiones que se presentan en su relación es también crítico proteger de los conflictos los momentos claves. No es posible concentrarse todo el tiempo en los problemas y tener un matrimonio verdaderamente bueno. Necesitan algún tiempo para relajarse juntos —divertirse, conversar como amigos, hacer el amor— un tiempo en el cual los problemas y los conflictos se hagan a un lado. Este es un punto clave que discutiremos en los capítulos sobre amistad, diversión y sensualidad, más adelante en el libro.

Por ahora haremos énfasis en dos puntos. Primero, reserven tiempo para las cosas agradables. Segundo, cuando estén juntos haciendo algo agradable, no planteen cuestiones sobre las que tienen que trabajar. Y si surge alguna cuestión, pospónganla para más tarde, por ejemplo, hasta el día de la reunión de pareja.

En todas estas reglas básicas encontrarán un beneficio esencial para su relación. Si las utilizan adecuadamente habrán acordado controlar los problemas difíciles de su matrimonio, en vez de permitir que ellos los controlen a ustedes. En lugar de sostener discusiones cada vez que se presenta un problema, estarán de acuerdo en manejar esos problemas cuando sean capaces de hacerlo bien y cuando ambos tengan el control de la situación.

Una de las cosas más destructivas que puede ocurrirle a su matrimonio es tener la sensación creciente de que están caminando en un campo minado. Imaginamos que conocen esa sensación. Uno empieza a preguntarse de dónde saldrá la próxima explosión, y ya no se siente libre de tan sólo "estar" con su cónyuge. No sabe cuándo está a punto de pisar una mina, sino que lo descubre en cuanto la pisa. Esto no tiene por qué ser así. Las reglas básicas son de gran utilidad para regresar a un terreno seguro. Funcionan. Ustedes pueden lograrlo.

Después del siguiente ejercicio dedicaremos nuestra atención a temas más profundos y a procesos más complejos de la relación. Por favor, continúen practicando todas las técnicas que les hemos presentado hasta el momento, a medida que avanzamos hacia los temas de nuestra próxima sección: Cuestiones ocultas, compromiso y perdón.

♣ EJERCICIOS

Su ejercicio para el final de este capítulo es muy claro. Discutan estas reglas básicas y empiecen a ensayarlas. Pueden resolver modificar una o más de ellas, de alguna manera específica, para que a ustedes les funcionen mejor. Eso está bien. La clave es revisar las reglas y darles la oportunidad de que funcionen en su relación y, después de haberlas ensayado, conversar sobre ellas nuevamente y acordar cuáles utilizarán regularmente. Presentaremos aquí una lista de las reglas nuevamente. Pueden anotar los cambios que realicen en el espacio que le sigue a cada una.

REGLAS BÁSICAS SUGERIDAS PARA MANEJAR CUESTIONES

1. Cuando el conflicto se esté intensificando acordaremos un receso o detendremos la acción y una de dos (a) volveremos a ensayar nue-

vamente utilizando la técnica del hablante—oyente o (b) acordaremos conversar sobre esta cuestión más tarde, a una hora determinada, utilizando la técnica del hablante—oyente.

2. Cuando tengamos problemas para comunicarnos, debemos usar la técnica del hablante—oyente.

3. Cuando usemos la técnica del hablante—oyente, separemos completamente la discusión del problema, de la solución del problema.

4. En cualquier momento podemos plantear cuestiones, pero el oyente puede decir: "Éste no es un buen momento". Si el oyente no quiere conversar en ese momento, él o ella tiene la responsabilidad de fijar una hora para conversar en un futuro cercano (tienen que decidir qué es "el futuro cercano").

5. Semanalmente tendremos "reuniones de pareja". (Fijen una hora ya.)

6. Debemos disponer de tiempo para las cosas buenas: la diversión, la amistad y la sensualidad. Acordemos proteger estos momentos del conflicto y de la necesidad de enfrentar los problemas.

CÓMO MANEJAR
LOS PROBLEMAS ESENCIALES

6

La diferencia entre los puntos de conflicto y las situaciones

HASTA AHORA, nos hemos concentrado en cómo se pueden manejar el conflicto y los desacuerdos en su matrimonio. Ahora queremos ofrecerles algo de ayuda para manejar los acontecimientos cotidianos y las discusiones a largo plazo. Todas las parejas viven situaciones que producen frustración y todas tienen que manejar temas conflictivos. En este capítulo les ayudaremos a entender cómo están conectados los temas conflictivos y las situaciones y cuán importante es manejarlos separadamente. Luego discutiremos los temas más profundos y a menudo ocultos, que afectan a las relaciones.

Las técnicas y reglas básicas que han aprendido hasta ahora serán muy valiosas para manejar tanto los puntos de conflicto como las situaciones de manera tal que sigan trabajando juntos en equipo. Continúen leyendo y comprenderán lo que queremos decir.

TEMAS DE CONFLICTO VERSUS SITUACIONES

Como lo señalamos en el cuarto capítulo, la mayoría de las parejas casadas sostienen que los tres temas de conflicto principales que causan problemas son el dinero, el sexo y la comunicación. Otros temas por los cuales pelean frecuentemente son los parientes políticos, los niños, la recreación, el alcohol y las drogas, la religión, el sexo, las profesiones y el trabajo en la casa. Aun cuando estos temas son importantes, nosotros pensamos que no son los temas sobre los cuales discuten las parejas más frecuentemente. Por el contrario, las parejas discuten más a menudo por los pequeños acontecimientos de la vida diaria. Los llamamos situaciones.

Queremos ayudarlos a separar las situaciones de los puntos de conflicto, y a separar luego los temas que son más evidentes —tales como el dinero, la comunicación y el sexo— de aquéllos más profundos y, a menudo ocultos, que afectan su relación. Un ejemplo los ayudará a comprender lo que queremos decir.

Elena y Gregorio son una pareja que discute mucho sobre el dinero. Un día, Elena llegó a casa del trabajo y puso sobre la mesa de la cocina su chequera, antes de dirigirse a su cuarto a cambiarse. Gregorio revisó la chequera y se puso lívido cuando vio un gasto de $150 realizado en un almacén de departamentos. Al regresar Elena a la cocina, cansada después de un largo día de trabajo, esperaba que Gregorio la abrazara y le preguntara, "¿Qué tal estuvo tu día?" En vez de eso, la conversación transcurrió así:

GREGORIO: ¿En qué gastaste esos $150?

ELENA: [*Muy a la defensiva*] Eso no es de tu incumbencia.

GREGORIO: Claro que es de mi incumbencia: acabamos de decidir un presupuesto y tú acabas de desequilibrarlo.

Y así comenzó una terrible discusión sobre el dinero. Pero se dio dentro del contexto de una situación. Gregorio había mirado por casualidad la chequera y había visto que Elena había gastado $150. Situaciones como ésta son comunes en todas las relaciones de pareja. En este caso, Elena había gastado los $150 en un suéter nuevo para Gregorio, porque acababa de recibir una oferta para un nuevo empleo, pero eso nunca llegó a saberse.

Los puntos de conflicto y las situaciones se comportan igual que los géisers en el Parque Nacional de Yellowstone. Bajo el parque hay cavernas de agua caliente a presión. Los temas de conflicto en su relación son como esos puntos de presión: Las que les causan a ustedes más problemas son las que contienen mayor cantidad de calor. La presión va creciendo continuamente, si ustedes no conversan sobre ellas en una forma constructiva, los sucesos desencadenan una erupción.

El géiser Old Faithful de Yellowstone puede ser espectacular y hermoso. En cambio, la descarga de energía negativa en su relación cuando un tema conflictivo es desencadenado por una situación no es tan hermosa. Y cuando eso sucede con excesiva frecuencia, significa que sus situaciones los están controlando. Ustedes no las están controlando a ellas. En Yellowstone, las erupciones liberan presión durante un rato. En su relación, las erupciones solamente aumentan el depósito de energía negativa conectado con esos temas de conflicto.

Muchas parejas, particularmente aquéllas que tienen relaciones infelices, solamente manejan los temas conflictivos importantes dentro del contexto de las situaciones que las activan. Para Elena y Gregorio, hay tanta energía negativa acumulada alrededor del tema del dinero que fácilmente es activada. Ellos nunca se sientan y hablan sobre dinero en una forma constructiva; en cambio, discuten todo el tiempo cuando los cheques rebotan, cuando llegan las cuentas o cuando ocurren otras situaciones similares. Nunca llegan a ninguna parte sobre este punto de conflicto tan importante porque gastan su energía simplemente manejando las crisis causadas por las situaciones.

Otra pareja, Tomás y Amanda, no estaban discutiendo el tema de la intrusión de los parientes en su relación. Una noche, se fueron a ver un partido de béisbol —la primera vez que habían salido en tres o cuatro semanas. En el camino, Tomás recibió una llamada telefónica de su madre en su teléfono celular. Cuando la llamada terminó, Amanda enfrentó a Tomás:

AMANDA: ¿Por qué siempre permites que ella interfiera en nuestra relación? Ésta es nuestra noche fuera de casa.

TOMÁS: [*Muy alterado*] Ya empiezas de nuevo, atacándome cuando estamos saliendo a divertirnos para cambiar.

AMANDA: [*Con tono indignado*] Pues no sabía que estuviéramos planeando traer a tu madre con nosotros.

TOMÁS: [*Con voz llena de sarcasmo*] Ja, ja. Muy gracioso.

Su noche había quedado destruida. Ni siquiera llegaron hasta el estadio. Pasaron la noche discutiendo sobre la llamada de la madre de Tomás y sobre si ella estaba o no involucrada en sus vidas.

Como en este caso, estas situaciones generalmente tienden a ocurrir en momentos inoportunos —cuando usted está listo para irse al trabajo, cuando acaba de llegar a su casa del trabajo o se está acostando, cuando está tratando de relajarse, cuando llegan amigos y así sucesivamente. Estos son los peores momentos para manejar estos asuntos.

Les sugerimos que repriman su deseo de discutir sobre una situación en el momento en que éste se dispara. La clave para hacer esto es decirse a sí mismo: "No quiero manejar este problema ahora. Éste no es el momento adecuado, podemos hablar al respecto más tarde". Amanda habría podido decir: "Esa llamada de tu madre realmente me plantea un problema. Necesitamos sentarnos y hablar sobre eso más tarde". De esta manera, ella habría aceptado esa situación pero habría postergado el tema de conflicto para un momento en el cual pudieran manejarla más eficazmente. Eso es lo que queremos decir, cuando hablamos de separar los puntos de conflicto de las situaciones.

De la misma manera, Tomás habría podido decir: "Escucha, declaremos un receso, veo que te sientes molesta pero busquemos un mejor momento para hablar sobre este tema. ¿Qué tal mañana después de la cena?" Si ellos hubieran estado practicando las habilidades que hemos enseñado hasta el momento, habrían salvado su noche puesto que habrían restringido la situación, impidiendo que desencadenara el explosivo tema no resuelto respecto a la intrusión de su madre en su relación de pareja.

También habrían podido intentar hablar sobre ese problema durante algunos minutos y acordar sostener una discusión más profunda posteriormente. Tomás habría podido decir, "Hablemos sobre lo que acaba de ocurrir únicamente durante algunos minutos y luego, tratemos de seguir adelante y pasar una velada agradable juntos". Las parejas pueden utilizar la técnica del hablante-oyente, si quieren asegurarse de que los dos miembros de la pareja se sienten escuchados, y dejar la discusión del tema para más tarde.

Una razón por la cual las personas se concentran en las situaciones y permiten que se conviertan en motivos de discusión es que piensan que el "más tarde" no llegará, y entonces, ¿por qué esperar? Por eso entran al campo de batalla inmediatamente. Se ven entonces en un campo minado, en el cual los temas conflictivos juegan el papel de explosivos y las situaciones actúan como gatillos. Les recomendamos que no conversen sobre estos temas dentro del contexto de las situaciones. Pero si realmente necesitan hacerlo, asegúrense de utilizar la técnica del hablante–oyente.

Practicar las cosas que les hemos estado enseñando les ayudará a manejar mejor este tipo de asuntos y a planear en qué momento deben tratar los temas importantes. Así, mantendrán un nivel de control sobre cuándo, dónde y cómo deben tratar los temas de conflicto.

LOS TEMAS DE CONFLICTO OCULTOS

En general, las personas pueden reconocer los temas de conflicto que han sido desencadenados por las situaciones porque tienen casi el mismo contenido. En el caso de Elena y Gregorio, que éste mirara la chequera inició la situación, y el tema de conflicto era el dinero. Eso no es difícil de imaginar. Pero, en ocasiones, se encontrarán involucrados en peleas alrededor de situaciones que no parecen estar relacionados con ningún problema en particular. O, tal vez, noten que no llegan a ninguna parte cuando conversan sobre determinados puntos de conflicto, o que simplemente están patinando sobre el tema. Estos son signos de que no están tratando los problemas de fondo. Finalmente el tema en cuestión no es el dinero, la profesión, el trabajo en la casa o el hecho de dejar la tapa del inodoro levantada —es algo más profundo y más esquivo.

Los temas de conflicto ocultos son, usualmente, los que desencadenan discusiones realmente destructivas. Por ejemplo, Amanda y Tomás terminaron discutiendo sobre su madre, pero el tema real podría ser que Amanda siente que ella no es importante para Tomás. Cuando decimos que estos temas están ocultos, estamos sugiriendo que usualmente no se habla de ellos abierta o constructivamente. Son los temas de conflicto claves que a menudo se pierden en el flujo de una discusión. Uno puede estar muy consciente de que se siente descuidado, pero cuando ocurren ciertas situaciones, no es de eso de lo que se habla. Simplemente, de la misma manera que Amanda habría podido estar sintiendo que Tomás no estaba interesado en ella, no fue ése el tema por el cual acabaron peleando. No veían el bosque (los puntos de conflicto ocultos), tan sólo veían los árboles (las situaciones).

Para resumir,

1. Las situaciones son acontecimientos de la vida diaria, tales como los platos sucios o el cheque que rebota.

2. Los puntos de conflicto son temas más amplios como el dinero, el sexo o los parientes políticos, cosas que todas las parejas tienen que enfrentar.

3. Los puntos de conflicto ocultos son temas más fundamentales y profundos que pueden surgir con cualquier situación.

Hemos encontrado varios tipos de puntos de conflicto ocultos en nuestros trabajos con las parejas —cuestiones de control y poder, necesidades y cuidado, reconocimiento, compromiso, integridad y aceptación. Con seguridad existen otros, pero estos seis compendian gran parte de lo que ocurre en las relaciones.

EL CONTROL Y EL PODER

En los temas referentes al control, la pregunta es quién tendrá el status y el poder, ¿quién decide quién realiza las tareas? ¿Son sus necesidades y sus deseos tan importantes como los de su pareja o existe una desigualdad? ¿Es importante su opinión o las decisiones importantes se hacen sin contar con usted? ¿Quién está a cargo? Si usted ha estado analizando esta clase de problemas, puede estar enfrentando el tema de conflicto oculto del control.

Incluso si actualmente no existen luchas relacionadas con el control entre ustedes, estos temas pueden afectar su relación cuando necesiten tomar decisiones, incluso pequeñas decisiones. Por ejemplo, qué ocurre si uno de ustedes realmente quiere comer pizza y el otro comida china.

Ésta es una situación que tiene poco significado a largo plazo. Sin embargo, si uno de ustedes no cede respecto a lo que quiere, se puede crear un conflicto sobre algo tan sencillo como la comida. Usted puede sentir que la otra persona está tratando de controlarlo o que usted necesita tener el control. Una lucha de poder puede producirse prácticamente por cualquier cosa. Sea cual sea el tema o el desacuerdo, los temas de conflicto relacionados con el control tienen menor probabilidad de perjudicar su relación, si ustedes sienten que son un equipo y que las necesidades y deseos de cada miembro de la pareja son tenidos en cuenta en las decisiones que se toman.

Siempre que ustedes tengan que tomar una decisión conjuntamente, surgirá una oportunidad para que se desencadenen temas de conflicto referentes al control. Cuando ustedes tienen un desacuerdo, alguno de los dos gana la parada o llegan a un arreglo. Pero es difícil llegar a un arreglo o permitir que su cónyuge gane una discusión, si esto hace que usted se sienta controlado o impotente. Es mejor evitar que tales temas se conviertan en un problema en su matrimonio desde un principio. El trabajo en equipo es el mejor antídoto contra el tema conflictivo oculto del control.

NECESIDADES Y CUIDADOS

Un segundo campo importante en donde existen temas conflictivos ocultos es el de los cuidados. Aquí, el tema principal es qué tanto se siente usted amado. Como veremos, tales temas a menudo se traducen en una preocupación debido a que importantes necesidades emocionales no están siendo satisfechas.

Juliana y Nelson son una pareja que asistió a uno de nuestros talleres de trabajo. Nos contaron que permanentemente peleaban respecto a cuál de los dos debía volver a preparar el jugo de naranja, pero el jugo de naranja no era el verdadero tema que estaba alimentando sus discusiones. Descubrimos que, cuando la madre de Nelson preparaba el jugo de naranja, ese acto era, para él, una demostración del amor y los cuidados de su madre hacia él. Puesto que Juliana no hacía lo mismo, él sentía que ella no lo amaba. Nelson tenía clara conciencia de que se sentía descuidado, pero en sus discusiones sobre el jugo de naranja nunca mencionó ese sentimiento. Por el contrario, se concentraba en lo que él consideraba una obstinación por parte de Juliana y en su necesidad sentida.

Por su parte, Juliana pensaba, "¿Quién es él para exigirme preparar el jugo de naranja? ¿Por qué quiere imponerse exigiendo que yo lo haga?" Ella sentía que él estaba tratando de controlarla al forzarla a vivir de cierta manera. Ése no era el motivo que lo animaba a él, pero ella era muy sensible, puesto que había vivido previamente casada con un hombre muy dominante. Nelson actuaba de la misma manera, no debido a un tema relacionado con el control sino porque él sentía la necesidad de que lo cuidaran de una manera determinada. En su caso, el hecho de hablar sobre este tema, los acercó más, y el jugo de naranja nunca volvió a tener mayor importancia.

El manejo del tema por medio de la técnica del hablante–oyente permitió hablar sobre las preocupaciones más importantes, preparó el camino para una mayor conexión y eliminó el tema de los recipientes de jugo de naranja vacíos. Éste es otro ejemplo en el cual no tendría sentido resolver el problema planteado por la situación —volver a llenar el recipiente de jugo de naranja— a no ser que existiera una comunicación tan buena que lograran sacar los temas de conflicto ocultos a la luz.

En nuestro trabajo con parejas, a menudo observamos un activador particular de los temas sobre los cuidados. Algunas veces, uno de los cónyuges es mejor para hacer los ejercicios y practicarlos que el otro. Sabrina y Juan son una de esas parejas. Ellos participaron en un taller de trabajo a lo largo de varias semanas. Los dos estaban casados por segunda vez y estaban de acuerdo en que, esta vez, era importante hacer las cosas bien. Sin embargo, Sabrina se quejaba de lo difícil que era lograr que Juan hiciera los ejercicios. El suceso, el hecho de que él no hiciera todo su trabajo, le hacía sentir que a él, ella no le importaba realmente. Esto desencadenó discusiones sobre el valor del trabajo realizado en casa y el costo del programa.

Finalmente, lograron utilizar sus habilidades de comunicación para conversar sobre el sentimiento que ella tenía causado por la evasión de él. Ésa es la clave, conversar sobre este tipo de temas más profundos en vez de permitir que operen como puntos de conflicto ocultos en las discusiones.

EL RECONOCIMIENTO

El tercer tipo de tema de conflicto oculto atañe al reconocimiento. ¿Aprecia su cónyuge sus actividades y sus logros? En tanto que los puntos de conflicto sobre cuidados involucran preocupaciones sobre sentirse cuidado o amado, los temas relacionados con el reconocimiento conciernen al hecho de sentirse valorado por el cónyuge en lo que respecta a quien uno es y a lo que uno hace.

Observen a Camilo y Cristina, una pareja que maneja un negocio. Camilo es presidente y tesorero de su corporación y Cristina es vicepresidente y secretaria. En general, disfrutaban manejar juntos su negocio, pero un día que estaban sentados almorzando, alguien le hizo a Camilo una pregunta sobre la compañía. Su rápida respuesta fue, "Yo soy el único funcionario en esta compañía". Cristina, que estaba sentada justo junto a él, se sintió furiosa y avergonzada.

Sólo podemos especular respecto a la razón por la cual Camilo, en ocasiones, no reconocía el papel de su esposa en la compañía. Tal vez estaban emergiendo problemas de control cuando él hizo ese comentario. Tal vez, él pensaba "yo puedo hacerlo todo", y realmente sí hizo caso omiso de la contribución de ella a la compañía. Sean cuales sean sus motivaciones ocultas, tales situaciones harán que la dedicación de Cristina hacia la compañía sea cada vez menos satisfactoria para ella. Con el tiempo, ella podría irse alejando de él lentamente. Si ellos quieren evitar que su relación se siga perjudicando, lo mejor es que hablen abiertamente sobre este tema clave.

Los ejemplos como éstos son comunes. Por ejemplo, muchos hombres nos dicen que no sienten que sus esposas le otorguen un valor suficiente al trabajo que hacen para traer a casa el ingreso para la familia. Igualmente, escuchamos a muchas mujeres —trabajen o no fuera de su hogar— decir que no sienten que sus maridos aprecien lo que ellas hacen en el hogar por la familia. En ambos casos, los cónyuges pueden intentar ser reconocidos durante un tiempo, pero eventualmente se fatigarán si no les expresan ningún tipo de aprecio. Está bien desear que su cónyuge reconozca y aprecie lo que usted le da a la relación. ¿Cuánto tiempo hace que usted no le dice a su pareja cuánto aprecia las cosas que él o ella hace?

EL COMPROMISO

El punto central de este cuarto tema de conflicto oculto reside en la seguridad a largo plazo de la relación, expresada por la pregunta: "¿Vas a permanecer conmigo?" Una pareja con la cual trabajamos, Andrea y Carlos, sostenía grandes discusiones sobre sus cuentas bancarias separadas. Siempre que llegaba el extracto bancario, Carlos se quejaba amargamente de que Andrea tuviera una cuenta separada. Este problema no estaba relacionado con un tema oculto de control o de dinero. Para Carlos, el tema de conflicto oculto era el compromiso. Él ya había estado casado antes y su ex esposa había tenido una cuenta separada. Ella decidió dejarlo a los quince años de casados, cosa que le resultó fácil puesto que había ahorrado varios miles de dólares en su cuenta.

Ahora, cuando llegaba el extracto de la cuenta de Andrea, él lo asociaba con la posibilidad de que quisiera dejarlo. Ése no era el plan de Andrea en absoluto, pero como Carlos rara vez hablaba abiertamente sobre este temor, no le daba la oportunidad de aliviar su ansiedad confirmando su compromiso. Este problema era el que alimentaba las explosiones de conflicto durante estas situaciones.

Algunas veces, el tema del compromiso se desencadena por el éxito de uno de los cónyuges. El psicólogo Stephen Beach y sus colegas han sugerido que en las relaciones difíciles las personas se sienten amenazadas por el éxito de sus cónyuges. En relaciones más sanas, los cónyuges tienden a sentirse orgullosos de los logros de cada cual. Tal vez el compromiso en las relaciones difíciles ya está amenazado y el éxito de uno de los cónyuges es percibido por el otro como un factor que proporciona más alternativas a su cónyuge para abandonar la relación. El éxito también puede desencadenar temas de conflicto ocultos de reconocimiento. Cuando uno de los cónyuges no se siente reconocido y ve que su pareja recibe una gran cantidad de reconocimiento, la sensación de no ser apreciado se incrementa.

¿Se preocupa usted respecto al compromiso a largo plazo de su cónyuge con usted y con el matrimonio? ¿Han hablado ustedes sobre esto abiertamente o se expresa este tema de manera indirecta, dentro del contexto de las situaciones en su relación? En los capítulos ocho y nueve nos concentraremos más profundamente en la forma en que los temas propios del compromiso afectan a las relaciones.

LA INTEGRIDAD

La quinta clase de puntos de conflicto ocultos concierne a la integridad. ¿Ha notado usted, alguna vez, cuán molesto se siente cuando su cónyuge cuestiona sus intenciones o sus motivos? Estas situaciones pueden producir mucha ira. En el caso de Samuel y Gladys, las discusiones frecuentemente terminan con cada uno de ellos sintiéndose seguro de saber lo que el otro quiso decir. Y muy a menudo se sienten seguros de que lo que el otro quiso decir era algo negativo. Ambos son terapeutas, lo cual sugeriría que podrían hacer las cosas mejor, pero tienen un grave problema con las interpretaciones negativas. He aquí un ejemplo típico:

GLADYS: Olvidaste recoger la ropa en la lavandería.

SAMUEL: [*Sintiéndose un poco indignado*] No me pediste que la recogiera, sólo me preguntaste si iba a pasar por allí. Te dije que no lo haría.

GLADYS: [*Realmente furiosa por lo que ella considera una falta de interés en sus necesidades por parte de él*] Dijiste que la recogerías, pero a ti simplemente yo no te importo en absoluto.

SAMUEL: [*Sintiéndose profundamente insultado*] Sí me importas y me hieres cuando dices que no es así.

El tema del cuidado de Gladys está abiertamente expresado aquí, aun cuando ellos no están teniendo una conversación constructiva y sana a ese respecto. Pero el problema de Samuel tiene más que ver con la integridad, no es algo tan evidente, pero allí está. Él se siente insultado porque ella lo está describiendo como un esposo desconsiderado que no la cuida y que nunca piensa en sus necesidades. Ambos cónyuges terminan sintiéndose invalidados.

Como lo señalamos anteriormente en este libro, no es sabio discutir sobre lo que su cónyuge realmente piensa, siente o intenta. ¡No le diga a su cónyuge qué es lo que está ocurriendo en su interior, a no ser que se trate del suyo! Si lo hace, desencadenará, sin la menor duda, el tema conflictivo de la integridad. Todo el mundo defiende su integridad cuando alguien la cuestiona.

LA ACEPTACIÓN: LA MADRE DE TODOS LOS TEMAS DE CONFLICTO OCULTOS

Parece haber un tema primordial que es el fundamento de todos las demás que hemos enumerado aquí: el deseo de aceptación. En ocasiones, éste se siente más como un temor al rechazo, pero el tema fundamental es el mismo; en el fondo, las personas tienden a buscar la aceptación y a evitar el rechazo en su relación, lo que refleja la profunda necesidad que tiene toda persona de ser respetada y de sentirse conectada.

Este problema puede surgir de muchas maneras. Por ejemplo, algunas personas sienten temor de ser rechazadas por su pareja si actúan de cierta manera. Si existe una sensación de disminución de la autoestima, estos temores simplemente serán más intensos. Una persona puede pedir lo que quiere de manera indirecta en vez de directa, por ejemplo, diciendo "¿Te gustaría hacer el amor esta noche?", en vez de decir "A mí me gustaría hacer el amor esta noche". Sus verdaderos deseos son filtrados debido al temor al rechazo.

Las personas expresan los problemas ocultos de aceptación y rechazo de varias maneras diferentes. Examinen el problema de Héctor y Luisa relacionado con el paseo de cacería anual de Héctor. Héctor y Luisa llevan cinco años casados, y las cosas han marchado notablemente bien para ellos, especialmente si se tiene en consideración que han unido dos familias. Tienen cuatro hijos, entre los siete y los quince años, de sus anteriores matrimonios. Hay pocos problemas que no puedan manejar, en gran parte gracias a que tomaron un curso sobre familias adoptadas cuando estaban comprometidos. Regularmente conversan sobre los problemas más importantes, lo cual hace que las cosas funcionen bastante bien. Sin embargo, existe un tema que nunca han podido resolver. Una vez al año, Héctor se va de cacería con sus amigos durante dos semanas. Toman una cabaña en arriendo en las montañas y prácticamente se desaparecen. La siguiente discusión era típica. Era tarde en la noche y Héctor estaba empacando para irse a las cinco de la mañana.

LUISA: Realmente detesto cuando te vas a este paseo cada año. Me dejas sola manejando todo.

HÉCTOR: [*Sintiéndose un poco a la defensiva*] Cuando nos casamos, sabías que yo hacía esto todos los años. No entiendo por qué tienes que quejarte de eso cada vez que lo hago.

LUISA: [*Iniciando el ataque*] Simplemente, no creo que sea muy responsable dejar a la familia sola durante dos semanas. Los niños necesitan que estés aquí. Se ponen muy irritables cuando tú te vas.

HÉCTOR: [*Él piensa "¿por qué tenemos que hacer esto todos los años? Odio esta discusión" Ahora, se está poniendo furioso*] Yo hago muchas cosas con ellos. Tú eres quien debe manejar esto mejor.

LUISA: [*También más enojada*] Si tu familia te importara más, no tendrías esa necesidad de irte lejos de ella durante dos semanas cada año.

HÉCTOR: [*Levantándose para abandonar el cuarto, sintiéndose hastiado*] Sí, tienes razón. Tú siempre tienes razón "mi amor".

LUISA: [*Gritándole mientras él camina hacia fuera*] Odio cuando me hablas de esa manera. Tú no me puedes tratar como tu padre trata a tu madre, no lo soportaré.

HÉCTOR: [*Gritando desde el otro cuarto*] Yo no soy como mi padre, y tú no puedes decirme qué debo hacer. Me voy, me seguiré yendo todos los años, y más vale que te acostumbres a ello.

¿Qué está ocurriendo en realidad? El acto de alistarse para el viaje es la situación. Cada año sostienen la misma desagradable conversación, usualmente la noche antes de que él se vaya. Esto hace parte de la tradición, tanto como el viaje en sí mismo. A ninguno de los dos le gusta, pero no han encontrado una forma de hacerlo de otra manera.

Tal como lo aprendieron Héctor y Luisa en nuestras clases del PREP, muchos temas de conflicto ocultos se estaban desencadenando. Muy en el fondo, Luisa no se siente cuidada cuando él se va de viaje. Se siente sola cuando Héctor se va, lo que le resulta difícil de manejar, en la medida en que supone que él está deseando irse. Se pregunta si él se siente encantado de alejarse de ella. Se siente abandonada, lo cual refleja algunos temas de compromiso que también se desencadenan. El tema de los niños no es sino una cortina de humo para disfrazar sus preocupaciones reales.

A Héctor le gusta tener el control de su vida, ésa es un tema de conflicto oculto que se desencadena aquí. Esto se refleja en su afirmación: "¡Tú no puedes decirme lo que yo debo hacer!" Además, mientras discuten improductivamente, surge la cuestión de la integridad. Él siente que ella está poniendo en tela de discusión su devoción como marido y como padre. Él se considera un hombre muy dedicado a su familia y simplemente quiere pasar este período de dos semanas cada año con sus amigos. Piensa que eso no es pedir mucho.

En la base de todo esto, se puede ver que la aceptación es el tema oculto más básico que alimenta los puntos de conflicto de poder, de cuidado, de compromiso y de integridad en esta discusión. Ninguno de los dos se siente completamente aceptado por el otro. Para ellos, éste no es un problema grave sin resolver. Después de todo, ellos sí tienen una magnífica relación y, generalmente, se sienten bien el uno con el otro. No obstante, la necesidad de aceptación es tan básica para todos nosotros que puede ser desencadenada por casi cualquier situación o cuestión —si lo permitimos.

En esta discusión, Luisa y Héctor no están conversando sobre los temas ocultos de una manera productiva. Los temas más profundos no están totalmente ocultos, pero no están siendo manejados de manera directa y constructiva. Veamos cómo hacer esto correctamente.

CÓMO SE PUEDEN RECONOCER LOS SIGNOS DE LOS TEMAS DE CONFLICTO OCULTOS

Los temas de conflicto ocultos no se pueden manejar a menos que se puedan identificar. Existen cuatro maneras fundamentales para descubrir cuándo hay problemas ocultos que puedan estar afectando su relación.

Las conversaciones que patinan

Un signo de que existen temas de conflicto ocultos es cuando ustedes descubren que están patinando en la conversación, a medida que conversan sobre un mismo tema una y otra vez. Cuando una discusión comienza y piensan, "aquí vamos nuevamente", deben sospechar que existen temas ocultos. Ustedes nunca llegan a ninguna parte en ese punto de conflicto debido a que no están conversando sobre lo que realmente importa —el tema de conflicto oculto. Luisa y Héctor pueden discutir de esta forma durante horas, y lo han hecho. Eso no los lleva a ninguna parte y ambos lo saben. Parece que estuvieran atascados en el lodo; de hecho, están hundidos en él.

Los provocadores triviales

Un segundo signo de que existen puntos de conflicto ocultos consiste en que los problemas triviales, frecuentemente, se salen de toda proporción. La discusión entre Juliana y Nelson descrita anteriormente es un excelente ejemplo. El hecho de no llenar el recipiente de jugo de naranja parece un suceso trivial pero desencadena discusiones atroces, manejadas por los temas de poder y cuidado.

La evasión

Un tercer signo de que existen temas de conflicto ocultos es el hecho de que uno de ustedes o ambos estén evitando ciertos temas o ciertos niveles de intimidad. Si se han levantado paredes entre ustedes, esto a menudo significa que hay temas importantes sin expresar que están afectando su relación. Tal vez parezca demasiado arriesgado hablar directamente sobre el sentimiento de inseguridad o de falta de amor. Pero el problema es que estas preocupaciones siempre tienen una forma de salir al aire.

Varios de los temas que las parejas evitan, reflejan temas ocultos en la relación. Por ejemplo, hemos hablado con muchas parejas con diferentes antecedentes culturales o religiosos que evitan hablar sobre estas diferencias. Pensamos que esto usualmente refleja preocupaciones sobre la aceptación. El tema más profundo es: "¿Me aceptarás enteramente si realmente hablamos sobre nuestros antecedentes diferentes?" Eludir estos temas no sólo permite que los temas de conflicto permanezcan ocultos; este hecho coloca además la relación ante un riesgo mayor puesto que dichas diferencias pueden tener un gran impacto sobre el matrimonio. Otros temas comunes pero que constituyen un tabú incluyen el sexo, el dinero, la política, los valores y la religión. Existen muchos temas sensibles como estos que las personas evitan tratar en su relación debido al temor al rechazo.

Además de evitar ciertos temas, muchas parejas evitan cierta clase y ciertos niveles de intimidad. De nuevo, esto puede ser un síntoma de temas de conflicto ocultos. Examinemos el área de la intimidad física. Hemos escuchado a muchos hombres quejarse de que sus esposas, simplemente, ya no son tan cariñosas como solían serlo. Las esposas, a menudo, dicen que la razón es que sienten que ya no las cuidan o no las valoran en su matrimonio. Como resultado se alejan de la intimidad, especialmente de la cercanía sexual.

Los maridos notan esto y, en ocasiones, presionan aún más a sus esposas para obtener afecto físico y recrear su conexión. Las esposas se alejan aún más, pues sienten que sus maridos solamente están interesados en el sexo. Entonces se empiezan a presentar rutinariamente situaciones desagradables en el dormitorio.

Una de estas parejas, Jairo y Sonia, estaba estancada en ese patrón. Llevaban seis años de casados y tenían un hijo, Marco, nacido en el primer año de su matrimonio. Esto añadió además la presión de la responsabilidad desde muy temprano. Ambos trabajaban fuera del hogar y ambos sentían que, diariamente, había mucho más que hacer de lo que el tiempo les permitía. La distancia estaba aumentando constantemente en su relación. Jairo evitaba hablar con Sonia sobre lo que estaba marchando mal y ella evitaba la intimidad física. Sólo en el momento en que comenzaron a hablar directamente sobre el tema, pudieron empezar a salirse del ciclo. Jairo, finalmente, lo puso sobre la mesa y su conversación se desarrolló de la siguiente manera:

JAIRO:　He notado que ya no pareces muy interesada en las caricias o en hacer el amor.

SONIA:　Tienes razón. He estado sintiendo que tú no estás interesado en mí, sino para el sexo.

JAIRO:　No se trata de eso. Siento que tú no estás interesada en mí y ésa es una forma en que trato de que te vuelvas a acercar. No quiero que lo que tenemos se nos escape.

SONIA:　[*Algo escéptica*] ¿Quieres decir que tú no estás, simplemente, tratando de usarme?

JAIRO.   Quiero decir que no estoy tratando de usarte en forma alguna. Yo te amo. Quiero estar cerca de ti. Cuando hacemos el amor y es bueno, siento que eso puede volver a acercarnos. Eso es lo que estoy tratando de hacer, que volvamos a estar juntos. Me he sentido muy triste con esa pared entre los dos.

SONIA: Eso es muy diferente de lo que yo he estado pensando. He estado sintiendo que ya no te importo mucho y que solamente estás interesado en el sexo.

JAIRO: *[Escuchando sin ponerse a la defensiva]* Te escucho. Incluso puedo darme cuenta de que puede ser visto de esa forma. Pero eso no es así. Estoy interesado en todo lo tuyo y en que volvamos a estar bien.

SONIA: Me ayudaría mucho ver que estás interesado en otros campos también, como en conversar conmigo, o en salir a pasear como lo hacíamos antes. Ése tipo de cosas, me permite saber que realmente me amas.

JAIRO: Eso tiene sentido. Nos hemos alejado de las cosas que acostumbrábamos hacer y que realmente disfrutábamos juntos.

SONIA: Sí lo hemos hecho. Te amo y quiero que volvamos a estar cerca otra vez. Yo también he estado triste por esta distancia. Temía que ya no estuvieras interesado en mí.

JAIRO: Siento un gran alivio al escucharte decir eso. Me alegra que estemos hablando sobre esto, finalmente.

Jairo por fin escuchó realmente a Sonia, cuando ella dijo que sentía que él no la quería. Ella finalmente escuchó y quedó sorprendida al saber que él se sentía muy triste a causa de la distancia creciente y no sabía cómo volver a acercarse nuevamente. Esta conversación hizo más para volver a reunirlos que cualquier otra cosa. Ambos se sintieron aceptados y amados después de haberse arriesgado a hablar abiertamente sobre su tristeza y su temor al rechazo. Al haber reafirmado su amor, pudieron abrir nuevamente una serie de caminos a la intimidad que habían estado cerrados durante algún tiempo, incluida el área de la intimidad física. El riesgo valió la pena.

Llevar la cuenta

Un cuarto signo de que existen problemas ocultos en su relación se presenta cuando uno de ustedes dos empieza a llevar la cuenta. Hablaremos un poco más sobre los peligros de llevar la cuenta en el capítulo nueve. Por ahora, es suficiente saber que el hecho de llevar la cuenta refleja que algo anda mal entre ustedes dos.

Llevar la cuenta podría interpretarse como que usted siente que su pareja no reconoce lo que está aportando a la relación. También podría significar que usted está menos comprometido, como lo explicaremos posteriormente. O podría querer decir que usted se está sintiendo controlado y está tomando nota de las veces que su cónyuge se ha aprovechado de usted. Sea cual sea el tema de conflicto, este hecho puede ser un signo de que no se están conversando cosas importantes, tan sólo se está recolectando información.

A medida que el viaje de cacería de Héctor se acerca, Luisa empieza a concentrarse en la evidencia aparente de que él está creando una distancia entre los dos. Cuando él trabaja hasta un poco más tarde o visita a su hermano durante un par de horas, ella empieza a pensar que él no le está prestando suficiente atención, lo cual puede indicar que ella no es tan importante para él, como lo es él para ella. Ella se pregunta, ¿Por qué no está haciendo él más por nuestra relación, como lo estoy haciendo yo? Héctor sí se preocupa y sí está interesado. La mayor parte del tiempo Luisa lo sabe, pero empieza a llevar la cuenta a medida que este suceso anual se aproxima, porque esto hace surgir temas importantes para ella.

CÓMO SE PUEDEN MANEJAR LOS TEMAS DE CONFLICTO OCULTOS

¿Qué pueden hacer cuando se dan cuenta de que hay temas ocultos manejando su relación? Pueden reconocer cuando una está actuando y empezar a hablar sobre eso constructivamente. Esto será más fácil de hacer, si ustedes han creado un ambiente de trabajo en equipo, utilizando las técnicas que hemos presentado hasta el momento. Les recomendamos insistentemente que utilicen la técnica del hablante-oyente, cuando estén tratando de explorar.

Si ustedes están sosteniendo una discusión y sospechan que hay temas conflictivos ocultos, declaren un receso. El hecho de utilizar la primera regla básica de esta manera, les ayudará a trasladar el tema de la conversación al nivel del tema oculto —ya sea inmediatamente o en un momento que acuerden en el futuro cercano. Usualmente, es mejor que sea más tarde. No es muy probable que dispongan del tiempo o de la habilidad necesarios para hacerlo bien dentro del contexto de una situación.

Asegúrense de manejar el tema en términos de discusión del problema, no de solución del problema. Tomen en conciencia de cualquier tendencia a saltar hacia la solución. En nuestra opinión, mientras más profundo sea el problema menos probable será que resolverlo sea la respuesta. Si ustedes no han conversado sobre el verdadero problema, ¿cómo puede la solución del problema estar contemplando realmente lo que está en juego? Lo que necesitan, ante todo, es escuchar y entender los sentimientos y preocupaciones del otro. Tales discusiones de validación tienen un gran impacto sobre los temas de conflicto ocultos, pues pueden ayudar a resolverlos. Creemos que las conversaciones tienen tanto poder debido a que el tema oculto más común es el deseo de saber que ustedes están siendo realmente aceptados el uno por el otro. Las parejas nos cuentan que, cuando finalmente conversan sobre estos temas, sienten una inmensa sensación de alivio, como si les hubieran quitado un peso de encima. En caso de que algo necesite una solución específica, estarán mejor preparados para encontrarla si empiezan con la discusión.

También deben entender que una sola conversación usualmente no resuelve el problema, porque en general éste tiene varias capas. Aun cuando puede ser obvio que un tema de conflicto oculto esté operando, eso no significa que el problema en sí mismo sea obvio. En ocasiones es claro pero en otras es bastante confuso. Es posible que no sean capaces de identificar el problema inmediatamente; puede que simplemente sepan que hay algo que los está incomodando y que necesitan seguir hablando.

Los puntos de conflicto ocultos son como el monstruo bajo la cama. Uno no quiere mirar ahí debajo a ver qué hay, pero sabe que es algo importante y que es grande. Seguirá siendo un monstruo en la mente hasta que uno decida mirar. Puesto que manejar estos temas requiere de habilidad y de esfuerzo, es mejor que trabajen en equipo para descubrir, explorar, y manejar estos temas. Después de todo, si hubiera un monstruo bajo su cama, ¿no le gustaría que su mejor amigo viniera a ayudarlo?

UN EJEMPLO DETALLADO: ¿LA TELEVISIÓN O YO?

Completaremos este capítulo con una historia que muestra cómo los problemas realmente importantes saldrán a la luz si ustedes se están comunicando con claridad y seguridad. Simón y Raquel son una pareja de recién casados que asistió a uno de nuestros talleres de trabajo. Ambos trabajaban hasta tarde para lograr cubrir los gastos. Cuando disponían por fin de tiempo juntos, frecuentemente se presentaban dificultades porque Simón siempre quería mirar los deportes en la televisión y Raquel se sentía muy molesta con eso. Aún cuando muchas de las situaciones estaban relacionadas con la televisión, había temas ocultos mucho más importantes.

Ellos habrían podido discutir eternamente al nivel de las situaciones, por ejemplo, quién debía controlar la televisión, pero hicieron un gran progreso cuando conversaron sobre los temas de conflicto utilizando la técnica del hablante-oyente. Nosotros no les habíamos pedido que se concentraran en los temas ocultos, pero vimos cómo estos de todas maneras surgieron. Hemos descubierto que esto ocurre regularmente cuando las parejas hacen un buen trabajo con la técnica del hablante–oyente. Ésta era una de las primeras veces en que Raquel y Simón utilizaban la técnica, por eso sus habilidades no estaban todavía bien desarrolladas, aún leían sus mentes y sus paráfrasis no eran perfectas. Sin embargo, se estaban comunicando sobre los temas reales mucho mejor de lo que lo habían hecho hasta ese momento.

RAQUEL: [*El que habla*] Me parece que pasas más tiempo con la televisión que conversando conmigo. Hay veces en que puedes trasnocharte mirando la televisión, pero si se trata de pasar tiempo conmigo, estás cansado, te vas a la cama y te duermes inmediatamente.

SIMÓN: [*El que escucha*] ¿Estás diciendo que es más cómodo para mí mirar televisión que estar contigo?

RAQUEL: [*El que habla*] [*Con un claro suspiro de alivio por ser escuchada*] Sí.

Raquel está sintiendo que Simón no la acepta, ni se preocupa por ella. Esto se ve claramente aquí, sin embargo, en el pasado cuando discutían sobre la televisión nunca llegaron a lo que realmente estaba ocurriendo, por lo menos no en una forma que los acercara más. Cuando Simón parafrasea la impresión de Raquel de que él se siente más cómodo mirando televisión que estando con ella, realmente da en el blanco. Eso es exactamente lo que a ella le parece. Ella puede darse cuenta por la calidad de su paráfrasis que él la está escuchando realmente. Esto sirve más para enfrentar el tema de conflicto oculto de querer que él se preocupe más por ella que lo que cualquier otra solución del problema podría lograr.

No es claro que él esté de acuerdo en que se siente más cómodo mirando televisión, pero es claro que él la escuchó a ella. Si él está realmente incómodo con ella, puede deberse a la forma equivocada como han manejado los problemas ocultos respecto a los sucesos de la televisión. La conversación continúa:

SIMÓN: [*El que escucha*] ¿Puedo tener la palabra?

SIMÓN: [*El que habla*] Antes de casarnos, nunca protestaste cuando yo miraba los deportes.

RAQUEL: [*El que escucha*] Lo que estás diciendo es que al comienzo a mí no me importaba el hecho de que miraras tantos deportes. Nosotros pasábamos juntos mucho tiempo, y eso parecía satisfacerme.

SIMÓN: [*El que habla*] Correcto, y además antes de casarnos, aun cuando pasábamos tiempo juntos, nunca tuviste la oportunidad de ver que yo trataba de mirar la mayor cantidad de fútbol posible.

RAQUEL: [*El que escucha*] Entonces, lo que estás diciendo es que no tuve la oportunidad de conocer este aspecto tuyo, tu pasión por el fútbol, como sí la he tenido ahora.

SIMÓN: [*El que escucha*] Correcto. Tampoco sabías que yo hacía deportes, ni que estoy activamente involucrado en otros deportes —no sólo en el fútbol.

RAQUEL: [*El que escucha*] Entonces dado que hacías deportes antes de conocerme, he debido saber que realmente eres una persona orientada hacia los deportes —es decir, hacia mirar deportes todo el tiempo.

SIMÓN: [*El que habla*] Sí y no. No estoy diciendo que hubieras debido saberlo, pero tú viste que ésa era una parte de mi ser, así quieras o no aceptarla.

RAQUEL: [*El que escucha*] Está bien, entonces estás diciendo que yo vi esa parte de ti, la que está involucrada en los deportes, y que hubiera debido saber que tarde o temprano surgiría en nuestra relación. ¿Es eso lo que estás diciendo?.

SIMÓN: [*El que habla*] Más o menos.

Cuando Raquel se quejó de que Simón mirara tanto fútbol, sintió que ella estaba atacando una parte fundamental de su identidad. Para él, el tema oculto fundamental se centra en la aceptación de quién es él y el reconocimiento de esta parte de sí mismo. Él realmente saca esto a la luz en la frase: "Tú viste que ésa era una parte de mi ser, así quieras o no aceptarla".

Después de sostener otras discusiones en estos niveles más profundos, Simón y Raquel pasaron a la etapa de la solución del problema: el conflicto entre el tiempo que pasaban juntos y el tiempo que él gastaba mirando televisión. Creemos que no habrían podido encontrar soluciones eficaces, si no hubieran manejado antes los puntos de conflicto ocultos.

Nuestra meta en este capítulo ha sido proporcionarles una forma de explorar y comprender algunas de las situaciones que producen mayor frustración en las relaciones. Ustedes pueden evitarse muchas heridas, si aprenden a concederles a las situaciones y a los problemas el tiempo y la habilidad que requieren. El modelo presentado aquí, unido a todas las habilidades y técnicas descritas en la primera sección del libro, les ayudarán a lograrlo.

En el caso de muchas parejas, los temas de conflicto ocultos nunca salen a la luz. Por el contrario, se enconan y producen tales niveles de tristeza y resentimiento que eventualmente el matrimonio se acaba. Las cosas no tienen por qué ser así. Cuando ustedes aprendan a discutir sobre los temas más profundos abiertamente y haciendo énfasis en validarse el uno al otro, los problemas que generaban mayor conflicto pueden llegar incluso a acercarlos más.

Ahora, pasaremos a un capítulo sobre expectativas. Son tantos los temas ocultos que provienen de expectativas profundamente arraigadas, que pensamos que este tema merece todo un capítulo. A través de él, comprenderán mejor lo que esperan el uno del otro y de dónde surgieron esas expectativas.

♣ EJERCICIOS

Reflexionen sobre las siguientes preguntas y respóndanlas individualmente, en una hoja de papel separada; luego siéntense y conversen sobre sus impresiones.

1. Reflexione acerca de la lista de signos que indican que problemas ocultos puedan estar afectando su relación. ¿Ha notado usted que uno o más de estos signos se presenta con mucha frecuencia en su relación? Helos aquí nuevamente. Ha notado usted que:

    Las conversaciones patinan

    Existen provocadores triviales

    Hay evasión

    Lleva la cuenta

2. Ahora, nos gustaría que evaluara cuáles problemas ocultos operan más frecuentemente en su relación. He aquí nuevamente la lista. Puede existir algún problema importante que usted quiera añadir a la lista. Examine cada problema y el grado en el cual parece afectar su relación negativamente. Además, evalúe qué tan profundamente ocultos están estos problemas en su relación.

    Observe si determinadas situaciones han desencadenado o siguen desencadenando estos problemas. Haga una lista en la columna de la derecha, o en una hoja de papel aparte.

CUESTIÓN OCULTA	SUCESOS ACTIVADORES COMUNES
Poder y control	
Cuidados	
Reconocimiento	
Compromiso	
Integridad	
Aceptación	

3. Planeen un tiempo para conversar sobre sus observaciones y pensamientos. En el caso de la mayoría de las parejas, ciertos temas ocultos surgen repetidamente. La identificación de ellos puede ayudarlos a volver a acercarse, si aprenden a manejarlos con cuidado. Además, el hecho de discutir estos temas les ofrece una excelente oportunidad para practicar un poco más la técnica del hablante-oyente. Les recomendamos que fijen reuniones de pareja para conversar sobre los temas ocultos en el formato de discusión. El énfasis debe hacerse en comprender el punto de vista de su cónyuge lo más completa y claramente posible, no en resolver ciertas preocupaciones concretas e inmediatas.

7

Las expectativas insatisfechas y qué hacer al respecto

EN EL CAPÍTULO ANTERIOR, explicamos cómo los puntos de conflicto ocultos pueden alimentar las dificultades y crear distancia entre los cónyuges. Ahora estamos listos para profundizar en esos conceptos concentrándonos en las expectativas. Les ayudaremos a explorar sus expectativas con respecto al matrimonio, en qué consisten, de dónde surgieron y si son o no razonables. Al final de este capítulo, encontraran un ejercicio muy importante con el cual podrán explorar y compartir las expectativas que tienen respecto a su relación. De hecho, este capítulo está diseñado primordialmente para prepararlos para ese ejercicio, teniendo en cuenta su importancia.

Explorar sus alternativas también les ayudará a comprender cómo se desencadenan los puntos de conflicto —ocultos o no— en su relación. La exploración de sus expectativas, sumada a todas las habilidades que les hemos enseñado hasta el momento, será la mejor arma para contrarrestar los conflictos frustrantes como los que discutimos en el capítulo anterior.

CÓMO AFECTAN LAS EXPECTATIVAS A SU RELACIÓN

Existen expectativas para cada aspecto de una relación. En la primera parte del libro, discutimos cómo las expectativas pueden convertirse en poderosos filtros que distorsionan su comprensión de lo que ocurre en la relación. La razón, como lo explicamos, reside en que la gente tiende a ver lo que espera ver. En este capítulo, nos concentraremos en sus expectativas sobre la forma como usted cree que las cosas deben ser en su relación. Por ejemplo, usted puede tener expectativas específicas sobre cosas tan insignificantes como quién debe volver a llenar la jarra del jugo de naranja o sobre quién debe calcular el saldo de la chequera —el tipo de cosas que desencadenan a las situaciones. O puede tener expectativas sobre temas de conflicto comunes como el dinero, el trabajo en la casa, los parientes políticos y el sexo. También puede tener expectativas sobre puntos de conflicto más profundos, a menudo, ocultos como: cómo se compartirá o no el poder, cómo se demostrará el interés y la preocupación por el otro, o cuál es el compromiso en su relación. ¡Las expectativas afectan todo!

En gran medida, nosotros nos desilusionamos o nos sentimos satisfechos con la vida dependiendo de qué tanto coincide lo que está sucediendo con lo que esperamos, con lo que pensamos que debería ocurrir. Por lo tanto, las expectativas juegan un papel crucial en la determinación de nuestro nivel de satisfacción en el matrimonio. Si no esperamos mucho, lo que realmente sucede puede fácilmente sobrepasar nuestras expectativas. Si esperamos demasiado, es probable que lo que ocurre sea insuficiente comparado con lo que deseamos.

Observen a Clara y Mario. Ellos han estado casados durante un año y las cosas han marchado bastante bien. Sin embargo, Mario está molesto por las noches que Clara pasa con sus amigas. Como muchas parejas jóvenes, ambos tienen una cantidad de expectativas y de puntos de conflicto por resolver respecto a qué está bien y qué no lo está. Clara sale una o dos veces a la semana con sus amigas, a menudo para hacer compras o para ir al cine. Esto saca de casillas a Mario. Algunas veces, cuando ella sale, se desencadenan entre ellos discusiones importantes, como la siguiente:

MARIO: [*Sintiéndose irritado*] No veo por qué tienes que volver a salir esta noche. Últimamente has salido mucho.

CLARA: [*Obviamente molesta*] ¿Cuántas veces tendremos que discutir sobre esto? Yo salgo una vez a la semana y eso es todo. No veo ningún problema en eso.

MARIO: Pues yo sí. Todas tus amigas son solteras y sé que mantienen sus ojos abiertos mirando a los hombres.

CLARA: ¿Y entonces?

MARIO: Entonces ellas están buscando hombres y tú eres casada.

CLARA: [*Furiosa, sintiéndose atacada y acusada de ser disoluta*] Nosotras no salimos a cazar hombres. No me gusta que desconfíes de mí.

MARIO: Simplemente no creo que una mujer casada necesite salir tan a menudo con sus amigas solteras. Los hombres se fijan en un grupo de mujeres y no me puedes decir que tus amigas no están interesadas en eso.

CLARA: [*Alejándose y dirigiéndose a la puerta*] Pareces celoso. Volveré a las diez.

Clara y Mario están discutiendo sobre una expectativa, él no esperaba que ella siguiera saliendo con sus amigas tan a menudo después de casados. Él asocia "salir" con estar soltero, no casado. Clara, por su parte, sabía que tendría que pasar menos tiempo con sus amigas, pero no que tendría que dejar de verlas. Esas noches significan mucho para ella. No ve nada malo en eso, excepto que Mario no lo está manejando muy bien.

En este ejemplo, no se puede argumentar realmente que una de las expectativas es exagerada. Lo que es mucho más importante es que sus expectativas no coinciden, y eso es lo que está alimentando el conflicto. Es fácil imaginar que los puntos de conflicto ocultos sobre afecto y control también están actuando. Mario podría estarse preguntando si Clara realmente se preocupa por estar con él, puesto que ella todavía quiere salir regularmente con sus amigas. Clara podría estar sintiendo que Mario está tratando de controlarla, un sentimiento que a ella no le gusta.

Los estudios muestran que es más probable que las relaciones tengan problemas cuando las expectativas no son razonables. ¿Cree usted que las expectativas de Mario o de Clara son insensatas? He aquí otro ejemplo en el cual la respuesta a esta pregunta es bastante obvia. Bárbara y Miguel han estado casados durante once años. Él es plomero y ella es contadora de varios negocios pequeños. El sexo se ha convertido en un problema importante con los años. Si Miguel pudiera lograr lo que quiere, harían el amor todas las noches de la semana, y algunas mañanas también. Él no solamente tiene un fuerte deseo sexual; también cree que algo anda mal en un matrimonio, si la pareja no hace el amor por lo menos cinco veces a la semana.

Como parece que a Bárbara sólo le interesa hacer el amor una o dos veces a la semana, Miguel cree que algo anda mal con ella y se lo hace saber. Al comienzo de su matrimonio, a ella le gustaba hacer el amor más a menudo, y él esperaba que las cosas continuaran a ese ritmo. Si Bárbara compartiera la expectativa de Miguel respecto a hacer el amor, no habría ningún problema, pero como no la comparte, la expectativa de Miguel es un poco insensata. A menos que puedan llegar a negociar alguna forma para salir de este problema, habrá un conflicto mayor en el futuro.

EXPECTATIVAS Y PUNTOS DE CONFLICTO OCULTOS

Cuando los puntos de conflicto ocultos son desencadenados por situaciones, usualmente se debe a que alguna expectativa no ha sido satisfecha. Las cuestiones subyacentes de poder son expectativas acerca de cómo se compartirán o no se compartirán, las decisiones y el control. Los puntos de conflicto subyacentes relacionadas con los cuidados son expectativas acerca de cómo se quiere ser amado. Los puntos de conflicto subyacentes relacionados con el reconocimiento son expectativas acerca de cómo debe responder su cónyuge frente a lo que usted es o a lo que usted hace. Los puntos de conflicto subyacentes relacionados con el compromiso son expectativas acerca del tiempo que se espera que dure la relación, y sobretodo, acerca de la seguridad de no ser abandonado. Los puntos de conflicto subyacentes relacionados con la integridad son expectativas acerca de inspirar confianza y ser respetado. Y bajo todas estas expectativas están las expectativas esenciales que se refieren a la aceptación por parte de su cónyuge.

DE DÓNDE SALEN LAS EXPECTATIVAS

Las expectativas se desarrollan a partir de las experiencias de toda una vida. Las expectativas están basadas en el pasado pero operan en el presente. Hay tres fuentes principales de expectativas: nuestro origen familiar, nuestras relaciones previas y la cultura en la que vivimos.

EL ORIGEN FAMILIAR

Adquirimos muchas expectativas de nuestra familia durante nuestro crecimiento. Nuestras experiencias familiares definen patrones —tanto malos como buenos— que se convierten en modelos sobre cómo pensamos que las cosas deben funcionar cuando nos convertimos en adultos. Las expectativas son transmitidas directamente por lo que nos dicen nuestros padres, e indirectamente, por lo que observamos. De ambas formas, aprendemos expectativas para muchas áreas de la vida. Nadie llega al matrimonio como una pizarra en blanco.

Por ejemplo, si usted observó que sus padres evitaban cualquier clase de conflicto, puede haber desarrollado la expectativa de que las parejas deben buscar la paz a cualquier precio. Si actualmente se encuentra ante el desacuerdo y el conflicto, puede sentirse como si estuviera ante el fin del mundo. Si usted observó que sus padres eran muy cariñosos, puede haber llegado a esperar que esto fuera así en su matrimonio. Si sus padres se divorciaron, puede tener cierta expectativa, en el fondo de su mente, de que los matrimonios realmente no perduran.

A menudo, dos personas vienen de familias tan diferentes que tienen un grave desajuste en algunas expectativas claves. Una pareja con la cual trabajamos, Elena y Diego, venía de familias muy diferentes. En la familia de Elena, su padre tomaba prácticamente todas las decisiones —hasta qué marca de papel higiénico debía comprarse. La familia de Diego era bastante diferente. Su madre había abandonado a su padre porque era un tirano, y él se fue a vivir con ella. Ella le enseñó a través de sus actos y de sus palabras que nunca debía tratar a su esposa como si fuera una empleada contratada.

Como pueden imaginarse, Diego y Elena han tenido algunos problemas para tomar decisiones. Elena delegaba en Diego muchas decisiones, y a él esto le parecía perturbador. Él nos dijo que se sentía presionado por tanta responsabilidad. Desde su punto de vista, el hecho de que ella lo dejara tomar todas las decisiones no solamente era un error; también podía conducir al fracaso matrimonial, como ocurrió en el caso de sus padres. Por eso, él trataba de que Elena asumiera más responsabilidades, al tiempo que ella trataba de que fuera él quien tomara el control. Él consideraba que con su actitud estaba demostrando respeto. Ella pensaba que él era débil.

Debido al desajuste en las expectativas no expresadas, Elena y Diego tuvieron muchos conflictos en el contexto de las situaciones relacionadas con la toma de decisiones. Los puntos de conflicto ocultos se desencadenaban fácilmente. Ella sentía que a él no le importaba el matrimonio lo suficiente como para asumir el mando. Aun cuando en muchas cosas ella le estaba cediendo el control, él se sentía obligado a asumir este papel y se sentía controlado por ella. Finalmente, fueron capaces de conversar sobre este tema utilizando la técnica del hablante–oyente.

Para Elena y Diego fue mucho más fácil manejar la toma de decisiones una vez que empezaron a comprender y a conversar abiertamente sobre sus expectativas y a pensar acerca de sus orígenes y de los efectos de su pasado en la relación. Cuando se sintieron escuchados, tuvieron una mejor posibilidad de negociar las expectativas que querían compartir en su relación.

LAS RELACIONES ANTERIORES

También construimos expectativas a partir de nuestras relaciones anteriores —sobre todo, de novios o de matrimonios anteriores. Tenemos expectativas sobre cómo besar, qué es romántico, cómo comunicarse los problemas, cómo invertir el tiempo libre, quién debe dar el primer paso para reconciliarse después de una pelea, etc.

Suponga, por ejemplo, que fue rechazado por novios anteriores, cuando usted comenzaba abrirse sobre ciertos sucesos dolorosos de la infancia. Lógicamente, usted puede haber desarrollado la expectativa de que dicho tema está prohibido con ciertas personas. En un nivel más profundo, quizá tenga la expectativa de que no puede confiarle a nadie conocimientos sobre las partes más profundas de su personalidad. De ser así, puede estar reprimiendo y evitando la intimidad en su relación actual.

Los estudios muestran que las personas que construyen la expectativa de que los demás no son confiables tienen más dificultades en sus relaciones. Si usted analiza sus vidas de manera integral, esta expectativa usualmente tiene sentido; sin embargo, puede llegar a generar un problema, si la desconfianza es tan intensa que no pueden ni siquiera permitir que la persona amada se acerque a ellos. Esta es una razón de más para aprender cómo hacer que una relación sea segura frente a la intimidad verbal.

He aquí otro ejemplo. Acaso participó usted anteriormente en una relación en la que su pareja tenía mucha creatividad para imaginar maravillosas veladas en la ciudad. Esa persona sabía exactamente cómo planear una velada para que ambos pasaran una noche maravillosa. Actualmente, usted puede estar con alguien menos creativo, y entonces se siente desilusionado. Usted ha desarrollado una expectativa que su pareja actual no está satisfaciendo en el mismo grado.

Muchas expectativas se crean a partir de cosas tan insignificantes que es difícil imaginar por qué se convierten en algo tan importante, pero sucede. Todo depende de qué significados y qué puntos de conflicto están unidos a estas expectativas. Por ejemplo, Manuel nos contó que su novia anterior le había dado a entender que ella no quería que le abriera las puertas. Él pensó, "Está bien, eso no tiene importancia". Ahora, con su esposa Susana le pasaba lo contrario. A ella le gustaba que los hombres le abrieran la puerta, y se molestaba cuando él lo olvidaba. Tuvo que esforzarse mucho para olvidar la expectativa que, finalmente, había aprendido tan bien.

Sucesos, como el de abrir las puertas, ocurren con bastante frecuencia en la vida. En el caso de Manuel y Susana, estas situaciones desencadenaban un conflicto, porque ella interpretaba su problema de Manuel para acordarse de abrir las puertas como un signo de que a él no le importaba lo que para ella sí tenía importancia. Éste es otro ejemplo en el cual las interpretaciones negativas causan más perjuicio que las situaciones en sí. ¿Está usted consciente de cuántas de sus expectativas respecto a su cónyuge están basadas en sus experiencias con otras personas? Vale la pena pensar en esto porque su cónyuge es una persona diferente de aquéllas con las cuales tuvo relaciones, estuvo casado en el pasado, o simplemente conoció. Puede no ser realista o justo con su cónyuge mantener las mismas expectativas que ya tenía con otra persona.

LAS INFLUENCIAS CULTURALES

Existen una serie de factores culturales que influyen en nuestras expectativas. La televisión, el cine, las enseñanzas religiosas y las lecturas pueden tener efectos poderosos sobre las expectativas. En el capítulo catorce nos concentraremos en los puntos de conflicto relacionados con la religión.

Sin lugar a dudas la televisión, las telenovelas y los programas de entrevistas muestran situaciones en las que, por ejemplo, el abuso verbal está permitido, integrar dos familias parece ser fácil y el sarcasmo es bueno en las relaciones. Éste tipo de imágenes crean expectativas en las personas que miran estos programas

Una pareja, Federico y Elena, llevaba tres años de matrimonio. Ellos se nos acercaron después de un taller de trabajo y nos comentaron que el matrimonio era mucho más difícil de lo que esperaban. Como la mayoría de nosotros, habían absorbido horas y horas de lo que la televisión pregona sobre cómo deben ser las cosas. Ambos habían desarrollado la expectativa de que el matrimonio debía ser una bendición y que si no era siempre así, el divorcio era inminente.

Elena y Federico se amaban el uno al otro y estaban comprometidos con su matrimonio. Sin embargo, en este momento se sentían inferiores y pensaban que las cosas no estaban bien, todo por causa de unas expectativas locas. Finalmente, sintieron un gran alivio cuando les mostramos cómo son realmente los matrimonios. El cambio en sus expectativas redujo parte de la presión diaria que habían estado experimentando en su matrimonio.

CÓMO HACER QUE LAS EXPECTATIVAS TRABAJEN PARA USTED

Las expectativas pueden conducir a una desilusión y frustración completas o a una conexión más profunda y a una mayor intimidad entre usted y su cónyuge. Hay tres claves para manejar bien las expectativas:

1. Ser consciente de lo que usted espera.
2. Ser razonable respecto a lo que usted espera.
3. Tener claro lo que usted espera.

SER CONSCIENTE DE LO QUE ESPERA

Ya sea que usted sea consciente o no, las expectativas insatisfechas pueden producir una gran desilusión y frustración en su relación. No es necesario ser completamente consciente de una expectativa, para que ésta afecte su relación.

Clifford Sager, un pionero en este campo, señala que las personas llegan al matrimonio con una cantidad de expectativas que nunca se expresan con claridad. Estas expectativas conforman un contrato para el matrimonio. El problema reside en que la mayoría de las personas no sabe lo que está en el contrato cuando se casa. Sager sugiere además que muchas expectativas son inconscientes, lo cual hace que sea muy difícil darse cuenta de ellas. No todas las expectativas son profundamente inconscientes, pero muchas se convierten en una parte tan importante de nosotros mismos que funcionan automáticamente. Igual que conducir un automóvil, mucho de lo que se hace es tan automático que ni siquiera hay que pensar en ello.

Al final de este capítulo, usted tendrá la oportunidad de aumentar la conciencia de sus propias expectativas. Un importante indicio de tenemos expectativas es la desilusión. Cuando usted está desilusionado con su relación, es porque alguna expectativa está insatisfecha. Es bueno adquirir el hábito de detenerse un momento, cuando usted se siente desilusionado, y preguntarse a sí mismo ¿qué esperaba? Hacer esto puede ayudarle a tomar conciencia de las expectativas que pudieran estar afectando in-conscientemente a su relación.

Por ejemplo, Pablo se ponía triste cada vez que le pedía a su esposa, Diana, que fuera con él a pasear en bote y ella decía, "Está bien, ve tú sin mí y diviértete mucho". Diana prefería quedarse en casa y arreglar el jardín, pero Pablo trabajaba muy duro durante la semana como mecánico y pasear en bote era su forma de relajarse. A Diana no le interesaba pasear en bote y quería que Pablo se sintiera bien si iba sin ella.

La tristeza de Pablo era un claro indicio de que una expectativa importante no estaba siendo satisfecha. Al reflexionar sobre esto, él comprendió que él esperaba que compartieran este interés tan importante para él. Si Diana no quería hacerlo, ¿qué significaba eso? Al menos a él se le planteaba el dilema entre pasar el tiempo con ella o en su bote.

Aun cuando Diana lo quería profundamente, la esperanza de Pablo de que ella se interesara por los paseos en bote, agitaba en él puntos de conflicto más profundos respecto a sentirse cuidado y amado. Una vez que Pablo tomó conciencia de su expectativa y de la razón de su tristeza, fue capaz de expresar lo que para él significaba que ella paseara en bote con él. Ella no tenía la menor idea de lo que él sentía. Aun cuando Diana no era aficionada a pasear en bote, de buena gana lo acompañó más a menudo, una vez supo que eso significaba tanto para él.

Después de tomar conciencia de una expectativa, el paso siguiente es evaluar si es razonable.

SER RAZONABLE RESPECTO A LO QUE ESPERA

Como lo anotamos anteriormente, muchas expectativas claves no son razonables ni realistas. Existen algunas expectativas insensatas específicas. Por ejemplo, ¿sería razonable esperar que su cónyuge nunca estuviera seriamente en desacuerdo con usted? Claro que no. Sin embargo, se sorprendería de cuantas personas esperan esto. ¿Es razonable esperar que una vez se hayan casado, su cónyuge abandone todo contacto con los viejos amigos? Algunas personas esperan que esto suceda, pero claro está, eso no es realista.

Cuando se actúa con base en expectativas insensatas es probable que se llegue al conflicto. Un ejemplo específico es el caso de Sara y Rubén. Ambos eran contadores y tenían trabajos de gran presión por lo que era vital que aprendieran a manejar el conflicto y el tiempo libre.

Una vez en nuestro programa, Sara y Rubén progresaron inmensamente utilizando las técnicas que presentamos en la primera parte de este libro. Estaban manejando mucho mejor que antes conflictos que habían sido bastante graves. Infortunadamente, su progreso se estancó porque Rubén esperaba que estas técnicas evitaran en el futuro la ocurrencia de otras situaciones negativas. Ésa no era una expectativa razonable.

Simultáneamente, Sara sentía que todos los esfuerzos que había hecho para cambiar su relación no habían sido valorados. La insensata expectativa de Rubén afectaba todo, incluso los conflictos menores eran vistos como una prueba de que no habían progresado en absoluto. No sólo esperaba Rubén no volver a tener conflictos, sino que esta expectativa se convirtió en un filtro en su percepción que impidió que se diera cuenta de los grandes cambios que estaban ocurriendo.

Esperamos que las personas que apliquen de manera consistente nuestros principios tengan situaciones negativas menos frecuentes y menos intensas. Pero siempre habrá situaciones y siempre se presentarán problemas. Existe una gran diferencia entre no tener ningún problema y manejar los problemas bien. La expectativa de Rubén en cuanto a que no hubiera conflicto era insensata y generó mucho conflicto, hasta que lo obligamos a analizar de cerca la situación. Para sobreponerse, tenía que adquirir conciencia de que su expectativa no era realista y tenía que anularla en su interior. Ésta no era una expectativa que ellos debían satisfacer, era más una expectativa que Rubén tenía que cambiar —y así lo hizo.

SER CLARO RESPECTO A LO QUE ESPERA

Una expectativa específica puede ser perfectamente razonable pero puede no haber sido expresada claramente. Es importante expresar sus expectativas, y no sólo para ser consciente de ellas o evaluar su grado de sensatez. Todos tenemos tendencia a suponer que nuestro modelo de matrimonio ideal (conformado por la suma total de nuestras expectativas) es el mismo que el de nuestro cónyuge. ¿Para qué tenemos que decirle a nuestro cónyuge lo que esperamos, si suponemos que ya lo sabe?

Ésta también es una expectativa insensata. Suponemos que nuestro cónyuge sabe lo que nosotros queremos, y no nos tomamos la molestia de exponer claramente lo que necesitamos. De hecho, muchos cónyuges sienten que si necesitan expresarlo, algo anda mal. Más aún, muchos piensan que si lo expresan, y su cónyuge responde positivamente, el resultado no es significativo. Ellos dicen "si tengo que pedir un abrazo, entonces realmente no significa mucho". ¡Estamos en desacuerdo! Cuando usted pide algo y su cónyuge responde, ésa es una evidencia del amor de su cónyuge y de su compromiso.

En el campo sexual, a menudo, existen supuestos insensatos. ¿Cuántas personas manejan el supuesto de que su cónyuge debería saber exactamente lo que le resulta más placentero sexualmente? Hemos observado esto una y otra vez. Un cónyuge se pone furioso porque el otro no satisface un deseo o una expectativa. Pero las más de las veces, la expectativa nunca ha sido expresada. Eso es como pedirle al cónyuge que sepa leer la mente.

Peor aún cuando las expectativas claves no son "leídas" por un cónyuge, es fácil que se desencadenen puntos de conflicto ocultos. El cónyuge que tiene una expectativa insatisfecha puede sentir que su pareja no se interesa por él porque no ha descubierto su expectativa. Hablaremos sobre los problemas que esto causa sexualmente en el capítulo trece. He aquí otro tipo de supuesto: Martha y Raúl tenían un conflicto siempre que iban a la casa de los padres de él. Martha tenía la expectativa de que él permaneciera cerca de ella cuando estaban allá. A ella no le gustaba quedarse sola conversando con la madre de él pues sentía que ella quería fisgonear en los secretos de su matrimonio. Por su parte, Raúl pensaba que debía darle a Martha el máximo de oportunidades de conocer a sus padres. Él sentía a Martha distante después de estas vistas, pero no entendía por qué.

La expectativa de Martha en cuanto a que Raúl estuviera cerca de ella cuando visitaban a sus padres era perfectamente razonable. Sin embargo, hasta que no le dijo a él lo que quería, él vivía a la merced de sus supuestos. Pensaba que ella se sentía cómoda cuando él se iba con su padre, dejándola en compañía de su madre. Una vez expresó ella su expectativa real, él pudo actuar de acuerdo a ésta y ayudarla a pasar unos ratos más agradables. A menos que ustedes expresen claramente sus expectativas, tendrán problemas para trabajar como equipo. Es imposible trabajar desde una perspectiva común, si no comparten la perspectiva.

Resulta primordial que sean concientes de sus expectativas y estén dispuestos a evaluarlas y a discutirlas. De lo contrario, éstas tendrán el poder de desencadenar los problemas más graves de su relación. Y si no hablan de ellas abiertamente, también perderán la oportunidad de definir una visión mutua respecto a cómo quieren que sea su matrimonio.

Los ejercicios que presentaremos a continuación son tan importantes como todos los de este libro. Toma tiempo hacerlos bien. También es necesario hacerles un seguimiento. Esperamos que encuentren el tiempo y la motivación necesarias para hacer este trabajo. Si lo hacen, mejorarán su comprensión de las expectativas mutuas. Combinar el conocimiento con las habilidades que están aprendiendo puede tener un mayor impacto sobre la fortaleza de su relación, tanto ahora como en el futuro.

Consideramos que éste es uno de los capítulos más difíciles del libro. Además de realizar los ejercicios cuidadosamente, es posible que deban leer este capítulo varias veces. Insistimos en que piensen profundamente sobre sus expectativas claves y cómo afectan éstas su relación. En el próximo capítulo, nos adentraremos en el concepto del compromiso. Éste es un tema de gran importancia para las relaciones, y sobre el cual las personas tienen muchas expectativas.

♣ EJERCICIOS

Utilicen este ejercicio para explorar las expectativas que tienen sobre su relación. Dediquen algún tiempo a pensar cuidadosamente sobre cada tema. Luego escriban sus pensamientos de manera que puedan compartirlos con sus cónyuges. Cada uno de ustedes debe usar una libreta separada. Cada uno de los puntos a continuación pretende estimular su pensamiento. Usted puede tener expectativas en muchos otros campos. Por favor, analice todo lo que piensa que puede ser significativo para usted. Los frutos de este ejercicio no serán muchos, a menos que usted esté dispuesto a dedicarle un tiempo considerable. Muchas parejas han descubierto que este tipo de ejercicio es extremadamente beneficioso para su relación.

La meta es pensar en sus expectativas sobre cómo quiere o espera usted que sea su relación, no en cómo es, ni en cómo supone usted que será en el futuro. Escriba lo que espera, independientemente de que piense que esa expectativa es o no realista. La expectativa importa y afectará su relación, sea o no realista. Examine cada pregunta a la luz de lo que usted quiere para el futuro. Es esencial que escriba lo que realmente piensa, no lo que le parece correcto o "menos vergonzoso". También puede ser valioso pensar en lo que usted observó y aprendió en cada uno de estos campos en su hogar, cuando estaba creciendo. Probablemente, de ahí vienen muchas de sus ideas sobre lo que usted quiere.

1. Explore sus expectativas respecto a:

    a. La longevidad de esta relación. ¿Piensa usted que durará 'hasta que la muerte los separe'?

    b. Fidelidad sexual.

    c. Amor. ¿Espera que el amor dure para siempre? ¿Espera que cambie con el tiempo?

    d. Su relación sexual. ¿Cuáles son para usted la frecuencia deseada, las prácticas y los tabúes sexuales?

    e. Romance. ¿Qué cosa es romántica para usted?

    f. Hijos. ¿Quiere usted tener hijos? ¿Más hijos?

    g. Hijos de matrimonios anteriores. Si usted o su cónyuge tienen hijos de un matrimonio anterior, ¿dónde quiere usted que vivan ellos? ¿Cómo espera usted participar en la disciplina necesaria para educarlos? ¿Cómo encajan ellos en su nuevo matrimonio y en su estilo de vida?

    h. Trabajo, profesiones y provisión del ingreso. ¿Quién trabajará en el futuro? ¿Cuál profesión o trabajo es más importante? En caso de que tengan hijos o de que piensen tenerlos, ¿alguno de los cónyuges reducirá su tiempo de trabajo fuera del hogar para cuidarlos?

    i. El grado de dependencia emocional de cada cónyuge respecto del otro. ¿Quiere usted que lo cuiden? ¿Cómo? ¿En qué medida espera usted contar con su cónyuge para enfrentar los tiempos difíciles?

j.   Enfoque básico de la vida. ¿Como equipo? ¿Como dos individuos independientes?

k.   Lealtad. ¿Qué significa para usted?

l.   Comunicación sobre problemas en la relación. ¿Quiere hablar sobre ellos? De ser así, ¿cómo quiere hacerlo?

m.   Poder y control. ¿Quién espera usted que tenga más poder y en qué clase de decisiones? Por ejemplo, ¿quien controlará el dinero? ¿La disciplina de los niños? ¿Qué ocurrirá cuando ustedes estén en desacuerdo en un tema importante? ¿Quién tiene actualmente el poder, y qué siente usted a ese respecto?

n.   Tareas en el hogar. ¿Quién espera usted que haga qué? ¿Qué cantidad de trabajo en el hogar hará cada uno de ustedes en el futuro? Si ustedes viven juntos actualmente, ¿cómo compararía la distribución actual de este trabajo con la que usted espera en el futuro?

o.   Creencias y observancias religiosas. Sea específico con respecto a cuáles ritos espera usted observar, así como cuándo y dónde. Si usted no tiene hijos pero planea tenerlos, ¿en qué creencias piensa educarlos? Al final del capítulo catorce se le pedirá que explore estas expectativas con mucho mayor detalle.

p.   Tiempo juntos. ¿Cuánto tiempo quiere usted pasar en compañía de su cónyuge? ¿Solo? ¿Con amigos o con familiares, en el trabajo, etc?

q.   Compartir sentimientos. ¿En qué medida espera usted que los sentimientos de cada uno sean compartidos?

r.   Amistad con su cónyuge. ¿Qué es un amigo? ¿Qué significaría mantener o tener una amistad con su cónyuge?

s.   Las pequeñas cosas de la vida. ¿Por dónde aprieta el tubo de dentífrico? ¿Deja el asiento del inodoro arriba o abajo? ¿Quién envía tarjetas de navidad? Piense cuidadosamente sobre las pequeñas cosas que podrían irritarlo (o sobre las pequeñas cosas que estén funcionando realmente bien). ¿Qué quiere usted o qué espera usted en cada tema?

t. Perdón. ¿Qué tan importante es el perdón en su relación? ¿Cómo debería afectar el perdón a su relación?

u. Ahora que su mente contiene el trabajo que acaba de hacer, examine nuevamente las cuestiones ocultas que describimos en el capítulo anterior. ¿Ve usted otras formas en las cuales éstas puedan influir o ser influidas por sus expectativas? ¿Qué espera usted en los campos del poder, los cuidados, el reconocimiento, el compromiso, la integridad y la aceptación?

v. Haga una lista de todas las demás expectativas que tenga sobre cómo desea que sean las cosas que usted piensa que son importantes, y que no hayan sido enumeradas en esta lista.

2. Ahora regrese a cada una de las áreas que acabamos de enumerar y califique cada expectativa en una escala de 1 a 10, dependiendo de qué tan razonable le parezca que es esa expectativa. En esta escala, 10 significa "Completamente razonable: realmente pienso que está bien esperar esto en esta clase de relación". Y 1 significa "Completamente irracional: honestamente puedo decir que aunque puedo esperar o querer esto, no es una expectativa razonable en esta clase de relación". Por ejemplo, suponga que usted creció en el seno de una familia en donde los problemas no se discutían, y usted es consciente de que honestamente prefiere evitar tales discusiones. Usted podría ahora calificar esa expectativa como muy poco racional.

Ahora señale cada una de las expectativas que usted cree que nunca ha discutido claramente con su cónyuge.

3. Después de que tanto usted como su cónyuge hayan tenido la oportunidad de trabajar en este ejercicio individualmente, dediquen un tiempo a discutir juntos estas expectativas. Por favor, no lo hagan todo de una sola vez. Deben planear una serie de discusiones y cubrir en cada una tan sólo una o dos expectativas. Discutan el grado

en el cual ustedes sintieron que esa expectativa que están discutiendo ha sido compartida en el pasado. Utilicen la técnica del hablante-oyente, de ser necesario, para que estas discusiones se mantengan claras y seguras y así puedan compartirlas realmente. La meta de estas discusiones es desarrollar una comprensión clara y completa de las expectativas y creencias de cada uno de los miembros de la pareja.

4. Conversen sobre la calificación que recibieron las expectativas, si son razonables o no razonables y discutan qué quieren hacer al respecto.

5. Conversen sobre cuál es su visión general y a largo plazo para la relación. ¿Qué expectativas comparten ustedes sobre el futuro común?

8

Cómo se debe entender el compromiso

Las PAREJAS QUE HAN PERMANECIDO FELIZMENTE CASADAS durante años
generalmente atribuyen su éxito a factores tales como el compromiso, la comunicación y la amistad. Consideramos que el compromiso es un tema tan importante que le dedicaremos dos capítulos. En el contexto del capítulo anterior, el compromiso es un punto crítico para las relaciones —un punto que está relacionado con la forma como ustedes manejan el conflicto y también con sus expectativas para la relación.

Inicialmente, el compromiso no hacía parte del enfoque del PREP. Sin embargo, los interesantes descubrimientos de la investigación de Scott Stanley nos llevaron a incluir el compromiso como parte central del PREP. En nuestros seminarios, presentamos a Scott, quien ha obtenido reconocimiento nacional por su trabajo sobre el compromiso, como ¡el Doctor Compromiso!

El modelo que presentaremos en este capítulo les ayudará a pensar sobre la forma como el compromiso afecta su relación. Utilizarán los ejercicios que encontrarán al final de este capítulo para evaluar su compromiso con esa relación. Y, en el próximo capítulo, discutiremos las implicaciones claves del compromiso sobre la salud de la relación.

La mayoría de las parejas casadas considera que el compromiso es el pegante que los mantiene unidos. Tanto la clase como la profundidad de su compromiso tienen mucho que ver con sus probabilidades de permanecer juntos. Pero ha sido difícil para los investigadores estudiar el compromiso debido a que la gente tiene ideas muy diferentes respecto a él.

¿QUÉ ES COMPROMISO?

¿Qué viene a su mente cuando piensa en compromiso? Cuando hacemos esta pregunta en nuestros talleres, las respuestas más comunes de las parejas son:

Confianza	Pacto
Amor	Devoción
Lealtad	Dedicación
Obligación	Seguimiento
Determinación	Perseverancia
Permanecer ahí	Prioridad
Hasta que la muerte nos separe	Sacrificio
Trabajo en equipo	Fidelidad
Estar atrapado	Pegante
Ver un futuro	

Obviamente, a las personas se les vienen muchas cosas a la mente cuando se pone el tema del compromiso. Ésa es la razón por la cual necesitamos un marco que una estos conceptos para comprender el compromiso. Para lo cual analizaremos a dos parejas en detalle. Ambos matrimonios reflejan compromiso, pero el tipo de compromiso es muy diferente. Tome nota en qué se parecen y en qué se diferencian estos dos matrimonios.

FELIPE Y MARÍA PÉREZ: SINTIÉNDOSE ATRAPADOS EN SU RELACIÓN

Felipe y María tienen algo más de treinta años y llevan ocho de casados. Tienen un hijo de cuatro años y una hija de siete. Felipe está a cargo de la sección de carnes en un supermercado y María es secretaria de un médico. Como muchas parejas, iniciaron su matrimonio muy enamorados, pero han tenido que atravesar tiempos bastante difíciles. La crianza de dos niños ha resultado más difícil de lo que ellos esperaban. Este hecho, combinado con el estrés producido por cambios laborales importantes para ambos, los ha hecho sentirse cansados y distantes.

María ha pensado en el divorcio en más de una ocasión y frecuentemente piensa en abandonar a Felipe. Felipe también se siente infeliz con el matrimonio, pero no ha pensado que el divorcio sea una opción para ellos. Él tampoco ha pensado en ninguna manera de mejorar el matrimonio. Espera más de él pero no se lo ha dicho a María y cree que no serviría intentar acercarse a ella. Cuando él trata de hacer algo positivo, siente que ella lo evade. Siente angustia al pensar que ella pueda abandonarlo, pero supone que cualquier energía invertida en el matrimonio, en este momento, es un esfuerzo perdido. "Tal vez las cosas mejoren cuando los niños se vayan de la casa", piensa. "Simplemente debo perseverar y esperar lo mejor".

Tanto María como Felipe trabajan con personas que les parecen atractivas. Luis es un hombre soltero, bien parecido, que trabaja en la oficina con María y que ha dejado en claro que está interesado en ella. Ella ha estado pensando seriamente en tener una aventura con él y cada día piensa más y más en ello. María está muy consciente de los cambios que ha tenido a través de los años, y teme que Felipe nunca será la clase de persona con la que ella podría compartir el resto de su vida. Para toda la vida que ella ha esperado. Es más, siente que ella está aportando mucho más al matrimonio que Felipe, con muy poca retribución por su tiempo y su esfuerzo. Está resentida porque él no parece apreciar y aceptar todo lo que ha hecho por él. Como Felipe, piensa que no vale la pena hacer el esfuerzo de ensayar nada más.

Cuando María piensa en abandonar a Felipe, se le plantean preguntas difíciles. Primero, ella se pregunta cómo responderán los niños al divorcio. ¿Les hará daño? ¿Querrá Felipe la custodia? ¿Será difícil obtener el divorcio? ¿Tratará Felipe de detenerla? ¿Cómo harían para pagarle a los abogados? También se pregunta cómo podrá sostenerse solamente con su ingreso. ¿Quién se quedará con la casa? ¿Podrá uno de los dos sostener la casa separado del otro? ¿Felipe pagará el sostenimiento de los niños? ¿Si ella se casara nuevamente, otro hombre aceptaría a sus hijos?

Luego de evaluar estas preguntas, María decide que tal vez los costos de obtener el divorcio son mayores que los que ella quiere pagar, por lo menos por ahora. Claro está, ella está sufriendo, pero prefiere este sufrimiento al dolor y el estrés que le causaría el divorcio. Un sentimiento de desesperación la embarga. Se siente atrapada. Pero decide que quedarse es mejor que irse, aun cuando quedarse no sea para nada agradable.

ELVIRA Y MAURICIO CASTRO: UN COMPROMISO MÁS PROFUNDO

Elvira y Mauricio se casaron hace quince años. Tienen tres hijos, un niño de siete años, uno de once y una niña de trece. Aun cuando han tenido en ocasiones tiempos difíciles, tanto Elvira como Mauricio tienen pocos remordimientos por haberse casado. Se conocieron cuando ambos trabajaban para una importante compañía de seguros. Él estaba en ventas y ella había ido subiendo en la compañía hasta llegar a ser gerente del departamento de reclamos.

Sus hijos les imponen verdaderos desafíos. El segundo tiene graves problemas de aprendizaje y requiere atención y apoyo. Su hija mayor está empezando a dar señales de rebeldía, lo cual también es una causa de preocupación. A pesar de esto, Elvira y Mauricio usualmente cuentan con el apoyo mutuo para enfrentar las tareas de la vida. Mauricio, ocasionalmente, siente atracción por mujeres que conoce en su trabajo. Sin embargo, debido a su compromiso con Elvira, ha decidido no pensar en "qué tal sí?" Es feliz con ella y no quiere pensar en estar con nadie más.

Todo el mundo tiene quejas en algún momento en el matrimonio, pero para Elvira y Mauricio esas ocasiones son escasas. Ellos sienten un respeto genuino el uno por el otro y se quieren, hacen cosas juntos y conversan bastante abiertamente sobre lo que quieren de la vida y del matrimonio. Debido a sus creencias morales sobre el divorcio, se niegan a pensar en separarse, incluso cuando no se están llevando muy bien. Ambos están dispuestos a ayudar al otro a obtener lo que desea en la vida. En otras palabras, se consideran un equipo.

Como pueden ver, estas dos parejas tienen matrimonios muy distintos. Los Pérez son infelices mientras que los Castro están disfrutando la vida. Ambos matrimonios tienen probabilidades de seguir durante un tiempo, lo cual en sí mismo refleja algún tipo de compromiso. Pero no solamente el nivel de felicidad separa a estos dos matrimonios. Los Castro tienen un tipo de compromiso diferente y mucho más profundo. Para comprender la diferencia, necesitamos un modelo de compromiso muy amplio.

DEFINICIÓN DEL CONCEPTO DE COMPROMISO

Michael Juanson, un colega nuestro en la Universidad de Pensylvannia, señala una distinción útil en cuanto a la forma como usamos la palabra compromiso. La frase "Juan ciertamente está comprometido con su carrera", tiene un significado determinado. Usada en esta forma, la palabra comprometido expresa la dedicación de Juan a su trabajo. La segunda manera como usamos comúnmente esta palabra es en frases como "María adquirió el compromiso de organizar este proyecto, y ahora no puede incumplirlo". En esta acepción, compromiso tiene un sentido de obligación o lo que nosotros llamamos restricción. María no es libre de abandonar el proyecto. Basados en esta distinción, hemos encontrado que las definiciones siguientes son útiles para comprender las distintas clases de compromiso que la gente tiene en sus relaciones.

Un compromiso caracterizado por lo que llamamos dedicación personal indica el deseo de un individuo de mantener o mejorar la calidad de la relación, para el beneficio común de ambos cónyuges. La dedicación personal se refleja en un deseo intrínseco (y en los comportamientos asociados) no sólo de continuar en la relación, sino también de mejorarla, sacrificarse por ella, invertir en ella, vincular a ella las metas personales y buscar el bienestar del cónyuge, no simplemente el propio.

En contraste, un compromiso caracterizado por la obligación involucra fuerzas que mantienen a los individuos en las relaciones estén o no dedicados a ellas. Algunas veces, las personas permanecen en matrimonios en los cuales no son felices, y hasta abusan de ellas, debido a un compromiso por obligación o restricción. Otras parejas perciben el compromiso por obligación de manera positiva; éste le añade un nivel de estabilidad a la relación. Un compromiso de carácter obligatorio puede surgir ya sea de presiones externas o internas. En general, la obligación hace que terminar una relación sea más costoso desde el punto de vista económico, social, personal o psicológico.

Felipe y María Pérez tienen un compromiso caracterizado por la obligatoriedad. María en particular está sintiendo que tiene gran cantidad de obligación y muy poca dedicación. Ella se siente forzada a permanecer en un matrimonio que no es satisfactorio por muchas razones —los niños, el dinero, la presión familiar, etc. Felipe también tiene un compromiso altamente obligatorio y de poca dedicación, aunque él está menos insatisfecho con su vida diaria.

Al igual que María y Felipe, Elvira y Mauricio tienen un compromiso por obligación, pero también tienen un sentido permanente de dedicación mutua. Cualquier matrimonio próspero tendrá un nivel significativo de obligación con el tiempo. De hecho, las parejas más dedicadas y más felices tienen la misma probabilidad de tener obligaciones considerables, que las parejas menos dedicadas y menos felices, en momentos similares de sus vidas. Las parejas más felices simplemente no piensan mucho en las obligaciones y, cuando lo hacen, con frecuencia éstas los reconfortan. Unidas, las fuerzas de obligación y dedicación producen un pegante que ayuda a las parejas a enfrentar los momentos más difíciles. Este pegante le da a las parejas como los Castro, una sensación agradable de sentirse arraigados, juntos en la complejidad de la vida.

Tómense un momento y reflexionen en la lista que les vino a la mente cuando pensaron sobre el compromiso. Términos como lealtad, confianza, devoción, sacrificio y prioridad se relacionan con lo que nosotros llamamos la dedicación personal. Términos como obligación, hasta que la muerte nos separe, pacto y atrapado se relacionan con lo que nosotros llamamos compromiso obligatorio o restrictivo.

Tome nota de que términos tales como pegante, perseverancia, seguimiento, ver un futuro, y permanecer ahí pertenecen a ambas categorías. Estos términos reflejan el efecto general de un compromiso con bases amplias caracterizado tanto por la dedicación como por la obligación —esto es lo que llamamos tener una visión a largo plazo.

Veamos con más detalle cómo operan la obligación y la dedicación en las relaciones.

EL COMPROMISO POR OBLIGACIÓN

Los teóricos e investigadores sólo recientemente han identificado los factores que son característicos del compromiso en las relaciones. Estas dimensiones están empezando a ser descritas en la literatura de investigación, especialmente en el trabajo de Michael Juanson en la Universidad del Estado de Pennsylvania y de Caryl Rusbult en la Universidad de Carolina del Norte, así como en nuestros estudios en la Universidad de Denver.

A medida que avancemos en el análisis de estos factores, vayan considerando la clase y el nivel de compromiso que tienen ustedes en su relación. Al final del capítulo, tendrán la oportunidad de evaluar su propio nivel de compromiso. Tengan en mente que muchas de las dimensiones que analizaremos también podrían ser entendidas como áreas en las cuales las personas tienen importantes expectativas sobre cómo deben ser las cosas. Como lo explicamos en el capítulo siete, las diferencias en las expectativas que no son manejadas adecuadamente, pueden producir muchos problemas. Hay dos clases de obligaciones que debemos considerar: morales y pragmáticas. Describiremos las dimensiones de estos tipos específicos como sigue.

OBLIGACIONES MORALES

Algunas obligaciones tienen un sabor moral. Nos concentraremos en éstas para comenzar.

La inmoralidad del divorcio se refiere a la creencia de que el divorcio es, en general, moralmente erróneo. Algunas personas así lo creen; otras no. Las personas casadas que creen en esto tienen más probabilidad de permanecer en su matrimonio. La investigación muestra que quienes tienen creencias religiosas tradicionales más fuertes, presentan mayor probabilidad de creer que divorciarse está mal. Quienes anteriormente han estado divorciados, tienen menor probabilidad de pensar así que aquéllos que nunca se han divorciado.

Por la forma como fueron criados Felipe y María, ninguno de los dos tiene una fuerte objeción moral hacia el divorcio *per se*. Son otros los factores que inciden en mayor medida sobre su nivel de obligación.

En contraste, Mauricio y Elvira creen que el divorcio es generalmente inaceptable. En este sentido, ellos tienen un mayor nivel de compromiso obligatorio que Felipe y María.

El metacompromiso es otro tipo de obligación moral que se relaciona con la creencia de que lo que se empieza se debe terminar. El metacompromiso significa compromiso con el compromiso. Hemos conocido personas que dicen que permanecen comprometidas, en parte, porque no quieren ser "desertores". Esta clase de creencia puede funcionar como un elemento de obligación, si se piensa que es necesario seguir tratando de sacar adelante el matrimonio. Una pareja que asistió a nuestros talleres de trabajo nos dijo que estaba en su tercer matrimonio. Decían que preferían morir antes que permitir que este matrimonio fracasara. Sobra decir que parecían muy motivados a escuchar todo lo que teníamos para contarles sobre el PREP.

Esta dimensión se relaciona menos con los estándares religiosos que con un sistema individual de valores. Felipe Pérez no es particularmente religioso, pero tiene un fuerte sentido del deber. Él no se da por vencido, pero infortunadamente, no parece saber qué hacer que pueda ser constructivo.

La preocupación por el bienestar de los niños es otro tema clave que tiene un sabor moral. Muchas personas permanecen casadas porque creen que es lo mejor para sus hijos. Ésta parece ser una de las mayores preocupaciones de María Pérez respecto al divorcio. Ella está especialmente preocupada por los efectos que pueden tener sobre sus hijos la custodia, los arreglos para vivir y el estándar de vida. Elvira y Mauricio Castro estarían igualmente preocupados por el impacto del divorcio sobre sus hijos —si estuvieran pensando en ello. En efecto, tendrían la misma sensación de obligación, pero debido a que no son infelices, no hay que pensar en ello.

La preocupación por el bienestar del cónyuge puede ser otra forma de obligación. Al igual que la preocupación por los hijos, el énfasis aquí está en el deseo de evitar hacerle daño a los demás. Hemos dialogado con muchas parejas para quienes ésta era una obligación importante y lo único que estaba manteniendo la relación unida. Un hombre nos dijo,

"Yo realmente quisiera dejar a Sara. No me siento feliz con ella, pero me preocupo tanto por ella que no quisiera destruirla con un divorcio". Su corazón no estaba realmente en el matrimonio, pero no quería causarle a su esposa, ni a sí mismo, el dolor que un divorcio podría traerles.

Todos los tipos de obligación mencionados anteriormente provienen de un sentido de compasión, culpa o deber, a menudo combinados. Ahora describiremos otras dimensiones de la obligación que tienen un sabor más pragmático que moral.

LAS OBLIGACIONES PRAGMÁTICAS

Estas obligaciones atañen a su percepción de lo que puede ser ganado o perdido si usted acaba con su relación.

Las inversiones irrecuperables producen un determinado tipo de obligación. La clave aquí es la percepción de las inversiones que se perderán si la relación se acaba. Estas inversiones pueden ser posesiones físicas o elementos menos tangibles.

Algunas parejas deciden permanecer juntas debido a que no soportan dividir algunas posesiones claves. Por ejemplo, muchas personas están muy aferradas a su casa; comprenden que si se divorcian ninguno de los dos podrá quedarse en la casa y sostenerla con un solo ingreso, y por eso permanecen juntas. Conocemos parejas que han tratado de divorciarse y seguir viviendo en la misma casa. Eso no funciona. Hace un par de años, este experimento fue hecho por una pareja en la película *The War of the Roses* [La guerra de los Roses]. Los Roses dividieron su hogar en áreas "rojas" (las de él) y en áreas "verdes" (las de ella) con "cuotas de tiempo compartido" para el uso de la cocina. El señor Rose piensa que salió ganando con este arreglo, y se jacta ante su abogado, "tengo más pies cuadrados". ¡Ése es un gran compromiso —con la casa!

Las inversiones menos tangibles tienen que ver con el nivel de comodidad de una persona con patrones previsibles. Usted puede sentir que ha invertido gran energía en lograr que su pareja y usted se ajusten el uno al otro y no desea volver a tener que pasar por el forcejeo de las pequeñas cosas de la vida. O puede que usted se sienta cómodo por el hecho de saber que su cónyuge lo comprende muy bien, debido a la cantidad de tiempo que ha invertido en compartir su vida con él. La clave aquí es que usted ha dedicado una cantidad de tiempo y energía a la relación y esta inversión se perderá si todo termina. Ésta es una motivación para mantener la relación.

Felipe deriva bienestar de la rutina de su vida con María. Puede que hayan perdido algo, pero él no está interesado en comenzar nuevamente con otra persona. Aun cuando ha empezado a preguntarse si vale la pena invertir más energía en el matrimonio, no está dispuesto a perder lo que hasta ahora ha acumulado en la relación. Elvira y Mauricio también han invertido mucho el uno en el otro, y esto incrementa su compromiso por obligación. Ninguno de los dos quisiera perder lo que tiene. Para ellos, la inversión es simplemente otra evidencia de su constante dedicación.

La presión social se refiere a las fuerzas que ejercen terceras personas sobre las parejas para mantener la relación. La presión social será mayor si ustedes, como pareja, conocen a muchas personas que quieren que su relación continúe. Una mujer que conocimos en un taller de trabajo nos comentó privadamente, "Si alguna vez yo dejara a Alfredo, mis padres me matarían. A veces pienso que él les gusta más que yo". Ella no estaba pensando activamente en el divorcio, pero cuando el pensamiento cruzó su mente, estaba muy consciente de cuán desagradados se sentirían sus padres si ella abandonara a Alfredo.

Ésta es un área en donde hay gran similitud entre los Pérez y los Castro. Ambas parejas llevan juntas bastante tiempo, tienen hijos y muchos amigos y familiares que se disgustarían mucho si ellos se separaran. En ambos casos, sus amigos y familiares cuestionarían la conveniencia de terminar el matrimonio.

La mayoría de las parejas cree que sus amigos y familiares quieren que la relación continúe. Esto usualmente es así, a menos que el matrimonio sea claramente muy perjudicial en alguna forma, como en caso de que haya abuso o infidelidad. Las parejas además sienten mayor presión social si llevan más tiempo juntas. El tiempo que han pasado juntos y los cambios tales como haber tenido hijos aumentan lo que está en juego. Los efectos de la presión social pueden explicar por qué tantas parejas terminan convirtiéndose en monstruos para sus amigos o familiares durante una separación o un divorcio. Las declaraciones acerca de lo terrible que es su cónyuge sirven para disminuir la presión para que traten de llegar a un arreglo. Algunas personas sí han sido realmente terribles con sus cónyuges; pero, en otros casos, estas quejas se exageran para reducir la presión social.

Cuando una persona ha despotricado contra su cónyuge y, más tarde, trata de hacer que su matrimonio funcione, probablemente será condenada por volver a unirse. Tuvimos un caso en el cual los esposos habían hablado tan mal el uno del otro que sus amigos y familiares prácticamente los repudiaron por intentar, posteriormente, que su matrimonio funcionara. Cada uno de ellos había descrito al otro como un monstruo abusador, pero cuando su conflicto se arregló, ninguno de los dos siguió viendo al otro bajo esa luz. A menos que usted esté contemplando definitivamente el divorcio, sea cuidadoso respecto a lo que les dice a sus amigos y familiares durante los períodos de conflicto grave.

Los procedimientos para terminar con una relación hacen referencia a los pasos inmediatos que se necesitan para darle fin una relación. En este caso, el problema no está en las consecuencias a largo plazo de irse, sino en la dificultad de los pasos específicos requeridos para terminar la relación. Terminar una relación casual puede ser tan fácil como evitar fijar una nueva cita, pero terminar un matrimonio requiere negociaciones legales, cambios de residencia y aclaraciones financieras detalladas. Mientras más grandes sean estos problemas, más probable es que las personas permanezcan en sus relaciones.

María Pérez está muy concentrada en este tipo de problemas. Ella ha evaluado los pasos legales requeridos y la probabilidad de que Felipe se oponga al divorcio. Éste es un factor desconocido para ella, pero sospecha que estos pasos serán difíciles, y no está preparada para darlos. Los pasos serían igualmente difíciles para Mauricio y Elvira, si tuvieran la intención de divorciarse, pero no la tienen.

La calidad de las alternativas es una dimensión muy importante que hay que considerar, al hablar del compromiso por obligación. De hecho, es posible pensar que el compromiso equivale a escoger una alternativa entre varias. En general, mientras más pobres sean las alternativas, mayor es la obligación. Ésta dimensión representa el grado de infelicidad de una persona frente a uno o a todos los cambios que ocurrirían en su vida si su relación terminara: residencia, status económico, amistades, etc.

No es posible sopesar las alternativas en el vacío. Cuando una persona piensa en ellas, las compara con su actual calidad de vida. Dos dimensiones claves que se relacionan con el estilo de vida alternativo son las dimensiones económicas y sociales. Nos concentraremos en ellas separadamente.

La dependencia económica es un compromiso por obligación clave que cae dentro de la categoría general de la calidad de las alternativas. Algunas personas permanecen en sus relaciones porque no tienen los medios —o no quieren tenerlos— para vivir sin sus cónyuges. Aun cuando la situación actual pueda ser desagradable, las alternativas parecen peores —lo cual aumenta la restricción. Tanto en el caso de los Pérez como en el de los Castro, terminar con el matrimonio conduciría a la reducción del estándar de vida. En términos económicos, las mujeres tienden a perder más que los hombres en un divorcio y tienen mucha mayor probabilidad de terminar viviendo al borde de la pobreza. De hecho, el divorcio y las complicaciones de las disputas por el sostenimiento de los hijos son una causa importante de empobrecimiento para las madres y los hijos.

Las investigaciones muestran que el estándar de vida de una mujer tiende a bajar en un 74% después del divorcio, mientras que el del hombre tiende a subir. No es sorprendente que, dado que las mujeres han tenido logros financieros en nuestra cultura, la probabilidad de que abandonen a sus maridos es mayor ahora que en el pasado. María está especialmente consciente de la relevancia de esta obligación en su vida. Ella tiene un trabajo decente con un buen ingreso, pero un ingreso no produce el mismo nivel de vida que dos. La elección entre la seguridad financiera y vivir en la escasez es obvia para muchas personas.

La falta de disponibilidad de otra pareja se refiere a la obligación social que proviene de la percepción de que si usted abandona a su cónyuge actual no encontrará a nadie más disponible. En general, es más probable que usted permanezca en su relación actual si percibe que sus alternativas son escasas, suponiendo, claro está, que desee otra relación. A medida que las personas envejecen, tienen mayor probabilidad de creer que hay menos parejas disponibles para ellas. Esta percepción probablemente afecta más a la mujer que al hombre, puesto que hay menos hombres que mujeres en los grupos de personas más viejas. Sin embargo, esta estadística tiene un contrapeso, ya las mujeres tienen menor probabilidad que los hombres de querer otro cónyuge después del divorcio o de la muerte. Sin embargo, si usted quiere tener una relación pero percibe que las otras opciones son poco atractivas, tiene mayor probabilidad de permanecer en la que está.

Aquí la percepción es más importante que la realidad. Sea cual sea la realidad, María está teniendo en cuenta esta consideración en su pensamiento. Felipe no está considerando abandonarla, por lo tanto, no ha pensado mucho en la disponibilidad de otras mujeres. Y debido a que los Castro son bastantes felices el uno con el otro, la disponibilidad de otras parejas ni siquiera entra en juego.

Vemos que tanto los Castro como los Pérez tienen un alto grado de compromiso por obligación. Esto les da a los Castro una sensación de estabilidad, mientras que los Pérez se sienten atrapados. Hay una gran diferencia en sus niveles de satisfacción. Pero eso no es todo; hay también una gran diferencia en sus niveles de compromiso por dedicación. Ahora exploraremos lo que esto significa.

EL COMPROMISO POR DEDICACIÓN PERSONAL

Como en el caso de la obligación, queremos ayudarlos a comprender la dedicación, describiendo los ingredientes que son consistentes con una dedicación completamente desarrollada en las relaciones.

Desear el largo plazo significa querer que la relación continúe en el futuro. ¿Quiere usted envejecer con su cónyuge? Querer estar con su pareja en el futuro es una parte fundamental de la dedicación en nuestro modelo. Existe tanto una expectativa como un deseo de que la relación tenga un futuro. Como lo discutiremos en detalle en el próximo capítulo, la expectativa a largo plazo de que una relación continúe, juega un papel importante en la calidad de la cotidianidad de esa relación.

María Pérez no está entusiasmada con la idea de que su matrimonio continúe. Probablemente continuará por ahora, pero eso no es lo que ella quiere. Felipe también es infeliz, pero quiere que el matrimonio continúe. Tanto María como Felipe quieren que su matrimonio continúe. De hecho, conversan mucho sobre su "futuro juntos", lo cual refleja su dedicación mutua. Cuando las parejas tienen una fuerte dedicación, conversan sobre sus planes para el futuro.

La prioridad de la relación se refiere a la importancia que usted le da a su relación en comparación con todo lo demás. Cuando las personas están más dedicadas a sus cónyuges y a sus relaciones, viven y se comportan en formas que lo demuestran. Muchas personas están tan involucradas con el trabajo, las aficiones o los hijos que la relación pasa a un segundo lugar. En cierto grado, esto puede reflejar un problema de exceso de compromiso en otra cosa, así como de la falta de dedicación.

En algún momento, todos tenemos que aceptar que la forma como vivimos refleja lo que es más importante para nosotros. Infortunadamente, los Pérez han permitido que su matrimonio se convierta en una prioridad menor y están sufriendo por esto. En verdad, su matrimonio no es tan malo, simplemente está muy descuidado. Piensan que ya no vale la pena trabajar por él. Si una pareja desea salir adelante, tiene que cambiar este patrón.

La actitud de los Castro muestra que cada uno de ellos es realmente importante para el otro. En ocasiones Mauricio se molesta con el exceso de entrega a su trabajo por parte de Elvira, pero no duda seriamente que él sea importante para ella. De la misma manera, Elvira algunas veces piensa que Mauricio está demasiado involucrado en los deportes con "sus amigos", pero reconoce, no obstante, su dedicación para con ella y su familia.

La noción de "Nosotros" se refiere al grado en el cual las parejas participan en su relación como equipo y no como dos individuos separados que se concentran principalmente en lo que es mejor para sí mismos. Cuando se habla de una relación, la noción de "nosotros" trasciende a la noción del yo. Resulta crucial tener un sentido de una identidad entre los dos si se espera que la relación crezca y sea satisfactoria. Si no se tiene este sentido de ser un equipo, hay mayor probabilidad de conflicto porque los problemas enfrentan al uno contra el otro, en vez de que "nosotros" estemos frente al problema.

En el capítulo seis describimos a una pareja compuesta por dos ejecutivos que tenían su propio negocio. Sin embargo, al describir su organización a otras personas, el marido declaró que él era el único alto ejecutivo de la firma, lo cual no era cierto. Su descripción de su negocio demuestra que él no pensaba en que ellos eran un equipo. Este suceso, sin duda, desencadenó importantes puntos de conflicto ocultos que tenían que ver con el reconocimiento, el compromiso y la aceptación en su relación.

La forma como las parejas manejan sus finanzas refleja con frecuencia hasta qué punto funcionan como un equipo. Por ejemplo, las parejas que manejan sus finanzas en común tienen menor probabilidad de separarse. Una pareja en su segundo matrimonio nos contó sus interminables discusiones sobre "mi dinero" y "tu dinero". Al igual que muchas otras parejas, habían tratado de mantener presupuestos separados, pero como todos sabemos, lo que una persona hace financieramente afecta a la otra, como ocurre en todos los demás aspectos del matrimonio.

No estamos diciendo que su matrimonio esté en problemas si ustedes mantienen sus finanzas separadas. Pero podrá haber problemas en el futuro si tienen un sentido exagerado de "lo mío" *versus* "lo tuyo". Esta actitud puede aumentar el conflicto y la competencia, puesto que cuando no hay una sensación clara de que se hace parte de un equipo, puntos de conflicto más profundos como los cuidados, el reconocimiento y el control se desencadenan más fácilmente.

No estamos sugiriendo que usted funda su identidad con la de su pareja. Lo que estamos diciendo es que es sano tener un claro sentido de sí mismos como dos individuos que se unen para formar un equipo, y que las metas del equipo son importantes. ¡Qué gran diferencia hace esto sobre la forma como se ve la vida!

Hay una gran diferencia entre el matrimonio de los Pérez y el de los Castro en esta dimensión. Felipe y María y se sienten muy solos; no tienen una sensación constante de ser un equipo que trabaja y lucha unido contra los avatares de la vida. En contraste, los Castro se sienten reconfortados por una historia de trabajo compartido.

La satisfacción por el sacrificio es el grado de satisfacción que obtienen las personas al hacer cosas que son para beneficio de su cónyuge. El punto no es hallar placer en el martirio, sino dar de sí mismo para beneficio de su cónyuge. Hablaremos un poco más sobre el martirio en el próximo capítulo.

La satisfacción por el sacrificio es una de las pocas dimensiones en nuestro estudio en donde hemos encontrado diferencias relativamente grandes entre los hombres y las mujeres: las mujeres reportaron menor satisfacción por el hecho de sacrificarse que sus cónyuges. Creemos que esto se debe a factores culturales. Se espera que las mujeres den mayor prioridad a sus relaciones y, por lo tanto, se sacrifiquen más por su pareja, pero obtienen menor reconocimiento por los sacrificios que hacen. Cuando un hombre se sacrifica, resulta más llamativo, tanto para él como para su esposa, porque no es algo esperado. Los hombres reciben más reconocimiento y, como resultado, pueden derivar más placer cuando hacen sacrificios.

No obstante, las relaciones son generalmente más fuertes si ambos cónyuges están dispuestos a hacer sacrificios, como en el caso de Elvira y Mauricio. Ésta puede ser una idea anticuada, pero la investigación sugiere que algún grado de sacrificio es un aspecto normal y saludable de una relación sólida. En ausencia de una actitud de sacrificio, ¿qué tienen ustedes? Tienen una relación en la cual por lo menos uno de ustedes dos está en ella principalmente por lo que puede obtener de ella. Ésa no es una buena receta para la satisfacción ni para el crecimiento.

Felipe y María han dejado de darse el uno al otro. Felipe piensa que no obtendrá nada si da más, y María siente que ya está dando más de lo que le corresponde. Ninguno de los dos siente el deseo de sacrificar nada en este momento. Ambos creen que están perdiendo mucho con sólo estar allí.

Buscar una nueva pareja se refiere a una noción que ha sido discutida por varios teóricos del compromiso. En nuestra investigación, nos hemos concentrado específicamente en el aspecto de las parejas alternativas potenciales. Mientras más atracción se sienta hacia parejas potenciales, menor dedicación personal se da a la pareja actual. ¿Ha estado usted pensando seriamente en estar con otras personas distintas de su cónyuge? Hacemos énfasis en "seriamente" porque casi todo el mundo se siente atraído hacia otras personas, de vez en cuando. La dedicación está en peligro cuando esta atracción hacia otro se ha vuelto intensa, y especialmente cuando se tiene una persona particular en mente. Un estudio mostró que las personas que están realmente dedicadas a su relación desvalorizan mentalmente a otras parejas potencialmente atractivas.

Mauricio se ha sentido tentado, una o dos veces, por mujeres con las cuales ha trabajado en el curso de los años. En un momento dado trabajó con una mujer llamada Nancy, hacia la cual se sintió muy atraído. Estaba consciente de esta atracción y consideraba que era una amenaza para su matrimonio. Como un acto de voluntad, decidió no pensar en Nancy ni en lo que le gustaba de ella. Algunas veces pensaba en lo que no le parecía suficientemente bueno de ella en comparación con Elvira. No se trata de que Nancy no fuera una excelente mujer —parecía serlo— pero él no tenía ningún interés en pensar en ella, debido a su compromiso con Elvira. El punto es que cuando usted se siente tentado, puede elegir mirar y pensar menos en las alternativas atractivas. En otras palabras, esto es lo mismo que concentrarse en pensar por qué el pasto no es más verde del otro lado de la cerca.

En el campo de la salud mental y de la asesoría matrimonial, los profesionales a menudo le dicen a la gente que fantasear (sexualmente o de otra forma) no es perjudicial. Usted puede estar o no de acuerdo con esto. Sin embargo, la investigación mencionada sugiere que fantasear regularmente sobre parejas alternativas reales y disponibles puede ser peligroso para su matrimonio. Algunas personas han sugerido que esto equivale a ejercer control de pensamiento, y que nosotros les estamos diciendo sobre qué pensar. Pero no es así. No tenemos interés en controlar lo que usted hace o piensa, pero sí queremos que sepa lo que tienden a hacer las parejas más felices. Si usted descubre que piensa mucho en estar con alguien distinto, ésta es una señal de peligro. De usted depende qué tanta energía mental dedica a pensar en "¿qué tal si?" y qué tanta dedica a hacer que su relación actual dé sus máximos frutos.

Muy a menudo, cuando María Pérez ve a Luis en su oficina, piensa en estar con él. Ella pasa cada vez más tiempo pensando "¿qué tal si?"

Incluso, ha pensado en tener una aventura con él, para "poner a prueba" esa relación. Felipe también ha considerado a otras mujeres. La diferencia clave entre los dos, en este campo, es que nadie está tentando a Felipe actualmente. Si María y Felipe quieren recuperar un matrimonio profundamente satisfactorio, ambos necesitan dedicar su energía mental a mejorar su relación, no a fantasías del tipo "¿qué tal si?".

¿Está usted pensando seriamente en estar con otra persona? Si su relación está al borde de acabarse o si su pareja lo está dejando, es perfectamente lógico que se pregunte "¿qué tal si?". Si usted está planeando tener un matrimonio sólido, concéntrese en podar el césped de su jardín y no en soñar con el pasto del otro lado de la cerca.

¿CÓMO SE DESARROLLA EL COMPROMISO? ¿CÓMO MUERE LA DEDICACIÓN?

Se cree que la dedicación se desarrolla en la relación principalmente a partir de la atracción y la satisfacción iniciales de la pareja. Piense en cómo se inició su relación. Debido a que les gustaba estar juntos, empezaron a dedicarse más a estar juntos. Cuando su dedicación se volvió más aparente, tal vez notaron que se sintieron más relajados respecto a la relación. En la mayoría de las relaciones, hay un período delicado en el cual el deseo de estar juntos es grande, pero el compromiso no es claro. Eso produce ansiedad pues no saben si permanecerán o no juntos. Cuando la dedicación mutua se vuelve más clara, parece más seguro invertir en la relación.

Debido a su dedicación, ustedes hicieron cosas que aumentaron sus obligaciones. Esencialmente, la dedicación de hoy se convierte en obligación de mañana. Por ejemplo, a medida que la dedicación crece, una pareja decidirá pasar de una relación informal a una relación de compromiso. Cuando la dedicación crece aún más, deciden casarse y luego, tal vez, tener hijos. Cada uno de estos pasos, tomado como un reflejo de la dedicación, incrementa la obligación. Ustedes pueden haber dado algunos de estos pasos en su relación.

Las investigaciones muestran que las parejas que se encuentran en diferentes puntos del desarrollo, presentan diferencias previsibles en sus niveles de obligación en la mayoría de las dimensiones mencionadas anteriormente. Por eso decimos que es natural que los niveles de obligación aumenten en el matrimonio. Como en el caso de los Castro, las parejas que son más dedicadas, tienden a estar más satisfechas con su matrimonio. La relación entre satisfacción y dedicación es recíproca. Una mayor dedicación usualmente llevará a una mayor satisfacción y la dedicación nace de la satisfacción. Además, cuando las personas están realmente dedicadas tienen mayor probabilidad de comportarse de maneras que protejan su matrimonio y agraden a su cónyuge, por eso el efecto sobre la satisfacción es positivo. Es muy agradable saber que su cónyuge realmente se interesa en usted y protege la relación de otras alternativas en la vida.

Los estudios muestran que la mayoría de las parejas tiene altos niveles de dedicación al comienzo, durante la etapa del compromiso o al comienzo del matrimonio. ¿Qué ocurre para que esta dedicación muera en algunas parejas con el tiempo? Por una parte, si el conflicto no se maneja bien, la satisfacción que produce el matrimonio disminuirá permanentemente. Puesto que la satisfacción alimenta, en parte, la dedicación, ésta empieza a lesionarse al mismo tiempo que la satisfacción. Cuando la dedicación está en peligro, la entrega mutua se erosiona aún más y la satisfacción tiende a declinar rápidamente.

Pero eso no es todo. La dedicación no se relaciona únicamente con la felicidad. También está basada en las elecciones personales, los valores y la confianza. Para algunas personas puede ser más fácil que para otras mantener la clase de compromiso reflejada en las dimensiones de dedicación discutidas aquí. Lo que es más importante aún, pensamos nosotros, es que la dedicación se erosiona cuando las personas empiezan a sentir que su esfuerzo no tiene ningún efecto. Ésta es otra forma en la cual los conflictos mal manejados matan el matrimonio. Las parejas empiezan a creer que no importa la cantidad de dedicación y se vuelve cada vez más difícil intentarlo. Cuando así sucede, la pareja emprende el camino hacia un matrimonio con un alto grado de obligación, un bajo grado de dedicación y un bajo grado de satisfacción o hacia el divorcio. Ahí no es donde queremos estar la mayoría de nosotros.

El secreto de un compromiso satisfactorio es mantener no sólo la obligación sino altos niveles de dedicación. Aun cuando el compromiso obligatorio puede añadir una dimensión positiva y estabilizadora a su matrimonio, no le asegura una magnífica relación. Por otra parte, la dedicación es la parte del compromiso que está asociada con una relación sana, satisfactoria y próspera. De hecho, las parejas dedicadas no sólo cuentan que su relación es más satisfactoria, sino que también hay menor conflicto y mayores niveles de apertura. ¿Está usted simplemente adornando su relación, o está haciendo de ella lo que usted esperaba que fuera?

Usted tiene la opción de hacer que su matrimonio sea una prioridad importante. Usted tiene la opción de sacrificarse más en ciertos momentos por su cónyuge y de proteger su relación de alternativas atractivas. Fundamentalmente, éstas son cuestiones de voluntad. Reconocemos que, en algunas relaciones, aumentar la dedicación al cónyuge no hará una diferencia significativa. Sin embargo, con mayor frecuencia el cónyuge responderá positivamente —y con la misma moneda— ante la evidencia de la dedicación.

En el próximo capítulo discutiremos importantes implicaciones del compromiso y les mostraremos cómo construir un matrimonio más sólido. Pero antes de seguir avanzando, queremos darles la oportunidad de evaluar su compromiso con su relación.

♣ EJERCICIOS

Sobre la base de lo que han leído hasta el momento, deben tener ya alguna idea de sus niveles de obligación y dedicación. Los siguientes ejercicios los ayudarán a afinar sus impresiones.

En nuestras investigaciones, les hacemos a las parejas un gran número de preguntas que nos ayudan a evaluar su compromiso. Se podrán hacer una idea clara de cómo es su compromiso, cuando respondan las preguntas a continuación. No recomendamos que escriba sus respuestas en este libro y sugerimos que guarde las respuestas para usted mismo. Estos ejercicios son mejores si los realiza individualmente, para su propia reflexión. Solamente se les pedirá que comparen sus notas en los ejercicios sobre prioridades.

EVALUACIÓN DEL COMPROMISO POR OBLIGACIÓN

Responda a cada punto señalando un número para indicar qué tan cierta le parece a usted la afirmación. Utilice la siguiente escala para su respuesta:

1 = Desacuerdo enfático, 4 = Ni acuerdo, ni desacuerdo, y 7 = Acuerdo enfático.

1 2 3 4 5 6 7 Los pasos que tendría que dar para acabar esta relación requerirían una gran cantidad de tiempo y esfuerzo.

1 2 3 4 5 6 7 Un matrimonio es un vínculo sagrado entre dos personas que no debe romperse.

1 2 3 4 5 6 7 Tendría problemas para encontrar una pareja adecuada si esta relación terminara.

1 2 3 4 5 6 7 Mis amigos o mi familia realmente quieren que esta relación funcione.

1 2 3 4 5 6 7 Perdería posesiones valiosas si abandonara a mi cónyuge.

1 2 3 4 5 6 7 Mi cónyuge quedaría emocionalmente destrozado si yo me fuera, por eso, aun cuando quisiera irme, tal vez no llegaría a hacerlo.

1 2 3 4 5 6 7 Yo no podría salir adelante económicamente, si nos separáramos o nos divorciáramos.

1 2 3 4 5 6 7 Mi estilo de vida desmejoraría en muchos aspectos si dejara a mi cónyuge.

1 2 3 4 5 6 7 Me siento atrapado en esta relación.

1 2 3 4 5 6 7 Es importante terminar lo que se ha comenzado, no importa lo que ocurra.

Sus respuestas a estas pocas preguntas pueden decirle mucho. No podemos darle un resultado promedio sobre estos puntos, porque no los utilizamos en esa forma en nuestra investigación. Pero es obvio que mientras más alto sea el puntaje, mayor es el nivel de obligación. De todas formas, queremos que use sus respuestas para reflexionar. ¿Está usted consciente de las obligaciones? ¿Qué tan importantes parecen ser? ¿Qué clase de obligación parece ser la más importante?

Lo más importante es: ¿Se siente usted atrapado? Casi todo el mundo se siente así ocasionalmente y eso es normal. Pero tal vez sea más preocupante si usted se siente atrapado frecuentemente. Tener un alto nivel de obligación, sin sentirse atrapado, es normal en un matrimonio saludable. Los mejores matrimonios están constituidos por dos personas que están ambas dedicadas la una a la otra y que se sienten cómodas con la estabilidad que nace de la obligación.

EVALUACIÓN DEL COMPROMISO POR DEDICACIÓN

Los siguientes puntos lo ayudarán a evaluar su nivel de dedicación.

Responda a cada punto señalando un número para indicar qué tan cierta le parece a usted la afirmación. Utilice la siguiente escala para su respuesta:

1 = Desacuerdo enfático, 4 = Ni acuerdo, ni desacuerdo y 7 = Acuerdo enfático.

1 2 3 4 5 6 7 Mi relación con mi cónyuge es más importante para mí que casi cualquier otra cosa en mi vida.

1 2 3 4 5 6 7 Quiero que esta relación permanezca sólida independientemente de que tengamos que enfrentar tiempos difíciles.

1 2 3 4 5 6 7 Me siento bien cuando me sacrifico por mi cónyuge.

1 2 3 4 5 6 7 Me gusta pensar sobre mi cónyuge y yo más en términos de "nosotros" que de "él" o "ella" y "yo".

1 2 3 4 5 6 7 No me siento seriamente atraído por nadie diferente de mi cónyuge.

1 2 3 4 5 6 7 Mi relación con mi cónyuge hace parte claramente de mis planes de vida futuros.

1 2 3 4 5 6 7 Cuando se presentan problemas, mi relación con mi cónyuge está en primer lugar.

1 2 3 4 5 6 7 Tiendo a pensar sobre cómo nos afectan las cosas como pareja más que cómo me afectan las cosas a mí como individuo.

1 2 3 4 5 6 7 Rara vez me pongo a pensar sobre cómo sería tener una relación con otra persona.

1 2 3 4 5 6 7 Quiero envejecer al lado de mi pareja.

Podemos darle una idea de lo que significa su resultado en estos puntos sobre dedicación. Para obtener su resultado, simplemente sume los números que señaló. En nuestra investigación —realizada sobre una muestra de personas que eran felices y dedicadas en sus relaciones (y que incluía desde personas que habían estado saliendo por algunos meses hasta personas que llevaban más de 30 años de casadas), el resultado promedio se situó alrededor de 58 en los puntos de esta escala. Si su resultado fue de 58 o mayor, creemos que usted está altamente dedicado a su relación. En contraste, su dedicación puede ser bastante baja si su resultado fue inferior a 45. Sea cual sea su resultado, examine qué puede significar para el futuro de su relación.

EXAMEN DE PRIORIDADES

Una forma clave de revisar la dedicación es examinar cuáles son sus prioridades. ¿Cómo vive usted su vida actualmente y qué dice esto sobre su compromiso? El siguiente formulario le ayudará a examinar sus prioridades. Usted no solamente evaluará las suyas, sino también lo que usted piensa que su cónyuge opina de sus prioridades y cuáles prioridades piensa usted que tiene su cónyuge. Cada uno de ustedes debe llenarlo por separado y compararlo luego. No se pongan a la defensiva. Examinen el impacto que tendrán sobre su relación las respuestas que cada uno de ustedes ha dado.

Si ven la necesidad de que su relación sea más prioritaria, conversen sobre los pasos específicos que pueden dar para lograr esto. El modelo de solución de problemas del capítulo cuatro puede ser de utilidad para este fin. También les daremos en la última parte de este libro muchas sugerencias específicas que pueden ayudarlos.

FORMULARIO PARA EXPLORAR LAS PRIORIDADES

En la columna 1 de la página, por favor haga una lista de las cinco principales prioridades de su vida, en orden de importancia decreciente. En la columna 2 escriba por favor qué cree que piensa su pareja que son sus cinco principales prioridades. Por ejemplo, si usted piensa que su cónyuge diría que el trabajo es su principal prioridad, ubíquelo de primero en la columna 2. En la columna 3, haga una lista de las que usted cree que son las cinco principales prioridades de su pareja. Bajo las columnas se encuentra una lista de prioridades posibles para que las examine. Esta lista la damos simplemente para ayudarlo a examinar sus prioridades. Siéntase en libertad de usar sus propias palabras y sea lo más específico posible.

CLASIFICACIÓN DE SUS PRIORIDADES	CIASIFICACIÓN DE SUS PRIORIDADES SEGÚN LO QUE USTED CREE QUE PIENSA SU PAREJA	CLASIFICACIÓN DE LAS PRIORIDADES DE SU PAREJA SEGÚN SU OPINIÓN
1. _____	1. _____	1. _____
2. _____	2. _____	2. _____
3. _____	3. _____	3. _____
4. _____	4. _____	4. _____
5. _____	5. _____	5. _____

ALGUNOS CAMPOS DE PRIORIDADES POSIBLES

Trabajo y profesión	Casa y hogar	Posesiones	Amigos
Hijos	Deportes	Aficiones	Mascotas
Su pareja	Metas futuras	Parientes	Televisión
Religión	Educación	Compañeros de trabajo	Automóvil

9

El *poder del compromiso*

EN EL CAPÍTULO ANTERIOR, nuestra meta era comprender el compromiso en una relación. En este capítulo profundizaremos más, sobre este tema, concentrándonos en formas de aplicar algunas de las principales sugerencias para mantener matrimonios saludables y duraderos.

Si ustedes tienen un compromiso sólido basado en la dedicación, queremos ayudarlos a impedir que se erosione. Si han perdido parte de la dedicación con los años, queremos ayudarlos a recuperarla. Nos concentraremos en dos temas claves. Primero, discutiremos los beneficios de una visión de largo plazo en el matrimonio. Segundo, discutiremos el egocentrismo y sus efectos sobre las relaciones.

LA IMPORTANCIA DE UNA VISIÓN A LARGO PLAZO

Cuando las personas están comprometidas, tienen una visión a largo plazo de su relación. En una relación saludable, la dedicación y la obligación se combinan para producir una sensación de permanencia. Esto es crucial por una sencilla razón: Ninguna relación es permanentemente satisfactoria. El factor que hace que las parejas salgan adelante en los tiempos difíciles es la visión a largo plazo que acompaña al compromiso. Ellas tienen la expectativa de que la relación superará los tiempos difíciles. Un estudio mostró que las parejas con un compromiso mayor invierten más dinero en aparatos para el hogar —lo cual refleja una creencia en un futuro común. ¡Usted no compra una lavadora con alguien con quien no esté planeando tener una relación duradera!

Queremos ser muy claros sobre un punto antes de seguir adelante. Algunas veces, es razonable terminar una relación. No estamos diciendo que todo el mundo debe hacer un esfuerzo enorme para salvar una relación, independientemente de lo abusiva o destructiva que sea. Sin embargo, para el gran número de parejas que se aman genuinamente y quieren que su matrimonio funcione, una perspectiva a largo plazo es esencial para animar a cada cónyuge a tomar riesgos, revelar su ser interior y confiar en que la otra persona estará allí cuando realmente importa.

Ante la ausencia de una visión a largo plazo, nos inclinamos a concentrarnos en la retribución inmediata. Eso es natural. Si el beneficio a largo plazo es dudoso, naturalmente nos concentramos en lo que estamos obteniendo en el presente. En su esencia, la visión a corto plazo dice: "Démelo ahora y démelo rápidamente. No hay certeza de que haya ningún futuro aquí".

El punto de conflicto oculto del compromiso, que discutimos en el capítulo seis, se desencadena fácilmente cuando el futuro de la relación es dudoso. Cuando el compromiso no es claro, existe la presión de hacer demostraciones porque no hay seguridad de haber sido aceptado —un punto fundamental para todo el mundo. Un miembro de la pareja puede sugerirle sutilmente al otro: "Más vale que produzcas o buscaré a otra persona que lo haga". La mayoría de nosotros se resiente si piensa que podría ser abandonado por la persona de quien más espera recibir seguridad y aceptación. No es sorprendente que usualmente las personas no inviertan en una relación que tenga un futuro y unas recompensas inciertos. Si usted sabe que su esfuerzo no será retribuido ahora, y no tiene esperanzas para el futuro, ¿por qué invertir?

En el último capítulo, nos concentramos en los Castro y los Pérez. Los Pérez se mantienen unidos principalmente por obligación. Aun cuando de la obligación surge alguna sensación de estabilidad, ellos no tienen la sensación de un futuro común que nace de la combinación entre dedicación y obligación. Como resultado, ambos se abstienen de hacer más esfuerzos, y esperan que el otro, de alguna forma, mejore la situación. Parece demasiado arriesgado hacer cualquier otra cosa.

En contraste, los Castro no tienen un matrimonio perfecto (¿quién lo tiene?), pero sí una expectativa importante de un futuro basado en un compromiso balanceado. Demuestran que creen en el futuro al conversar frecuentemente sobre sus planes a largo plazo. Ellos han mantenido su compromiso, y especialmente su dedicación, ellos hacen cosas el uno para el otro, demuestran respeto y protegen su matrimonio en términos de prioridades y alternativas.

La visión a largo plazo de los Castro les permite ser más indulgentes el uno con el otro, lo cual implica una mayor aceptación de las debilidades y fallas de cada cual. En tanto que los Pérez sienten ansiedad y resentimiento respecto al punto de conflicto fundamental de la aceptación, los Castro sienten la calidez de un compromiso seguro, en el cual ambos envían el poderoso mensaje: "Yo estaré aquí para ti". Ésa es la esencia del compromiso.

EL MATRIMONIO Y EL MERCADO DE ACCIONES

Hemos descubierto que las metáforas financieras pueden ayudar a explicar por qué la perspectiva a largo plazo es tan vital. Los expertos constantemente informan que, a largo plazo, el mercado de valores generalmente tiene un mejor desempeño que cualquier otra clase de inversión. También dicen que la mayoría de las personas para las cuales el retiro es todavía muy lejano deberían pensar en invertir en valores, usualmente a través de los fondos de inversión.

En los fondos de inversión orientados a las acciones, los inversionistas no deben preocuparse de los altibajos diarios en el desempeño de las acciones y deben mantener una visión del largo plazo. A los inversionistas no les va bien cuando miran el periódico todos los días, observan si su fondo está teniendo el mismo desempeño que los otros, y cambian constantemente sus inversiones de un fondo a otro. Dichas personas tienden a caer en el pánico. Transfieren su dinero con tanta frecuencia que afectan el crecimiento a largo plazo.

Piensen en su matrimonio como en una inversión a largo plazo. Los altibajos del mercado de acciones y el valor de un buen fondo de inversión se parecen a los altibajos en la satisfacción en su matrimonio. Son inevitables —y normales. Los buenos matrimonios pueden tener largos períodos en los cuales la satisfacción es escasa pero, más tarde, se recuperan y producen felicidad mutua, lo mismo que ocurre en el mercado de acciones. Si usted espera que se den condiciones de mercado perfectas, tal vez nunca pueda invertir. Si se concentra demasiado en los ciclos bajos, puede salirse demasiado pronto y perder gran parte de lo que invirtió.

Isaac y Lina son una pareja joven con dos hijos menores de cinco años. Como muchas parejas jóvenes, han sentido gran preocupación y frustración durante la crianza de sus hijos. Los niños les traen mucha felicidad, pero también mucho trabajo. Después de una de nuestras charlas en el taller de trabajo sobre compromiso, Isaac declaró: "Yo no tenía idea de que era normal que las parejas tuvieran altos y bajos en su nivel de felicidad en el curso de un matrimonio. ¡Yo creía que algo malo nos estaba sucediendo a nosotros!"

Isaac tenía la expectativa de que el matrimonio debía ser feliz y romántico durante toda la vida. Si no hubiera comprendido el problema que trae esta expectativa, Lina y él habrían tenido graves problemas a lo largo del camino. Probablemente, él habría querido terminar la relación durante un período de estrés, porque su matrimonio no se estaba desempeñando de acuerdo a su expectativa irreal inicial.

La felicidad permanente simplemente no es una característica del matrimonio para mucha gente. El matrimonio es maravilloso a veces, y muy duro en otras ocasiones. Algunas veces, es maravillosamente difícil. Por esta razón requiere compromiso —y una visión a largo plazo.

¿Está usted arriesgando su relación?

Las personas que tienen una visión a corto plazo examinan los costos y beneficios de su relación, día a día, de la misma manera que el inversionista mira el periódico cada día en busca de un mejor negocio. Estas personas probablemente cambian tanto sus inversiones —en infidelidades o en otras actividades exteriores, por ejemplo— que su matrimonio se debilita. Ellos están arriesgando su relación. Su energía está tan dividida que no dejan suficiente para su matrimonio. Entonces, si responden que lo más importante en su vida son "matrimonio y familia" no es así como están viviendo. Ellos están corriendo el riesgo de perder lo que dicen que valoran más. Infortunadamente, mucha gente no reconoce este riesgo, sino cuando ya es demasiado tarde.

¿Por qué ocurre esto? Algunas veces la energía se invierte en actividades que tienen una retribución a corto plazo más atractiva, a costa de la retribución a largo plazo de la relación. Muchas personas se entregan enteramente a su trabajo cuando están insatisfechas en su hogar. No hay nada malo en amar su trabajo, pero cuando el tiempo y el esfuerzo requeridos en el matrimonio se sacrifican por otras cosas, el matrimonio sufre.

Uno de los ejemplos más dramáticos de estar cambiando de lugar su inversión es tener una aventura. Estadísticamente, la mayoría de las aventuras se presentan en momentos en que la relación presente está muriendo o está muerta. La satisfacción en ese momento es tan baja y el compromiso a largo plazo es tan dudoso, que la persona empieza a invertir en otra relación. Ésta puede convertirse en una relación floreciente. Las aventuras no necesariamente conducen al divorcio, pero hay muy pocas maneras más eficientes para arriesgar su relación.

Ahora, usted puede estar pensando, "¿Acaso los expertos en inversiones no aconsejan diversificar?" Sí. Pero la manera saludable de diversificar en el matrimonio es a través de las múltiples posibilidades para explorar la intimidad. Si usted fortalece su matrimonio en muchas áreas, tales como la amistad, la diversión, la conexión espiritual o sensual, o simplemente a través de una mejor comunicación, estará diversificando su habilidad para conectarse —pero diversificando dentro del matrimonio.

Invertir para el largo plazo

A menos que usted esté planeando acabar su relación actual, nada gana y sí pierde mucho si se pone a esperar el momento exacto para invertir positivamente. Es importante invertir de manera permanente en el matrimonio si quiere prevenir problemas o si quiere comenzar a solucionar problemas ya existentes.

Debido a que los inversionistas con visiones de corto plazo tienden a quemarse en el mercado de acciones, los expertos financieros a menudo defienden una estrategia llamada "promediar el costo del dólar". En esta estrategia, usted elige un buen fondo de inversión y permanece en él. Se le aconseja invertir regularmente en el fondo una suma fija (digamos $50 al mes) y a largo plazo. A menos que uno sea bueno para manejar los tiempos en el mercado de acciones, esta estrategia se considera muy efectiva para contrarrestar la inflación y ahorrar algo para el futuro. Independientemente de que el mercado esté subiendo o bajando, usted sigue enviando la inversión, mensualmente.

Creemos que los matrimonios funcionan de la misma manera. Es mejor que ambos cónyuges inviertan regularmente en el matrimonio, independientemente de que el mercado —su nivel de satisfacción— esté bajando o subiendo.

Usted realiza inversiones cuando, entre otras cosas, se comunica bien y valida a la otra persona, maneja bien el conflicto, hace cosas divertidas con su cónyuge, hace a un lado el interés propio y hace algo que ayude a su cónyuge, preserva la amistad, perdona a su cónyuge y es capaz de resolver problemas que han estado perturbándolos. Éstas son justamente las cosas que le estamos explicando cómo hacer en este libro. Se puede pensar en el enfoque PREP como una guía de inversión para la relación más importante en su vida.

Algunas veces abusamos de la visión a largo plazo y nos aprovechamos de nuestro cónyuge. En los afanes de la vida, nos olvidamos de entregar al matrimonio todo lo que deberíamos, porque damos por descontado que nuestro cónyuge estará ahí y podrá esperar para recibir nuestra atención. Ésta es una consecuencia negativa del compromiso. No dé por sentado que su cónyuge siempre estará ahí. ¡Siga invirtiendo regularmente!

Riesgo y recompensa

Al igual que el mercado de acciones, el matrimonio también es arriesgado. Tratamos de convencerlo desde el comienzo de este libro con estadísticas deprimentes sobre el divorcio pero, como en el caso de las acciones, la retribución correspondiente puede ser estupenda. ¿Por qué otra razón buscaría la gente una relación que tiene tan altos riesgos?

Infortunadamente, a menudo actuamos como si pudiéramos obtener algo por nada, como si pudiéramos tener una relación altamente provechosa sin ningún esfuerzo. Todos caemos en la tentación de obtener "algo por nada", de vez en cuando, pero enfrentémoslo, las cosas nunca funcionan de esa manera. Si uno quiere algo que vale la pena, tiene que invertir parte de sí mismo y de sus recursos para obtenerlo.

Si usted está sosteniendo una buena relación con un compromiso balanceado, el riesgo de invertir no parece muy grande. Si, por el contrario, está en una relación en la que la visión a largo plazo no es clara, el riesgo es alto, y la inversión constante puede parecerle una estupidez total. El problema reside en que si deja de invertir puede aumentar la insatisfacción de lo poco que queda del compromiso. ¿Es éso lo que usted quiere de lo poco que queda del compromiso que ocurra?

Los expertos financieros no aconsejan colocar el dinero en un lugar y luego no prestar atención a lo que ocurre. Tampoco nosotros. Tiene sentido reflexionar, de vez en cuando, sobre cómo andan las cosas. Si el crecimiento a largo plazo en su relación ha sido bastante desconsolador y usted se siente infeliz, debe enfrentar la situación constructivamente. No la ignore. De hecho, la confrontación constructiva es otra forma de invertir en la relación. Exige dedicación.

Por ejemplo, Beatriz y Armando llevan veinticinco años de casados. Como muchas parejas, han tenido altos y bajos. Infortunadamente, los bajos han superado grandemente a los altos durante los últimos cinco años. Beatriz está amargada a causa de la devoción de Armando por su trabajo en computadoras. Él nunca está en casa, o por lo menos así le parece a ella. Cree, verdaderamente, que a él no le importa ella. Él está furioso con ella por su falta de interés en sus aficiones, la aerostación y la bicicleta, y lo interpreta como una falta de interés en él.

Ya ninguno de los dos hace mayores esfuerzos y el divorcio ha sido discutido abiertamente. Aun cuando están preocupados, con razón, ante el prospecto de perder lo que tienen, no parece haber posibilidad de tener un buen matrimonio a menos que tomen en serio la dedicación e inviertan sinceramente en la relación. Si uno de ellos, o mejor aún, si los dos empiezan a hacer un esfuerzo, ambos pueden llegar a responder mejor de lo que se imaginan.

No existen garantías para Beatriz y Armando, y pueden correr un riesgo importante al hacer el esfuerzo de invertir nuevamente en la relación. Pero a menos de que uno de ellos claramente quiera acabar la relación, también hay un riesgo asegurado al no hacer el esfuerzo, el riesgo de que su matrimonio muera. Esperamos que ustedes no estén en este punto, y creemos que pueden evitar llegar allí invirtiendo de manera constante y regular en su matrimonio.

LLEVAR LA CUENTA

Una manifestación de escaso compromiso y de una visión de corto plazo es llevar la cuenta. Llevar la cuenta es comparar lo que usted está obteniendo de la relación frente a lo que está aportando. Las personas que están experimentando el desgaste de la dedicación, tienden a estar más pendientes de la retribución que obtienen de su relación a corto plazo y día a día. Se preguntan, "¿Estoy obteniendo lo que merezco por lo que estoy invirtiendo en esto?" Están llevando la cuenta. Cuando el futuro es incierto, la cuenta de hoy es lo único que importa.

No es necesario llevar mucho tiempo casado para comenzar a llevar la cuenta. Todos lo hacemos de vez en cuando. Francisco y Margarita son una pareja que conocimos en uno de los proyectos de investigación de la Universidad de Denver. Aun cuando han estado casados tan solo seis meses, ambos han sido muy infelices desde que dijeron "sí, lo juro". A los dos les parece que el mensaje dominante ahora es "no lo juro". Ambos tenían una serie de expectativas que no se han cumplido en el matrimonio y se sienten engañados.

Margarita empezó a contar la cantidad de tiempo que Francisco pasaba en la casa cada semana y a preguntarse, "¿Por qué tiene que salir dos noches a la semana con sus amigos?" Él había comenzado a notar lo poco que Margarita buscaba hacer el amor. Sentía que él era el que siempre demostraba interés y eso no le gustaba para nada. Se preguntaba, "¿Por qué tengo que ser yo el que inicie las cosas siempre?" Aun cuando ambos tenían algunas quejas legítimas el uno del otro —y algunas expectativas irreales— el mayor perjuicio provenía de llevar la cuenta.

¿Por qué es tan destructivo llevar la cuenta? ¿Por qué no debe uno analizar qué está obteniendo y esperar recibir lo mismo que uno está invirtiendo? Obviamente, es justo que ambos cónyuges reciban algo en el matrimonio. El problema consiste en que llevar la cuenta es fundamentalmente un acto sesgado a favor de quien lleva la cuenta y, por lo tanto, puede hacer daño incluso en relaciones sanas.

¿Por qué es un acto sesgado llevar la cuenta? ¿Usted está consigo mismo todo el tiempo, no es cierto? ¿Está usted con su cónyuge todo el tiempo? No. De todas las cosas positivas que usted y su cónyuge hacen por la relación, ¿a quién ve usted más a menudo haciendo algo por la relación? Naturalmente a usted mismo. Usted es un observador permanente de su propio comportamiento, no del de su cónyuge.

He aquí el fondo de la cuestión. Incluso si existiese alguna manera de juzgar equilibradamente, al llevar la cuenta usted concluiría que está haciendo más por la relación que su cónyuge. Esta actitud simplemente le traerá una gran amargura y resentimiento, porque usted pensará que las cosas son injustas, incluso si no lo son. ¿Está usted llevando la cuenta? De ser así, puede estar buscándose un problema.

Hay tres claves para combatir la actitud de llevar la cuenta: Primero, debe estar atento a la injusticia de su libro de cuentas. Todos llevamos la cuenta de vez en cuando, pero el hecho de reconocer que la cuenta no es objetiva es fundamental para evitar que nazca el resentimiento. Segundo, contrarreste el sesgo directamente buscando cosas específicas que haga su cónyuge, que aprecie o que sean buenas para usted. Tercero, concéntrese en lo que puede hacer que sea bueno para su relación, no en lo que cree que su cónyuge no está haciendo. Es bueno que su cónyuge también esté dispuesto a hacer lo mismo. Pero incluso si eso no sucede, recuerde que usted sólo puede controlar lo que usted hace, no lo que hace su cónyuge.

CONFIANZA Y COMPROMISO

Frecuentemente nos preguntan en nuestros talleres de trabajo sobre la relación entre la confianza y el compromiso. La respuesta también tiene relación con la importancia de la visión a largo plazo. La confianza se define como: creencia firme en la honestidad, la confiabilidad, etc., de otra persona; fe... expectativa segura, esperanza". En una relación, la confianza significa poder contar con que su cónyuge estará allí para usted.

¿Sin una visión a largo plazo, quién va a confiar lo suficiente para invertir en un matrimonio? Si usted no confía en su pareja, tiene menos probabilidad de invertir. Sin embargo, si usted no demuestra su dedicación invirtiendo, ¿cómo podrá confiar su cónyuge en usted e invertir también? Francisco y Margarita, de quienes hablamos unas páginas atrás, tendrían que dejar de llevar la cuenta y demostrarse el uno al otro que están dispuestos a invertir para el largo plazo. Si cada uno de ellos puede ver que el otro está haciendo el esfuerzo, pueden darle un vuelco a su matrimonio.

La confianza y el compromiso dependen el uno del otro. Usted se comprometerá más si confía más y confiará más cuando vea que su cónyuge aporta su compromiso y especialmente su dedicación. Si ambos pueden aprender a mantener y a demostrar su dedicación, ayudarán a aumentar la confianza mutua.

Si quiere que su cónyuge confíe en usted, demuéstrele su dedicación y sus planes de mantenerse con él. ¿Qué otra parte de la ecuación puede usted controlar directamente además de su propio nivel de dedicación? En el siguiente capítulo sobre el perdón hablaremos sobre cómo recuperar la confianza perdida.

DESTRUCCIÓN DE LA VISIÓN A LARGO PLAZO

Como lo afirmamos en el primer capítulo, el compromiso puede convertirse en un arma durante una pelea. Aun cuando Felipe y María, a quienes conocimos en el capítulo anterior, no van a divorciarse en el futuro cercano, el tema algunas veces surge durante las discusiones fuertes. Examine la siguiente conversación y sus efectos sobre la confianza, el poder y el compromiso.

FELIPE: ¿Por qué será que esta casa siempre parece una pocilga? Nunca estás aquí para hacer las cosas.

MARÍA: Tengo que hacer muchas cosas porque tenemos niños, y los niños requieren mucha atención.

FELIPE: Yo siempre termino haciendo la limpieza y estoy cansado de eso.

MARÍA: Oh, ¿entonces yo no limpio? Cuando tú estás aquí, te desapareces en tu almacén. No te veo haciendo mucha limpieza. Yo hago la mayoría —no tú.

FELIPE: Sí, sí, yo desaparezco todo el tiempo. A ti simplemente no te importa un comino este matrimonio. Ni siquiera sé porque seguimos juntos.

MARÍA: Yo tampoco. Tal vez deberías irte.

FELIPE: No es mala idea. Pensaré en ello.

¿Qué acaba de ocurrir en esta discusión? Al final de la pelea, ambos estaban tratando de convencerse el uno al otro de que no estaban comprometidos. Cuando se sugiere el divorcio, se introduce la noción del corto plazo. Si usted lo sugiere, está destruyendo la confianza. Ésa es la versión adulta del tipo de discusiones que tienen los niños todo el tiempo:

El PEQUEÑO FELIPE: No estoy seguro de poder ir a tu fiesta de cumpleaños. Tengo un partido de béisbol.

LA PEQUEÑA MARÍA: Pues bien, yo no estaba segura de que quisiera que vinieras.

EL PEQUEÑO FELIPE   ¿Ah sí? Yo no iría a tu miserable fiesta aun cuando me pagaran.

LA PEQUEÑA MARÍA: ¿Ah sí? Como si me importara.

Diferentes edades, pero la misma historia. Tales declaraciones reflejan la gran frustración que cada uno de ellos está sintiendo. También reflejan un deseo de obtener control o poder, al destruir el compromiso. Ambos están tratando de decir, "Puedo vivir muy bien sin ti" y "Tú no puedes controlarme porque a mí no me importa lo que nos pase a nosotros".

Si usted puede convencer a alguien que le ha herido de que no le importa y que usted no está realmente comprometido, adquiere algo de poder y control. La razón es sencilla. Las personas que están más comprometidas pueden ceder cuando hay desacuerdos, porque tienen más cosas en juego que ayudan a que la relación funcione. Esto se traduce en una manifestación muy destructiva de cuestiones de poder y control, que usualmente tiene lugar en un contexto de sucesos. Cuestionar el compromiso durante momentos de frustración extrema, fomenta la ansiedad y la competencia —ansiedad respecto a saber si la relación está progresando o no y competencia respecto a quién saldrá menos herido. De hecho, ambos cónyuges saldrán probablemente muy heridos.

Si usted está tratando de que su matrimonio funcione, es importante no poner sobre la mesa el tema del divorcio. De la misma manera, no amenace con tener aventuras. Tales afirmaciones van en contra de la visión de largo plazo. Desgastan la confianza y refuerzan la percepción de que es arriesgado invertir en la relación. Si usted ha hecho comentarios como ésos de vez en cuando, pregúntese a sí mismo si lo que quería lograr era que su pareja cediera.

Si siente que hay problemas en la balanza del compromiso o del poder, o si no está seguro de la visión a largo plazo, discuta estas cuestiones de frente, de manera constructiva. Como lo discutimos en el capítulo seis, es vital que ustedes manejen los puntos de conflicto importantes como puntos de conflicto. Son poderosos y deben ser tratados con especial cuidado —por ejemplo, usando la estructura de la técnica del hablante–oyente. No es aconsejable tratar puntos de conflicto importantes en momentos de frustración durante las situaciones que ocurren en su relación.

Si usted se siente menos comprometido que su cónyuge, pregúntese por qué. ¿Es ésa una forma de adquirir poder en la relación? ¿Refleja eso una falta de confianza de parte suya? ¿Es ésa una manera de tener el control y protegerse a sí mismo? Los matrimonios más satisfactorios y saludables presentan en el tiempo niveles balanceados de compromiso. ¡Queremos hacer énfasis en las palabras balanceado y en el tiempo! Aumentar o recuperar la confianza toma tiempo. Su compromiso garantiza que dispone de tiempo para que esto ocurra.

Ahora analizaremos otro conjunto importante de implicaciones del compromiso en una discusión sobre el egoísmo y el egocentrismo.

EGOÍSMO

Nuestra cultura fomenta la devoción a sí mismo. Las nociones de sacrificio, de trabajo en equipo, de darle una importante prioridad al cónyuge y de una relación de dedicación, no han gozado de mucha prensa positiva últimamente. De hecho, nuestra sociedad parece glorificar al individuo y envilecer cualquier otra cosa que se atraviese en el camino. Y todos pagamos por estas actitudes.

En contraste, nosotros sugerimos que la dedicación es fundamental para las relaciones saludables y que el egoísmo es fundamentalmente destructivo. El egoísmo puede vender, pero no produce relaciones felices para toda la vida. ¿Quiere usted salirse con la suya todo el tiempo o quiere una excelente relación?

CÓMO CENTRARSE EN LA LABOR DE EQUIPO

La dedicación se relaciona más con estar concentrado en equipo o estar concentrado en el otro que con estar centrado en sí mismo. Estar concentrado en el equipo es ser sensible a su cónyuge, ver la perspectiva de su cónyuge, buscar la construcción de su cónyuge y proteger a su cónyuge de maneras saludables, porque ustedes son un equipo. La dedicación implica que la salud y la felicidad de su cónyuge son una prioridad tan importante como su propia salud y felicidad. Implica hacer lo que usted sabe que es bueno para su relación —como escuchar a su cónyuge— incluso cuando no lo desea particularmente. Implica proteger su compromiso de atracciones alternativas. Si usted quiere evitar desgastes en su relación, cultive actitudes y comportamientos que reflejen su dedicación al equipo.

Ser egoísta y egocéntrico en sí mismo es una actitud insensible a su cónyuge, ver las cosas sólo desde su punto de vista, buscar únicamente y por encima de todo su propio bien y protegerse a sí mismo, en primer lugar y sobre todo. Siempre nos sorprende que algunas personas con las cuales hemos trabajado, que viven de esta manera, se muestren decepcionadas porque su matrimonio nunca ha llegado a ser bueno.

Una de las mejores cosas de las etapas tempranas de la mayoría de las relaciones es la relativa falta de egocentrismo. Cuando están en la etapa del cortejo, las personas encuentran maneras de poner a su pareja en primer lugar y de dedicar mucho tiempo a escucharla. Pero ese interés por las necesidades de la pareja, a menudo, dura poco tiempo.

Una pareja que asistió al taller de trabajo PREP, Martín y Juana, tenía un grave problema de egoísmo. Juana nos describió su frustración respecto a Martín durante un receso. Ella dijo que las cosas andaban bastante bien hasta que tuvieron un bebé, a los cuatro años de casados. Mientras ella cuidaba al bebé, Martín desaparecía en el sótano para trabajar en sus aficiones. Juana le pidió que se involucrara más con la niña, pero él no parecía estar interesado. Ella había sido muy clara sobre su expectativa, pero él no había respondido.

A Martín le encantaba dedicar tiempo a sus proyectos. Parecía que a él le gustaba haber tenido el bebé, primordialmente, porque Juana le dedicaba mucho tiempo y él se sentía libre de desaparecer. Aun cuando no podemos saber todos sus motivos, sí nos parece que Martín se estaba comportando de manera egoísta. Él dejaba que Juana criara sola a la niña y se concentraba intensamente en lo que quería hacer, no en lo que su esposa y la niña necesitaban.

Las actitudes y el comportamiento egoístas sin duda pueden acabar una relación. Tales actitudes no son compatibles con la dedicación. Mientras que la dedicación refleja la noción de "nosotros" y en ocasiones, la del sacrificio, nuestra cultura defiende los derechos individuales y la necesidad de protegernos a nosotros mismos de todo insulto y crítica. Desde nuestro punto de vista, no es posible tener un buen matrimonio si cada miembro de la pareja está únicamente concentrado en lo que es mejor para él o ella. En una cultura que refuerza el ego, es difícil preguntarse, "¿Qué puedo hacer para que esto mejore?" Es mucho más fácil preguntarse "¿Qué puede hacer mi cónyuge para hacerme más feliz?"

No estamos defendiendo el martirio. En la forma en que este término es usado frecuentemente, un mártir hace cosas por otra persona impulsado, no por la preocupación de lo que es mejor para ella, sino porque quiere que esa persona quede en deuda. Eso no es dedicación; más bien es un disfraz de la inseguridad y del egoísmo, para que parezcan una buena acción.

La clave no reside únicamente en lo que usted hace por su cónyuge, sino también en por qué lo hace. ¿Hace usted cosas con una actitud que dice, "es mejor que aprecies lo que estoy haciendo"? ¿Siente a menudo que su pareja está en deuda con usted? No hay nada malo en hacer cosas positivas y en querer ser apreciado, pero sí hay algo malo en creer que le deben algo, como si su comportamiento positivo le fuera creando una deuda a su cónyuge.

Tal vez no sea una coincidencia el hecho de que la actitud egocéntrica de los años setenta y ochenta también esté asociada con una de las tasas de divorcios más alta de todos los tiempos. Los buenos matrimonios y otras relaciones a largo plazo no se basan en un egocentrismo desenfrenado, sino en cuidarse el uno al otro y en ayudarse a crecer. Los matrimonios profundamente íntimos, solícitos y duraderos, que la mayoría de la gente busca, están construidos y mantenidos sobre la base de la dedicación mutua expresada a través del comportamiento constructivo que aconsejamos en este libro.

¿CODEPENDENCIA O COMPROMISO?

La codependencia ha llegado a significar toda clase de cosas para la gente. El término prácticamente ha perdido su significado porque la gente lo utiliza para abarcar todo lo malo que hay en las relaciones —y para algunas cosas que son buenas. Queremos tratar este tema brevemente aquí, para que no haya malentendidos.

La idea original de la codependencia nació del trabajo con el alcoholismo. Los profesionales notaron que, a menudo, personas importantes en la vida del alcohólico trataban de "ayudar" al alcohólico en formas que en el fondo agravaban el problema —por ejemplo, "habilitando" al alcohólico al encubrir su ineptitud para ser una persona responsable.

Los consejeros empezaron a entender que algunas personas necesitan reforzar la dependencia del alcohólico. Esto a menudo refleja la necesidad de ser un protector y tener el control. La idea central de la codependencia es que las personas algunas veces "ayudan" o le dan a los demás en formas destructivas para ambas partes, debido a inseguridades más profundas y a cuestiones de control. Dicho comportamiento puede parecer dedicación, pero no lo es.

El problema en nuestra cultura es que las personas han sido tachadas de codependientes por dar de sí mismas, en formas verdaderamente constructivas. En el pensamiento simplista, el sacrificio se considera actualmente codependiente, como también ocurre con la noción de estar centrado en el otro o de estar centrado en la labor de equipo.

Claro está, se puede dar demasiado en formas que puedan hacerle daño a la relación y a uno mismo. ¿Acaso se demuestra dedicación por el hecho de tolerar el comportamiento impositivo o descortés del cónyuge? No. Eso no es dedicación. ¿Es una muestra de dedicación no enfrentar el problema del alcoholismo en la vida de su cónyuge? No. Una mayor muestra de dedicación es enfrentar constructivamente el comportamiento que amenaza destruirlo a usted, a su cónyuge o a su matrimonio. Aun cuando reconocemos los peligros de la codependencia, pensamos, no obstante, que hay demasiadas personas que son tan excesivamente egocéntricas que nunca podrán tener la clase de relación que desean profundamente.

¿CÓMO PUEDE INCREMENTARSE EL COMPROMISO?

En lugar de preguntar, "¿Qué has hecho tú por mí últimamente?", pregúntese a sí mismo qué está haciendo para mejorar y fortalecer su relación. Es usted quien tiene el mayor control sobre su propia dedicación y comportamiento, no su cónyuge. En la mayoría de las relaciones, el comportamiento positivo es correspondido, por lo tanto, trate de alentar a su cónyuge a comportarse positivamente, comportándose usted más positivamente. ¡Ésa es su elección!

Usted puede hacer que su relación sea mejor, si se niega a sucumbir al modo competitivo. Demuestre que valora la relación y quiere construirla. Trate de hacer cosas que fomenten la noción de trabajo en equipo. Insista en ello y no lleve la cuenta. Una pareja, Isabel y Fabio, nos comentó cómo revitalizó su matrimonio a los siete años de estar casados. Habían estado tan ocupados construyendo un hogar y una familia que ambos se estaban sintiendo distantes en su relación. Su visión a largo plazo seguía intacta, pero habían perdido algo que tenían en un comienzo. Decidieron conversar sobre esto y, en cierta forma, ambos se sintieron aliviados al escuchar las preocupaciones que el otro tenía. Tomaron el riesgo de compartir y escuchar el dolor —un acto que en sí mismo es evidencia de dedicación:

ISABEL: [*Alcanzando a Fabio después de la cena, una noche, mientras los niños jugaban afuera*] Sabes, he estado pensando.

FABIO: *¿Sobre qué?*

ISABEL: Creo que nos está yendo bastante bien, pero pienso que no estamos aportando lo suficiente a nuestra relación.

FABIO: Yo también creo lo mismo. Dedicamos tanto tiempo a la casa, a los niños y al trabajo, que no nos queda mucho para nosotros.

ISABEL: Ha sido doloroso para mí pensar en ello, cuando he tenido el tiempo para hacerlo. Nunca imaginé que eso nos ocurriría a nosotros.

FABIO. [*Acercándose a ella y mirándola*] ¿Realmente esto te ha estado preocupando, no es cierto?

ISABEL: Sí. Ésta no es la forma en que se suponía que las cosas deberían ser para nosotros.

FABIO: Sé lo que quieres decir. Me he sentido triste porque hemos perdido algo, pero me cuesta trabajo decir qué es. Solo sé que hay algo que falta.

ISABEL: Me gusta escucharte decir eso. Temía que tú no lo hubieras notado.

FABIO: [*Poniendo su brazo alrededor de ella*] Sí, lo he notado. Me alegra que lo hayas planteado. Tenemos demasiadas cosas a nuestro favor, para permitir que la distancia crezca más. Sentémonos y conversemos sobre qué podemos hacer.

ISABEL: Traeré café.

Esta conversación inició una reacción en cadena positiva en su matrimonio. Fabio y Isabel renovaron su dedicación mutua en varias formas. Decidieron que el tiempo que pasaran juntos tendría mayor prioridad y lo lograron. Cada uno de ellos empezó a buscar maneras de hacer más cosas especiales para el otro. Redoblaron sus esfuerzos para manejar con respeto los conflictos y los desacuerdos. También hablaron más abiertamente sobre los planes para el futuro, desarrollando un mayor sentido del largo plazo y de ser parte de un equipo. Esencialmente, ambos decidieron volver a capturar la fortaleza de su dedicación. Eso no es tan difícil de lograr, cuando ambas personas realmente lo desean.

Repetimos, es su elección. Usted no puede obligar a su cónyuge a hacer nada. Pero suponiendo que ambos quieren que su matrimonio funcione a largo plazo, tendrá mayor éxito si reflexiona sobre cómo puede usted incrementar y mantener su dedicación. Como en el caso de Isabel y Fabio, la cuestión clave es la acción. Si su dedicación es fuerte manténgala así y actúe basado en ella.

¡SOCORRO! SÓLO TENEMOS COMPROMISO POR OBLIGACIÓN

Esta sección es para aquellos de ustedes que sienten que matrimonio esta en graves problemas. Si éste no es su caso, pueden pasar al final de esta sección. Infortunadamente, muchas parejas son parecidas a la de Felipe y María Pérez, de quienes hablamos en el capítulo anterior. Como recordarán, lo único que ellos tienen es la obligación, y su relación no es la relación gratificante que ellos quisieran. Nuestro objetivo primordial en este libro es evitar que los matrimonios lleguen a este punto. Sin embargo, también trabajamos con matrimonios que sólo están unidos por la obligación. No creemos que las parejas tengan que permanecer en esa rutina. Si allí es en donde están ustedes, no es demasiado tarde para darle un vuelco a las cosas, siempre y cuando ambos deseen trabajar en ello.

Debido a que están leyendo este libro, suponemos que quieren hacer que su matrimonio funcione. Entonces ¿qué pueden hacer si se encuentran en un matrimonio caracterizado por la obligación sin dedicación? La cuestión clave es cómo pueden volver a desarrollar la dedicación. Primero, necesitan creer que esto es posible. A pesar del éxito que hemos tenido en la predicción sobre cómo se comportarán grupos de parejas, no podemos predecir el futuro de su relación, pero hemos descubierto que muchas (aun cuando ciertamente no todas) parejas son capaces de reparar y fortalecer hasta los matrimonios más frustrados. Segundo, deben querer esto realmente, porque implicará un trabajo sostenido y tendrán que trabajar en contra de algunas tendencias que existen ahora en su relación. Si quieren infundirle vida a su matrimonio, he aquí un enfoque que pueden ensayar.

1. Siéntense y conversen sobre el estado de su matrimonio. Es importante que ambos enfrenten los problemas de su matrimonio. Probablemente ninguno de los dos se está sintiendo bien en él. En lugar de ponerse a la defensiva o a discutir, aquí es cuando deben tratar, y tratar intensamente, de validarse el uno al otro y de demostrar empatía ante el dolor.

    Éste es un dolor con el cual probablemente ambos se identifican. Al escucharse cuidadosamente el uno al otro, empezarán el proceso de acercamiento. Paradójicamente, una de las cosas más poderosas que pueden compartir es un sentimiento similar de pérdida y tristeza en su relación. Hemos observado que en los matrimonios más sólidos, las parejas pueden compartir su dolor respecto al matrimonio como otra forma de intimidad. Después de todo, ¿existe alguna otra cosa sobre la cual tengan ustedes sentimientos más fuertes?

2. Recuerden lo que acostumbraban tener juntos. Dediquen un tiempo a recordar juntos los buenos tiempos pasados. ¿Cómo eran las cosas cuando se conocieron? ¿Qué los atrajo el uno al otro? ¿Qué hicieron en su primera cita? ¿Qué clase de cosas hacían para divertirse? ¿Hacen todavía algunas de esas cosas? ¿Cuáles fueron algunas de las razones por la cuales decidieron casarse?

    La mayoría de las parejas consideran que esta clase de rememoración es grata e ilustrativa. Puede ser divertido recordar los buenos tiempos. Recordarán que en una época tenían grandes sentimientos el uno por el otro. Cuídense de la tendencia de volver a escribir la historia y de ver bajo una luz negativa, tendencias que en esa época fueron realmente positivas. Es prácticamente imposible volver a capturar la euforia que muchas parejas sintieron al comienzo, pero pueden volver a capturar algunos de los buenos sentimientos que una vez caracterizaron su relación. Había una chispa allí, un deleite en llegar a conocerse el uno al otro. En cierta forma, este paso es un intento por recuperar un apetito o un deseo por la relación.

3. Decidan darle un vuelco a las cosas. Aún cuando se puede tratar de arreglar el matrimonio sin la participación activa del cónyuge, comprometerse a hacerlo juntos es mucho mejor. Mírenlo de esta forma. Puesto que están juntos debido a que las obligaciones significan mucho para ustedes, ¿por qué no acordar juntos que van a tener un matrimonio grato y no solamente soportable? Ésta es un actitud racional. Probablemente ambos tienen un deseo profundo de que esto ocurra o, de lo contrario, no estarían interesados en seguir estos pasos.

Ésta es fundamentalmente una decisión que depende de su voluntad. Creemos que la mayoría de las personas que quieren algo muy intensamente, tienen suficiente control sobre sus vidas para tomar la decisión de lograrlo y de insistir en ello.

4. Hagan las cosas que hacían al comienzo. El punto es sencillo pero el impacto potencial es profundo. Al comienzo de una relación, las parejas conversan más como amigos (ver capítulo once), hacen más cosas divertidas juntos (ver capítulo doce), son más indulgentes (ver capítulo diez), tienen más probabilidad de buscar lo bueno y no lo malo de cada cual (ver capítulos uno a tres) y usualmente controlan mejor el conflicto (ver capítulos uno a seis).

Comprométanse con ser menos egocéntricos y centrarse más en el otro. Si usted ha sido egoísta en algunos aspectos, admítaselo a usted mismo y cambie ese patrón. Las cosas que puede hacer para restaurar la dedicación en su matrimonio son las mismas que hacen las parejas para evitar el infortunio matrimonial y el divorcio. Ésas son las estrategias del PREP.

La razón por la cual estas estrategias funcionan reside en que refuerzan los sentimientos originales que motivaron la dedicación al comienzo de la relación. Como lo señalamos en el capítulo anterior, los teóricos del compromiso creen que la dedicación se desprende de la satisfacción en una relación. Y la dedicación conduce a la obligación. Ustedes han creado muchas obligaciones. Ahora necesitan cerrar el círculo permitiendo que ese nivel de obligación los motive a volver a descubrir la satisfacción y la dedicación. Creemos que pueden hacer esto, si ambos se comprometen con esa tarea. Como parte de sus esfuerzos, es vital que controlen el conflicto. El conflicto mal manejado es increíblemente perjudicial para todo lo que es bueno en una relación.

5. Permanezcan en este proceso. Continúen trabajando en estos pasos, especialmente en el paso 4. Esperen progreso, no un milagro instantáneo. Esperen altos y bajos. Reconozcan que sus esfuerzos serán retribuidos, si ambos insisten en ellos. ¿Qué requiere esto? Una visión a largo plazo y una dedicación aplicada.

Esperamos haberles dado una idea sobre cómo puede ser de poderoso el compromiso en una relación. Las cuestiones críticas consisten en pensar a dónde creen ustedes que su relación se dirige (visión a largo plazo) y ver qué le están aportando (dedicación). Existen muchos actos específicos que pueden basarse en estas ideas, pero ustedes son los mejores jueces de lo que es necesario hacer. Solamente ustedes saben hasta qué grado la visión a corto plazo, el acto de llevar la cuenta o el egoísmo están poniendo su matrimonio en riesgo. En el próximo capítulo hablaremos del tema del perdón. Nos concentraremos en cómo evitar que el resentimiento y la amargura se acumulen en forma tal que puedan llegar a destruir lo que han construido en su relación.

John F. Kennedy una vez capturó la esencia de la noción de compromiso cuando dijo "No pregunten qué puede hacer el país por ustedes; pregunten qué pueden hacer ustedes por el país". Queremos parafrasear esa sugerencia de la siguiente manera: "¡No pregunte qué puede obtener usted de su cónyuge, pregunte qué puede dar!" No podemos pensar en ningún consejo mejor para evitar el rompimiento de una relación, o para recuperar lo que una vez se tuvo.

♣ EJERCICIOS

Para aprovechar al máximo este capítulo, reflexionen sobre las preguntas a continuación. Recomendamos que piensen en sus respuestas individualmente, y luego se reúnan y conversen sobre sus reflexiones. Notarán que les pedimos que reflexionen más sobre su propio comportamiento y perspectivas que sobre los de su cónyuge. ¿Cuál es su punto de vista y qué está haciendo usted en esta relación?

1. ¿Cuál es su concepto de esta relación? ¿Tiene usted una visión a largo plazo? ¿Por qué sí o por qué no? Si tiene una visión a largo plazo ¿se siente reconfortado por ella o se siente atrapado?

2. ¿Qué tanto lleva usted la cuenta? ¿Usted le presta atención a los esfuerzos positivos que su cónyuge hace para usted y para la relación? ¿Puede tratar de prestarle más atención a los esfuerzos positivos? ¿Piensa usted que algunas cosas son injustas y siente la necesidad de confrontar a su cónyuge a este respecto? ¿Hará usted eso constructivamente?

3. ¿La orientación básica de su matrimonio refleja mayor tendencia hacia centrarse en el equipo o en el egoísmo? ¿Qué clase de cosas hace usted que reflejan egoísmo? ¿Qué clase de cosas hace usted para demostrar un deseo de satisfacer las necesidades de su cónyuge?

4. ¿Se ha erosionado la dedicación entre ustedes dos hasta niveles peligrosamente bajos? ¿Qué quiere usted hacer al respecto?

5. Si su relación está funcionando bien, ¿cuál cree usted que es el factor más importante para mantenerla así?

Ahora programen algún tiempo para conversar. Estas conversaciones deben ser manejadas cuidadosamente. Sugerimos que utilicen la técnica del hablante—oyente para compartir algunas de las impresiones más importantes. Tomen este ejercicio como una oportunidad para acercarse, y no como una excusa para ponerse a la defensiva o furiosos. Conversen abiertamente sobre lo que quieren y sobre cómo piensan lograrlo.

10

El perdón y la restauración de la intimidad

COMPLETAREMOS ESTA PARTE DEL LIBRO con un tema que frecuentemente es mal comprendido: el perdón. A menos que usted y su cónyuge sean perfectos, necesitaran el perdón para mantener su relación vibrante y floreciente. En términos de mantener una relación fuerte y feliz, este tema es tan importante como cualquiera de los que presentamos en el PREP. También es vital para recuperarse de los tiempos difíciles en su matrimonio.

En las primeras versiones del PREP, supusimos que el perdón surgía de manera natural, y por eso no nos concentramos en él. Pero nuestras experiencias con las parejas nos hicieron comprender que, algunas veces, se necesitaba ayuda en este importante campo. Hemos venido diciendo todo el tiempo que el conflicto es inevitable. También son inevitables los errores. Cuando los errores y el conflicto no se manejan bien, puede nacer el resentimiento, que se agrega a un depósito de amargura que alimenta los puntos de conflicto ocultos. Surgen entonces amenazas para la intimidad. Concentrarse regular y constructivamente en el perdón puede ayudar a mantener el control sobre el resentimiento y permite permanecer emocionalmente conectado con su pareja a través del tiempo. En este capítulo, queremos fortalecer su compromiso con la dedicación, dándoles un modelo que les ayudará a perdonar.

Una meta clave que tenemos es ayudarlos a seguir adelante en su relación y no dar marcha atrás. Con frecuencia, cuando ocurre una situación perturbadora, los cónyuges traen a colación el pasado y se enmarañan en una arena movediza matrimonial. A menudo, esta actitud demuestra la incapacidad de perdonar. En primer lugar, nos concentraremos en la necesidad del perdón, en lo que es y en lo que no es. Esto establecerá el fundamento para mostrarles los pasos específicos que ustedes pueden dar cuando se requiera el perdón.

LA NECESIDAD DEL PERDÓN

Todos tendemos a considerar el matrimonio como un paraíso seguro, pero existe el riesgo de resultar herido, en cualquier relación. A menos que ustedes hayan estado saliendo durante unas pocas semanas solamente, es probable que hayan sido heridos profundamente por su cónyuge. Muchas cosas pueden causar heridas menores o mayores, que incluyen humillaciones, evasión, interpretaciones negativas, comentarios abusivos, olvidar algo importante, tomar decisiones sin tener en cuenta las necesidades del cónyuge, relaciones extramaritales, adicciones y descortesía.

A menos que ustedes tengan expectativas muy poco realistas, saben que ambos cometerán pecados de omisión o de obra en el curso de su matrimonio. Las infracciones menores son normales y es importante esperar que ocurran. Es mucho más valioso aprender a manejarlas ahora, que esperar que no ocurran. En el caso de algunas parejas, también se cometerán pecados más graves. Cuando ése sea el caso, se necesitará mayor esfuerzo para dejar esos eventos en el pasado. Mientras más importantes sean los puntos de conflicto o las situaciones que causaron el daño, es más probable que sea necesario dar algunos pasos específicos que recomendaremos más adelante en este capítulo.

Estudiemos a dos parejas diferentes que necesita del perdón. Ambos ejemplos demuestran la importancia del perdón, pero las infracciones son muy diferentes —una menor y otra mayor— y tienen implicaciones muy distintas.

¡UY! LO OLVIDÉ: EL CASO DE LOS JIMÉNEZ

Sofía y Antonio Jiménez se conocieron en un grupo de apoyo de "padres sin pareja" y luego se casaron. Ambos habían estado casados antes y ambos tenían la custodia primaria de los niños de su primer matrimonio. Descubrieron que tenían mucho en común, incluido el deseo de volverse a casar. No había ocurrido nada particularmente notable en su matrimonio, ni en su nueva familia, porque habían logrado hacer un gran trabajo. Habían manejado el gran estrés de reunir dos grupos de niños y sacarlos adelante, y se habían convertido en una familia. Tenían sus altos y bajos, pero manejaban los problemas que se presentaban con respeto y habilidad. Antonio, ingeniero de una firma de construcción, recientemente había salvado a la compañía de un desastre financiero, al descubrir una falla grave de diseño en los planos de un rascacielos de oficinas hechos por la compañía. Por ésta y otras razones, fue elegido para ser honrado como el EMPLEADO DEL AÑO en un almuerzo anual de la compañía. Él estaba contento con el premio y más contento aún de recibir un sustancioso bono por su inteligente trabajo.

Antonio le pidió a Sofía que asistiera al almuerzo y ella dijo que le encantaría ir. Él estaba orgulloso del premio, y quería que Sofía compartiera con él ese momento. Como la compañía es muy orientada hacia la familia, la mayoría de los empleados —hombres y mujeres— llevaron a sus cónyuges y a otras personas importantes a la función. Antonio les dijo a sus compañeros de trabajo y a su jefe que Sofía vendría. Reservaron un lugar para ella en la mesa principal justo al lado de Antonio.

Sofía se dedicó a otras tareas en ese importante día y olvidó completamente el almuerzo. Mientras ella estaba comprando comestibles, él estaba en la reunión sintiéndose muy avergonzado. Allí estaban sus compañeros honrándolo a él, y su esposa no había aparecido, sin dar explicación alguna. También estaba un poco preocupado, puesto que no era característico de Sofía perderse de un acontecimiento. Aun cuando estaba furioso, trató de arreglar la situación lo mejor que pudo diciéndole a sus compañeros que probablemente ella se habría demorado en el médico con uno de los niños.

Tan pronto como Antonio entró por la puerta esa tarde, Sofía recordó que se le había olvidado el almuerzo.

SOFÍA: [Angustiada] ¡Oh no! Antonio, acabo de recordar...

ANTONIO: [Interrumpiéndola] ¿En dónde estabas? Nunca me había sentido tan avergonzado. Yo realmente quería que estuvieras allá.

SOFÍA: Lo sé, lo sé. Lo siento mucho. Yo quería estar allí contigo.

ANTONIO: ¿Entonces en dónde estabas? Traté de llamarte.

SOFÍA: Estaba en el supermercado. Simplemente se me olvidó completamente tu almuerzo, me siento muy mal.

ANTONIO: Yo también. No sabía qué decirle a la gente. Entonces inventé que estabas en el médico con uno de los niños.

SOFÍA: Por favor perdóname, querido.

¿Debería perdonarla? Claro está. ¿Qué significa para él perdonar en este contexto? Analice ahora un ejemplo muy diferente, uno en el cual las mismas preguntas tienen respuestas mucho más complicadas.

TAL VEZ EL PASTO ES MÁS VERDE AL OTRO LADO DE LA CERCA: LOS RODRÍGUEZ

Juan y Mónica Rodríguez han estado juntos durante catorce años. Se conocieron en la universidad cuando estaban estudiando administración de empresas y se casaron poco después de la graduación. Juan se empleó como contador en una cadena de almacenes y Mónica se convirtió en gerente de una compañía que produce ventanas y marcos para la construcción de casas. Pasados tres años, tuvieron su primera hija, una encantadora niña llamada Matilde. Dos años más tarde tuvieron otra niña, Lisa, que es seria y muy inteligente pero, a veces, bastante insoportable.

Todo andaba bastante bien hasta que en el octavo año de su matrimonio, Mónica empezó a notar que Juan se ausentaba cada vez más. Su empleo le exigía muchas horas extras de trabajo, pero ¿realmente necesitaba pasar tanto tiempo por fuera? Ella empezó a tener sospechas. Como pasaban poco tiempo juntos y no tenían una comunicación abierta, era difícil saber qué estaba ocurriendo. Ella empezó a sentir que ya no conocía a Juan, y sospechaba que estaba teniendo una aventura. Ella se había sentido atraída por otros hombres, ¿entonces por qué no le podía ocurrir a él lo mismo? Ella hacía llamadas a la oficina cuando se suponía que él estaba trabajando hasta tarde, pero muy rara vez estaba allí. Cuando le preguntaba sobre ese tema, él decía que seguramente había estado en el vestíbulo, en el cuarto de fotocopias o conversando con algún colega. Esas explicaciones no la satisfacían.

Mónica se cansó de seguir alimentado esas sospechas. Una noche le dijo a Juan que saldría a visitar a una amiga y se fue. Habían conseguido una niñera para cuidar a los niños y por eso él podía irse a trabajar. Mónica pidió prestado el automóvil de un amigo y siguió a Juan cuando abandonó el vecindario. Lo siguió hasta un conjunto de apartamentos y se fijó en cuál puerta había entrado. Se sentó y esperó durante tres horas; luego salió a buscar el nombre en la cajilla de correo —Sara algo.

"Esto no está bien, nada bien", se dijo a sí misma. Sintió como si la gravedad estuviera presionando su estómago hacia abajo en sus intestinos. ¿Y ahora qué? Mónica no es una mujer a la que le gusta esperar para descubrir las cosas. Decidió tocar a la puerta. Pasados quince minutos, Sara salió a la puerta en su bata de levantarse.

SARA: [*Bastante tensa*] ¿Puedo ayudarla?

MÓNICA: [*Calmada pero sintiéndose destrozada en su interior*] Sí. Por favor dígale a Juan que estoy aquí afuera en el auto y que quisiera hablar con él.

SARA: [*Recuperando la compostura*] ¿Juan? Quién es Juan. Yo estoy sola. Tal vez tiene usted la dirección equivocada.

MÓNICA: [*Sarcásticamente*] Tal vez yo deba echar una mirada.

SARA: No lo creo. Mire, usted tiene la dirección equivocada. Sea cual sea su problema, ¡adiós!

MÓNICA: [*Alzando la voz mientras Sara cierra la puerta*] Dígale a Juan que estaré en casa —si recuerda en dónde queda.

Juan llegó una hora más tarde. Él negó todo durante cerca de tres días, pero Mónica estaba bastante segura de sí misma y no estaba dispuesta a volver atrás. Le dijo a Juan que se fuera: "Una aventura es algo bastante grave, pero si además ni siquiera puedes admitirla, no queda nada sobre lo cual tengamos que hablar". Juan se hizo trizas, empezó a tomar alcohol y a desaparecer por días enteros. Mónica se sentía todavía más sola y traicionada. Aun cuando ella todavía amaba a Juan, su rabia y resentimiento crecían. Ella dijo: "¡Pensé que podía confiar en él, no puedo creer que me haya dejado por otra mujer!"

A medida que su negación se debilitaba, la sensación de vergüenza de Juan era tan grande que tenía miedo de hablar frente a frente con Mónica. Simplemente permanecía lejos del hogar. "De todas formas, ella me dijo que me fuera", se decía a sí mismo. No obstante, realmente le preocupaba que ella fuera tan dura. Se preguntaba, "¿Realmente se habrá acabado todo?" En cierta forma, sintió un nuevo respeto hacia ella. Ella no rogaba ni alegaba, simplemente mantenía su firmeza. A él le gustaba Sara, pero no quería pasar el resto de su vida con ella. Fue claro para él que quería estar con Mónica.

Claro está, Mónica no se sentía fuerte en absoluto. Estaba sufriendo inmensamente. Pero tenía muy claro lo que había visto. No había ninguna posibilidad de que permaneciera con Juan, a menos que fuera honesto con ella, y además no sabía si quería quedarse o irse. Una noche llegó a casa y lo encontró sentado en la mesa de la cocina, con una terrible mirada de sufrimiento en sus ojos.

JUAN: [*Desesperadamente*] Por favor perdóname. No sé... conseguiré ayuda. No sé... No sé qué fue lo que ocurrió.

MÓNICA: [*Exteriormente fría, enfurecida en su interior*] Yo tampoco estoy segura de qué fue lo que ocurrió, pero creo que tú sabes mucho más que yo.

JUAN: [*Levantando los ojos de la mesa*] Creo que sí. ¿Qué quieres saber?

MÓNICA: [*Fríamente, controlando su furia*] Quiero saber qué ha estado ocurriendo, pero sin detalles.

JUAN: [*Con lágrimas en los ojos*] He tenido una aventura. Conocí a Sara en el trabajo, nos acercamos, y las cosas se salieron de control.

MÓNICA: Supongo que sí. ¿Hace cuánto tiempo?

JUAN: ¿Qué?

MÓNICA: [*Alzando la voz, dejando salir su ira*] ¿Cuánto hace que has estado acostándote con ella?

JUAN: Cinco meses. Desde la fiesta de Año Nuevo. Mira yo no podía manejar las cosas aquí en nuestro hogar. Ha habido tanta distancia entre nosotros...

MÓNICA: [*Enfurecida*] ¡Y eso qué! ¿Y qué tal que yo tampoco hubiera podido manejarlas? No me habría ido a buscar a otra persona. No te quiero aquí en este momento. Simplemente, vete. [*Alejándose en dirección al otro cuarto*].

JUAN: Si eso es lo que quieres, me voy.

MÓNICA: [*Mientras se aleja*] En este momento, eso es lo que quiero. Por favor déjame en paz. Sólo hazme saber dónde estarás por el bien de los niños.

JUAN: [*Abatido*] Iré a casa de mis padres. Allí es donde he estado últimamente.

MÓNICA: [*Sarcásticamente*] Oh, gracias por decírmelo.

JUAN: Me iré. Por favor perdóname, Mónica, por favor.

MÓNICA: No sé si podré hacerlo. [*Sube las escaleras mientras Juan sale por la puerta de atrás*].

En ese momento, Mónica tenía que tomar importantes decisiones. ¿Debía perdonar a Juan? ¿Podía perdonarlo? Ya había decidido que tal vez nunca volvería a confiar en él. No completamente. Él claramente quería regresar. ¿Pero cómo podría ella saber que no volvería a hacer lo mismo, la próxima vez que hubiera problemas entre ellos?

¿Qué piensan ustedes? ¿Debe perdonar a Juan, y qué significa para ella perdonarlo?

¿QUÉ ES EL PERDÓN?

El perdón es una decisión que consiste en renunciar a un derecho real o percibido de desquitarse, o de cobrarle una deuda a alguien que nos ha hecho daño. El diccionario lo define en esta forma: "1. Hacer a un lado el resentimiento contra alguien o el deseo de castigar; 2. Renunciar a todo derecho de castigar; 3. Condonar o remitir (una deuda)". La imagen del perdón es una deuda cancelada. La palabra perdonar es un verbo; es algo activo; ¡es algo que usted debe decidir hacer! Cuando uno de ustedes dos no logra perdonar, no pueden funcionar como equipo porque uno de ustedes está "por debajo" porque ha adquitido una deuda con el otro.

Debido a esto, la falta de perdón se convierte en la máxima expresión de llevar la cuenta, que contiene el mensaje: "Tú estás bastante endeudado en mi libro de cuentas, y no sé si puedas ponerte al día". En ese contexto, el resentimiento aumenta, el conflicto se incrementa, y, finalmente, se instala la desesperanza. El verdadero mensaje es: "Tal vez tú no puedes hacer lo suficiente para pagar esta deuda". Las personas a menudo se alejan de las deudas que no tienen esperanza de poder pagar.

Como lo hemos visto, las infracciones pueden ser pequeñas o grandes, y las acompaña una sensación de deuda que también puede ser pequeña o grande. Sofía tiene una deuda mucho más pequeña con Antonio, que Juan con Mónica. El opuesto del perdón está expresado en declaraciones tales como:

"Te voy a hacer pagar lo que hiciste".

"Nunca vas a poder sobreponerte a esto".

"Tú estás en deuda conmigo. Y voy a desquitarme".

"Esto te lo cobraré durante el resto de tu vida".

"No te saldrás con la tuya impunemente".

Estas declaraciones pueden parecer crueles, pero los sentimientos subyacentes son bastante relevantes para el matrimonio. Cuando usted no puede perdonar, su comportamiento se refleja en declaraciones como éstas, o incluso las expresa abiertamente. Nos concentraremos en algunos de los puntos de conflicto más importantes que nos ha planteado la gente, cuando hablamos sobre el perdón en nuestras presentaciones públicas. Estos puntos de conflicto, en general, tienen más que ver con lo que el perdón no es que con lo que sí es.

LO QUE NO ES EL PERDÓN

Leonor, una mujer de cincuenta y cinco años que está en su segundo matrimonio, había sido criada para creer que perdonar significaba olvidar. Ella nos dijo, "Me resulta tan difícil perdonar y olvidar, ¿cómo puede uno hacer eso realmente?" Nosotros no mencionamos nada sobre olvidar cuando definimos el perdón. Uno escucha la frase "perdón y olvido", tan a menudo, que los dos términos terminan por volverse equivalentes aun cuando no tienen nada que ver el uno con el otro. Éste es uno de los más grandes mitos sobre el perdón. ¿Puede usted recordar algún perjuicio muy doloroso que alguien le causó y por el cual ya ha perdonado? Apostamos que sí puede hacerlo. Nosotros también podemos. Esto prueba el punto.

Simplemente, el hecho de haber perdonado a otra persona —y de haber renunciado al deseo de hacerle daño a su vez —no significa que usted haya olvidado que el evento ocurrió. Afortunadamente, cuando las personas dicen "perdón y olvido", usualmente, quieren decir que es necesario dejar la infracción en el pasado. Hay algo de valor en eso, pero el perdón no debe ser entendido en esa forma. Si dejar el incidente en el pasado significa que usted ha decidido que no se lo va seguir achacando a su cónyuge, eso está bien. Otra mala interpretación relacionada con la expresión "perdón y olvido" es creer que si una persona todavía siente dolor por algo que ocurrió, no ha perdonado realmente a la persona que lo causó. Usted puede seguir sintiendo dolor por alguna herida que le han hecho, y sin embargo haber perdonado enteramente a la persona que lo hirió.

Mónica Rodríguez puede llegar al punto de perdonar totalmente a Juan, en la forma que lo definimos más arriba. Ella puede realizar un esfuerzo y olvidar su ira y su deseo de herirlo a su vez. Sin embargo, en el mejor de los casos, lo que ocurrió la dejará con una herida y una pena que la acompañarán por muchos años. En el caso de los Jiménez, la forma como Sofía hirió a Antonio fue mucho menos severa y tiene menos consecuencias duraderas. Finalmente, él sí la perdonó. No siguió pensando en eso y tampoco se siguió afligiendo por ello. Sin embargo, cuando alguien le recuerda lo que ocurrió, por ejemplo, en eventos de la compañía, él se acuerda y siente una punzada por la humillación que sintió ese día. Eso no quiere decir que se lo siga recriminando a Sofía, ni que esté tratando de desquitarse. Él la ha perdonado. El incidente es simplemente un recuerdo doloroso en su historia matrimonial.

Jorge, un recién casado de veinticinco años, nos preguntó en uno de nuestros talleres de trabajo sobre la responsabilidad. Temía que perdonar significaba ignorar la responsabilidad. Él comentó, "¿Pero al perdonar, no estamos diciendo que quien hizo el daño no es responsable de lo que ha hecho?" Ésta es la segunda mala interpretación del perdón. Cuando uno perdona, no está diciendo nada sobre la responsabilidad de quien hizo el daño. La persona que hizo el daño es responsable por el daño, eso no tiene duda. El hecho de perdonar a alguien no absuelve a esa persona de la responsabilidad por sus actos. El perdón aparta a la relación del patrón en el cual el uno castiga al otro, pero no debe reducir la responsabilidad por el daño que fue hecho.

Bajo esta luz, es importante distinguir entre castigo y consecuencias. Usted puede ser perdonado desde el punto de vista que su cónyuge no busque herirlo o castigarlo, pero usted tiene que aceptar y hablar sobre las consecuencias de su comportamiento.

Resumamos lo que se ha dicho hasta el momento. Si su cónyuge lo ha herido, de usted depende si perdona o no. Su cónyuge no puede hacer esto por usted, es su elección. Si usted ha herido a su cónyuge en alguna forma, es a usted a quien le corresponde asumir la responsabilidad de sus actos y, si es necesario, tomar medidas para que esto no vuelva a ocurrir. Esto supone que la infracción está clara y que usted es lo suficientemente humilde y maduro para aceptar la responsabilidad. Si quiere que su relación siga adelante, necesita tener un plan para perdonar. Incluso si usted no quiere perdonar, tal vez a causa de la noción que tiene de la justicia, puede tener que hacerlo por el bien de su matrimonio.

Los Jiménez siguieron este modelo en una forma ideal. Sofía aceptó su total responsabilidad por no haber asistido al almuerzo, al excusarse y pedirle a Antonio que la perdonara. Él la perdonó y no abrigó la intención de seguirla recriminando, ni de cobrarle la deuda. Su relación incluso se fortaleció por la forma como manejaron este evento. Antonio aumentó su respeto hacia Sofía por su total aceptación de la responsabilidad y ella aumentó su respeto hacia él por su deseo claro y amable de perdonarla y seguir adelante. Hemos conocido muchas parejas, cuya relación se vio perjudicada por eventos como el de Antonio y Sofía. Ninguno de los dos miembros de la pareja aceptó ninguna responsabilidad y ninguno perdonó al otro. El evento simplemente se añadió al depósito de resentimiento y alimentó el conflicto existente.

Antes de seguir hacia los pasos específicos que usted debe dar para perdonar, queremos analizar la distinción crucial entre el perdón y la restauración en una relación. ¿Qué hace usted si su cónyuge no quiere o no puede aceptar la responsabilidad? ¿Cómo pueden seguir adelante entonces?

¿QUÉ OCURRE SI SU CÓNYUGE LE HA HECHO DAÑO PERO NO ACEPTA LA RESPONSABILIDAD?

El perdón y la restauración generalmente van de la mano en una relación, como en el caso de Antonio y Sofía. La intimidad y la sinceridad en su relación se restablecieron rápidamente porque no pusieron obstáculos en el camino. Ambos manejaron su propia responsabilidad sin complicaciones. Cuando esto ocurre, la restauración, durante la cual la relación se enmienda en lo referente a intimidad y conexión, fluye naturalmente.

¿Pero qué hace usted si ha sido herido en alguna forma y su cónyuge no acepta la responsabilidad? ¿Permite que la relación continúe como estaba? Por una parte, usted debe estar dispuesto a examinar la posibilidad de que su cónyuge realmente no tuvo la intención de hacer ningún daño, aun cuando usted se sienta herido por lo que ocurrió. Puede existir una diferencia clara en la interpretación respecto a lo que ocurrió y por qué ocurrió. Patricia y Carlos Rojas, por ejemplo, tuvieron un evento de este estilo. Llevaban once años de casados y su relación había sido generalmente satisfactoria. Aunque no estaban manejando el conflicto muy bien, su dedicación seguía intacta. En una ocasión, Carlos estaba ordenando el garaje y tiró a la basura toda clase de cajas viejas. Él pensó que había hecho un buen trabajo. El garaje nunca había estado tan ordenado.

En esa época, Patricia se había ausentado por unos días. Cuando regresó, quedó muy complacida con el orden del garaje, tal como Carlos lo había esperado. El problema surgió porque él había tirado a la basura una caja que contenía recuerdos de la época en que ella era una estrella del deporte en el colegio. Eso sucedió por accidente. Él incluso había visto la caja y había pensado ponerla a un lado para protegerla. Tal vez su hija, que lo estaba ayudando, la había puesto con las otras cajas por error. El caso fue que se había perdido definitivamente.

Cuando Patricia comprendió que la caja había desaparecido, explotó. Estaba enfurecida. Acusó a Carlos de ser "estúpido, insensible y dominante". Sentía que a él no le importaba nada y que tirar sus cosas a la basura era simplemente otro signo de que él necesitaba tener control sobre todo.

Lo que ocurrió fue infortunado. Patricia tenía todo el derecho de sentirse furiosa; esos recuerdos significaban mucho para ella. Pero realmente había sido un error. Pero como el punto de conflicto del control se había desencadenado en ella, Patricia fue injusta al acusar a Carlos de herirla intencionalmente. Ésta era una interpretación muy negativa. De hecho, él estaba tratando de hacer algo que sabía que a ella le agradaría.

Cuando usted es herido en esta forma, es normal esperar una excusa —no porque su cónyuge tuviera la intención de herirlo, sino porque un error, efectivamente, lo hirió. Carlos puede pedirle excusas a Patricia, pero ella va a tener que esperar mucho tiempo si lo que quiere oír de él es "Tienes razón. Tiré tus cosas porque soy un fanático del control y creo que puedo hacer lo que quiera con cualquier cosa en esta casa. Trabajaré para arreglar ese problema". Eso no es probable que ocurra.

Independientemente de que ustedes estén o no de acuerdo con la naturaleza de la infracción o del error, pueden seguir adelante y perdonar. Puede ser difícil, pero si no lo hacen, tanto ustedes como la relación saldrán perjudicados. De hecho, hay buenas razones para creer que cuando una persona se aferra al resentimiento y a la amargura, toma el riesgo de tener problemas físicos y psicológicos tales como depresión, úlceras, presión arterial alta e ira. Ésa no es una forma de vivir.

Ahora veamos el caso realmente difícil. Supongamos que es muy claro para usted que su cónyuge hizo algo malo y que no va a asumir ninguna responsabilidad, como en la situación de Juan y Mónica. Nadie va a negar que Juan hizo algo malo. Él debe asumir la responsabildad de su comportamiento para que el matrimonio tenga alguna probabilidad de seguir adelante. Claro que ambos son responsables de haber dejado que su matrimonio se deteriorara. Se habían distanciado mucho y ninguno de los dos tiene más culpa que el otro en eso. Sin embargo, en respuesta a esto, él tomó la decisión de tener una aventura. Él es responsable de ese acto, no Mónica.

Cuando Juan apareció en la cocina para pedir perdón, la peor cosa que hubiera podido hacer Mónica habría sido seguir adelante como si todo hubiera vuelto a la normalidad. Eso no era así. Uno no puede ocultar cosas así bajo el tapete. Mónica habría podido decidir perdonarlo en ese momento, pero ésa es una decisión independiente de si hubiera debido o no permitir un restablecimiento completo de la relación. He aquí lo que queremos decir.

Cuando Juan regresó a la casa esa noche, Mónica no sabía qué grado de responsabilidad estaba él aceptando por la aventura. Ella se preguntaba, "¿Qué tal que en el fondo él realmente me esté culpando a mí de eso? ¿Qué tal que él piense que la culpa es mía por no ser suficientemente cariñosa?" Si ella pensaba que él se sentía justificado o que no tenía intenciones serias de cambiar, ¿por qué debería permitir el restablecimiento de la relación? Sería un riesgo muy grande recibirlo de nuevo. Sin embargo, eso no impedía que ella pudiera llegar a perdonarlo. Fuera lo que fuera, todo tomaría tiempo.

He aquí lo que ocurrió realmente. Durante algunos días, ellos sostuvieron unas conversaciones muy desagradables por teléfono. Con tanta tensión en el ambiente, era fácil que las discusiones se intensificaran, aun cuando Juan persistentemente expresó su deseo de reconstruir el matrimonio. Él quería regresar. Una noche, Mónica le pidió a Juan que fuera a la casa a conversar. Ella llevó a los niños a pasar la noche con sus padres, y luego se reunió con Juan y dejó salir toda su angustia, su dolor y su ira. Él la escuchó. Ella se centró en cómo la había afectado el comportamiento de él, no en sus motivos y debilidades. Él aceptó la responsabilidad hasta el punto de ofrecerle una disculpa sincera y decirle que no la culpaba a ella por la aventura. En ese momento, ella pensó que existía una posibilidad de que pudieran superar esto. Su conversación concluyó de la siguiente forma:

JUAN: He tenido mucho tiempo para pensar. Creo que hice una elección muy mala que te hirió profundamente. Fue una equivocación de mi parte haber iniciado la relación con Sara.

MÓNICA: Aprecio tus disculpas. Necesitaba escucharlas. Yo te amo pero no puedo reiniciar la relación en donde la dejamos. Necesito saber que tú irás hasta el fondo de este problema.

JUAN: ¿Qué quieres que yo haga?

MÓNICA: No quiero decirlo. No lo sé. Tengo tantas preguntas que estoy muy confundida. Simplemente sé que necesitaba oírte decir que habías hecho algo muy malo.

JUAN: Mónica, sí hice algo malo. Lo sé. También está muy claro para mí —más claro de lo que ha sido en varios años— que quiero que este matrimonio funcione. Yo te quiero a tí. A nadie más.

MÓNICA: A mí me gustaría lograr que funcionara, pero no estoy segura de que pueda aprender a confiar en tí de nuevo.

JUAN: Sé que te herí profundamente. Quisiera deshacer ese daño.

MÓNICA: Eso es lo que yo quiero. Supongo que puedo perdonarte, pero también necesito alguna forma de creer que eso no volverá a ocurrir nuevamente.

JUAN: **Mónica**, quisiera regresar a casa.

MÓNICA: Está bien, pero yo necesito saber que buscaremos ayuda para superar esto.

JUAN: Por ejemplo, un terapeuta.

MÓNICA: Sí, un terapeuta. No estoy segura de lo que debemos hacer ahora, pero no quiero que nos equivoquemos. Si estás de acuerdo con eso, puedo aceptar que vuelvas a casa.

JUAN: Eso es sensato.

MÓNICA: No esperes que yo siga adelante como si nada hubiera ocurrido. Estoy muy, muy furiosa contigo en este momento.

JUAN: Lo sé, y no te presionaré para que actúes como si nada hubiera ocurrido.

MÓNICA: Está bien.

Como pueden ver, Mónica realmente se abrió y Juan validó su dolor y su ira. Él no se puso a la defensiva. Si lo hubiera hecho, ella estaba dispuesta a trabajar en el perdón pero también a terminar el matrimonio. Esta conversación hizo renacer en ella la esperanza. Ella sabía que podía perdonar, pues es una persona muy indulgente. También sabía que le tomaría algún tiempo, pues no es ninguna tonta. Y también sabía que necesitaban ayuda. El futuro parecía incierto y tendrían que trabajar mucho, si querían restablecer su relación.

Juan hizo lo mejor que pudo, dadas las circunstancias. Al día siguiente, empezó a buscar al mejor terapeuta. Él quería un profesional que supiera qué necesitaban hacer para seguir adelante. Esto le demostró a Mónica que él estaba tomando en serio la reparación de su matrimonio y que era capaz de una dedicación que hacía mucho tiempo no demostraba.

La relación no pudo empezar a restablecerse sino hasta cuando comenzaron a trabajar en ella. Les tomó tiempo, pero realmente trabajaron mucho. Mónica recuerda, nunca será capaz de olvidar, pero el dolor en su corazón se apacigua cada vez más a medida que avanzan en el perdón y en la restauración de su relación.

¿Y CÓMO SE RECUPERA LA CONFIANZA?

A menudo nos preguntan cómo se recupera la confianza cuando un incidente la ha afectado seriamente. Esta pregunta no es tan importante para cuestiones menores relativas al perdón; por ejemplo, en el caso de los Jiménez no hubo pérdida de confianza. Pero con los Rodríguez sí hubo una gran pérdida de la confianza. Sea cual sea el incidente, supongan que el perdón llega fácilmente y que ambos quieren restaurar la relación. ¿Cómo recuperan la confianza? No es algo fácil. Presentaremos cuatro puntos claves para la recuperación de la confianza.

1. La confianza se construye lentamente con el tiempo. Como lo expresamos en el capítulo anterior, la confianza se va construyendo a medida que se va adquiriendo la seguridad de que alguien está allí para uno. Aun cuando la investigación muestra que la gente tiene diferentes grados de confianza general hacia los demás,

la confianza profunda solamente nace al ver que nuestra pareja está allí para nosotros con el paso del tiempo. Mónica sólo puede recuperar su confianza en Juan lentamente. Lo mejor que puede ocurrir es que, durante una cantidad considerable de tiempo, no se presente un grave quebrantamiento en su confianza. Eso exige compromiso y nuevas formas de vivir juntos. No pueden permitir que vuelva a crecer la distancia entre ellos. Y si Juan vuelve a tener una aventura, probablemente será imposible para Mónica volver a confiar en él.

2. Hay mayor probabilidad de recuperar la confianza cuando cada cónyuge asume la responsabilidad adecuada. Lo mejor que puede hacer Juan para recuperar la confianza de Mónica es asumir la responsabilidad completa de sus actos. Si ella ve que él está haciendo todo lo posible para realizar un cambio importante sin que tenga que pedírselo, su confianza aumentará y tendrá mayor seguridad de que las cosas pueden mejorar, tal vez no llegar a ser perfectas, pero sí mejores. Como lo comentamos en el capítulo anterior, es más fácil confiar cuando se puede ver, claramente, la dedicación del cónyuge hacia uno.

Mónica también puede ayudar a reconstruir la confianza de Juan. Por una parte, él necesitará darse cuenta de que ella no piensa recriminarle la aventura eternamente. ¿Puede perdonarlo realmente? Si ella le recuerda la aventura, especialmente durante el curso de las discusiones, él no podrá confiar en su afirmación de que quiere que vuelvan a estar cerca y seguir adelante juntos.

3. Si ustedes han perdido la confianza, tomen conciencia de que hoy pueden hacerle todavía más daño que recuperarla. Toma mucho tiempo recuperar la confianza, pero tan solo uno o dos minutos son necesarios para perderla. Si Juan vuelve a casa esta noche para estar con Mónica y seguir ensayando, ella adquirirá un poco más de confianza. Por otra parte, si llega dos horas tarde a su casa sin una buena excusa, la confianza de Mónica dará un gran paso hacia atrás. Se van a cometer errores, pero el compromiso de cambiar debe permanecer claro. El compromiso implica

que se tiene el tiempo y la motivación para reconstruir la confianza.

4. La vigilancia no aumenta la confianza. No se puede recuperar la confianza dedicándose a seguir al cónyuge en todo momento del día, para estar seguro de que no está haciendo nada malo. La confianza de Mónica no aumentará si se dedica a seguir a Juan a todas partes donde él vaya o a llamar a sus amigos para indagar qué ha estado él haciendo. Claro que si él vuelve a serle infiel, tal vez lo descubra más pronto. De lo contrario, todo lo que podrá saber con seguridad es que Juan no se sale del camino cuando sabe que ella está observando cada uno de sus actos. Puede hacerse una excepción en el caso de que los dos acuerden que está bien controlar un poco. Mónica y Juan podrían acordar que, durante algún tiempo, él la llamará frecuentemente o que ella lo llamará más frecuentemente que antes. Pero a largo plazo, Mónica tendrá que llegar a confiar en Juan nuevamente, para que ambos puedan relajarse en su relación. Confiemos en que su confianza no esté puesta en el lugar equivocado. Volver a confiar es un riesgo. Su cónyuge podría fallarle de nuevo y no hay manera de estar seguro de que eso no ocurrirá. Por eso se llama confianza. Como en el caso del perdón, la confianza implica soltar las riendas.

PASOS PARA QUE PUEDAN TENER LUGAR EL PERDÓN Y LA RESTAURACIÓN

Hasta ahora, nos hemos concentrado en el significado del perdón y en lo que se requiere para que pueda llevarse a cabo. Ahora queremos darles un enfoque más específico y estructurado para que el perdón ocurra. Al sugerir pasos específicos no estamos tratando de implicar que el perdón sea fácil. Pero sí queremos que utilicen estos pasos para superar los momentos más difíciles. Los pasos son similares al los que se dan en el proceso de resolver problemas que sugerimos en el capítulo cuatro. Pueden ser muy útiles para ayudarles a lograr el perdón cuando tengan que manejar un suceso específico o una cuestión recurrente. No podemos garantizarles que les vamos a proporcionar la motivación y la humildad requeridas, pero podemos ayudarles a establecer las condiciones que permiten que el perdón tenga lugar.

Cada paso tiene algunos indicadores claves. Usaremos el ejemplo de Patricia y Carlos, que presentamos anteriormente en este capítulo, para recalcar los puntos. Con él resumiremos muchos de los puntos que hemos presentado en este capítulo y además, les proporcionaremos una ruta para manejar el perdón. Como en el caso de otras estrategias que hemos presentado, nuestra meta aquí es proporcionar pasos específicos que puedan ayudar a las parejas a manejar bien los puntos de conflicto difíciles.

1. Programen una reunión de pareja para discutir el punto específico relacionado con el perdón. Si un punto de conflicto es lo suficientemente importante para concentrase en él de esta forma, háganlo bien. Reserven un espacio tiempo sin distracciones. Prepárense para manejar el punto de conflicto abiertamente, honestamente y con respeto. Como lo expresamos en el capítulo cuatro, cuando discutimos las reglas básicas, programar tiempos específicos para manejar las cuestiones aumentará la probabilidad de que realmente lo hagan y lo hagan bien.

   Después de la explosión inicial de ira, Patricia y Carlos acordaron aclarar el incidente de la caja desechada. Fijaron una hora en una tarde en que los niños estarían en una función en el colegio.

2. Establezcan la agenda para trabajar en el problema en cuestión. Identifiquen el problema o el suceso perjudicial. Ambos deben estar de acuerdo en que están dispuestos a discutirlo en este formato y en ese momento. Si no lo están, esperen hasta que llegue un mejor momento.

   Cuando Patricia y Carlos se reunieron la agenda era bastante clara: Cómo perdonar y seguir adelante después de lo que había ocurrido con su caja de recuerdos. Acordaron que ése era el tema de su reunión y que estaban dispuestos a manejarlo.

3. Exploren en su totalidad el dolor y las preocupaciones relacionadas con este tema. La meta en este paso es sostener una conversación abierta y que valide lo ocurrido, teniendo en cuenta

que le hizo daño a uno de ustedes o a ambos. No deberían sostenerla a menos que ambos sientan la motivación de escuchar y respetar el punto de vista de su respectivo cónyuge. Las bases para el perdón se establecen mejor a través de conversaciones o de series de conversaciones con estas características. Las discusiones en las cuales hay validación ayudan mucho a manejar los puntos de conflicto dolorosos en una forma que los acerca más. Éste sería un muy buen momento para utilizar la técnica del hablante-oyente. Si existe algún momento en el cual se deba tener una conversación clara y segura, sin duda, éste lo es.

Usando la técnica del hablante-oyente, Patricia y Carlos conversaron durante cerca de media hora. Carlos escuchó cuidadosamente la angustia que sentía ella por haber perdido cosas que significaban tanto. Patricia aceptó que él no había tirado las cosas a la basura a propósito. Ya se había calmado y podía darse cuenta de que acusarlo de eso no tenía sentido. Lo escuchó cuando él le dijo lo mal que se sentía por esa pérdida. También validó su declaración en cuanto a que él había tratado, específicamente, de no deshacerse de las cosas de ella. Como resultado, se sintieron más cercanos de lo que se habían sentido últimamente.

4. El ofensor solicita el perdón. Si usted ha ofendido a su cónyuge en alguna forma, una súplica directa de perdón no solamente es apropiada sino también muy curativa. Una disculpa sincera sería un poderoso complemento de la solicitud de perdón pues validaría el dolor de su cónyuge. Decir, "Lo siento cometí un error, por favor, perdóname" es una de las cosas más curativas que puede ocurrir entre dos personas. Presentar disculpas y pedir perdón es una parte muy importante de asumir la responsabilidad por haber herido a su cónyuge. Esto no implica que se torture y se dedique a castigarse a usted mismo por lo que hizo. ¡Usted también tiene que perdonarse a sí mismo!

Pero, ¿qué ocurre si usted piensa que no ha hecho nada malo? De todas formas, puede pedirle perdón a su cónyuge. Recuerde que el perdón es una cuestión separada de la infracción o el error cometido. Entonces, incluso si usted no está de acuerdo en que hizo algo malo, su cónyuge puede decidir perdonarlo. Es más difícil, pero puede hacerse. Escuche cuidadosamente el dolor y la preocupación de su cónyuge. Incluso si siente que no ha hecho nada malo, puede llegar a descubrir algo en lo que él dice que lo puede llevar a un cambio de su parte para mejorar la relación. Carlos no podía decir que él había hecho algo malo a propósito. Lo que había ocurrido había sido por un error. Sin embargo, él le pidió abiertamente a Patricia que lo perdonara y le presentó disculpas por no haber sido más cuidadoso. Aprendió además que, en ocasiones, ella sentía que él hacía lo que quería con las pertenencias de los demás habitantes de la casa. Él estuvo de acuerdo en pensar sobre ese tema.

5. El ofendido acepta perdonar. Idealmente, el que necesita perdonar debe reconocer abierta y claramente su deseo de hacerlo. Este paso puede no ser necesario para infracciones menores, pero para cosas importantes, sí lo es. Hace que el perdón sea más real y aumenta su confianza en que encontrarán la solución que están buscando.

Este paso tiene varias implicaciones específicas. Al perdonar, usted está intentando dejar el evento en el pasado y aceptando que no lo pondrá sobre la mesa en medio de futuras discusiones o conflictos. Ambos reconocen que el compromiso de perdón no significa que el ofendido no sentirá dolor o que lo que ocurrió no tendrá consecuencias. Pero están siguiendo hacia delante. Están trabajando para restaurar la relación y reparar el daño.

Patricia aceptó que no volvería a traer a colación, en momentos de ira, el hecho de que Carlos hubiera tirado su caja a la basura. Al perdonarlo, se comprometió a abandonar cualquier noción de que él estaba en deuda con ella por lo ocurrido. No habría retribución alguna. Sin embargo, Patricia no va a recuperar sus cosas. Ella se sentirá triste cada vez que piense en ello. Tal vez no con frecuencia, pero habrá ocasiones en las cuales deseará volver a mirar las cosas que estaban en la caja. Carlos tendrá que aceptar que, de vez en cuando, ella sentirá ese dolor.

6. Si es el caso, el ofensor se compromete a cambiar patrones o actitudes recurrentes que ofenden. Nuevamente, este paso depende de que lleguen a un acuerdo respecto a que existe un problema específico derivado de la forma como uno de ustedes dos se comporta. También supone que lo que ocurrió es parte de un patrón, no simplemente un evento único. Para los Jiménez y los Rojas este paso no es relevante. Para los Rodríguez, es crítico. Si usted ha herido a su cónyuge, también le ayudará darle algún tipo de indemnización. Esto no es lo mismo que comprometerse a hacer cambios importantes. Cuando usted da una indemnización, está ofreciendo hacer la paz, no porque esté "en deuda" con su cónyuge, sino porque quiere demostrar su deseo de volver al buen camino. Es un gesto de buena voluntad. Una forma de indemnizar es hacer algún acto positivo inesperado. Con él demuestra que está haciendo una inversión y que tiene el deseo permanente de seguir construyendo su relación.

   En el caso de Patricia y Carlos, él programó una cena solamente para ellos dos en el restaurante favorito de ella, haciendo de esta manera un esfuerzo real para demostrarle que ella era especial para él. Patricia ya lo había perdonado, pero este gesto los hizo avanzar en el camino de la curación. Además, se divirtieron. Su amistad se fortaleció.

7. Espere que este proceso se tome su tiempo. Estos son pasos contundentes para volverlos a poner en la senda como pareja. Inician un proceso, no lo terminan. Estos pasos pueden hacer que el proceso avance, pero probablemente tendrán que trabajar cada uno por su lado durante algún tiempo. Incluso cuando hay eventos dolorosos que los separan, la relación puede curarse. Es su elección.

Esperamos que se sientan reconfortados ante la posibilidad del perdón y de la reconciliación en su relación. Si ustedes han estado juntos por un corto período, todo esto puede parecerles más una discusión académica que un conjunto de ideas importantes para su relación. Si han estado juntos más tiempo, comprenderán la necesidad del perdón. Confiamos en que éste ocurra en forma natural en su relación. Sigan así. Trabajen en la prevención. Las recompensas son grandes. Si necesitan iniciar la etapa de perdón y se erigen barreras de resentimiento, empiecen a demolerlas. No duden que pueden lograrlo. Estos pasos les ayudarán a empezar.

En la Tercera parte nos concentraremos en lo sublime. Los cambios de dirección necesarios para aumentar los aspectos más maravillosos del matrimonio: la diversión, la amistad, la espiritualidad y la sensualidad. Literalmente hemos dejado lo mejor para el final. Si han estado trabajando en lo que les hemos presentado hasta el momento, ahora están listos para experimentar las maravillas del matrimonio.

♣ EJERCICIOS

Hay dos partes en esta tarea, una que se debe hacer individualmente y otra juntos. Usen una libreta de papel separada para anotar sus pensamientos.

1. Primero, dedique un tiempo a reflexionar sobre áreas en las cuales puede abrigar resentimiento, amargura y falta de perdón en su relación. Anote estas reflexiones. ¿Qué tan viejos son esos sentimientos? ¿Existen patrones de comportamiento que lo siguen ofendiendo? ¿Mantiene usted rencores hacia su cónyuge? ¿Trae usted a colación eventos del pasado durante las discusiones? ¿Está usted dispuesto a esforzarse a perdonar?

2. Dedique un tiempo a reflexionar sobre situaciones en las cuales pudo haber herido realmente a su cónyuge. ¿Ha aceptado usted la responsabilidad? ¿Presentó usted disculpas? ¿Ha dado usted pasos para cambiar cualquier patrón recurrente que ofende? Así como usted puede haber conservado algunos rencores, también puede estar impidiendo de alguna forma la reconciliación, si no ha aceptado la responsabilidad que le corresponde.

3. Como en todos los demás temas que hemos presentado, la práctica es importante para establecer realmente patrones positivos. Por lo tanto, recomendamos que planeen reunirse por lo menos un par de veces y trabajen en algunos puntos de conflicto con el modelo presentado en este capítulo. Para empezar, elijan eventos o puntos de conflicto

no muy importantes, para ver simplemente cómo se sienten. Esto ayuda a fortalecer la confianza y el trabajo en equipo.

Si han identificado heridas más significativas que no han sido manejadas en su totalidad, dediquen un tiempo a enfrentar estas cuestiones más sustanciosas. Esto es arriesgado, pero si lo hacen bien, el crecimiento de su relación y de su capacidad de intimidad recompensará el esfuerzo. Es su elección.

CRECIMIENTO

11

Preservación y protección de la amistad

E N ESTA ÚLTIMA PARTE DEL LIBRO, queremos ayudarlos a preservar y a acrecentar las cosas realmente buenas de su relación. Al igual que las flores que no reciben agua y luz del sol, muchos matrimonios languidecen y mueren porque no les ponen atención a las mejores partes de la relación. Queremos ayudarlos a impedir que esto ocurra. Para empezar, nos concentraremos en la amistad.

Como ya lo hemos comentado, los cónyuges llevan a la relación toda una serie de expectativas sobre las relaciones, y una de las más positivas es la de la amistad entre ellos. Una amistad sólida es una de las mejores maneras de disfrutar su relación y de protegerla para el futuro. Analicemos algunos principios importantes para mantener la amistad viva en su matrimonio o para fortalecerla si ha decaído por falta de atención.

LA IMPORTANCIA DE PRESERVAR LA AMISTAD

Hace varios años llevamos a cabo un estudio sobre las metas que tienen los cónyuges para su relación. Les pedimos a parejas en distintas etapas de una relación, desde aquéllas que estaban planeando casarse hasta parejas con matrimonios de veinte años o más, que hicieran una lista de las metas posibles tales como seguridad financiera, sexo satisfactorio y formar una familia. ¿Qué creen que respondió la mayoría de la gente, tanto hombres como mujeres? Resultó que la meta más importante para el matrimonio era tener un amigo.

¿QUÉ ES UN AMIGO?

¿Cómo contestaría usted esta pregunta? Cuando le hemos preguntado a la gente, la respuesta ha sido que un amigo es alguien que lo apoya a uno, que está allí para conversar y que es un compañero en la vida. En resumen, los amigos son personas con las cuales uno se relaja, se abre y con quienes puede contar. Con los amigos, conversamos y hacemos cosas divertidas. En este capítulo, nos concentraremos en el aspecto de la conversación entre amigos y en el próximo, en el papel que representa la diversión para la construcción y el mantenimiento de su relación y de su amistad.

Infortunadamente, muchas parejas que empiezan siendo amigas, no permanecen así. La amistad —uno de los mejores aspectos de la relación— no se preserva ni se protege. Cuando la expectativa de la amistad no se satisface, pueden surgir hondos sentimientos de desilusión y tristeza. Para hacernos una idea de qué le puede ocurrir a la amistad en su matrimonio con el paso del tiempo, observemos algunas barreras comunes.

BARRERAS A LA AMISTAD

A pesar de nuestras grandes esperanzas y de nuestras mejores intenciones, inevitablemente aparecen barreras a la amistada en el matrimonio. He aquí algunas razones de esto.

No Hay Tiempo

Todos llevamos vidas atareadas. Entre el trabajo, las necesidades de los niños, el mantenimiento del hogar, la asociación de padres, y el concejo de la ciudad, ¿quién tiene tiempo para la amistad? La amistad, el verdadero núcleo de la relación, a menudo pasa a un lugar secundario ante todos estos intereses rivales.

Por ejemplo, Ana y Germán era una pareja de profesionales que llevaban una relación de cinco años. Tenían una niña de dos años, llamada Linda, en la época que los conocimos. Aun cuando estaban felices con su matrimonio y con su vida juntos, sentían que algo se les estaba escapando.

GERMÁN: Acostumbrábamos pasar horas enteras sentados, simplemente conversando sobre cosas. Ya sabes, cosas como la política o el significado de la vida. Parece que simplemente ya no tenemos tiempo para eso.

ANA: Tienes razón. Era tan divertido simplemente estar juntos, escuchando lo que cada uno pensaba sobre las cosas.

GERMÁN: Esas conversaciones realmente nos acercaban. ¿Por qué ya no las sostenemos?

ANA: Ya no disponemos del tiempo como lo hacíamos antes. Ahora tenemos a Linda, la casa —para no mencionar que ambos traemos a casa trabajo en exceso.

GERMÁN: Parece que estamos dejando escapar algo. ¿Qué podemos hacer al respecto?

Germán hizo una estupenda pregunta, "¿por qué ya no hacemos eso?", y muchos de nosotros nos identificamos con la respuesta de Ana. Demasiado a menudo, las parejas no disponen de tiempo sólo para conversar como amigos. Las otras necesidades y cuidados de la vida acaparan el tiempo que debería dedicarse a conversar y relajarse. Pero ésa no es la única razón por la cual la amistad se debilita con el paso del tiempo.

Hemos perdido el sentimiento de amistad

Muchas personas nos han comentado que eran amigas de sus cónyuges al comienzo, pero ahora no, ahora están simplemente casadas. Pareciera que una vez que uno se casa, ya no se puede seguir siendo amigos. Se puede ser una cosa o la otra, pero no las dos. Pues bien, ésa es una creencia equivocada.

Los matrimonios más sólidos que hemos conocido han mantenido una gran amistad a lo largo de los años. Veamos el caso de Lucía y Pablo, quienes han estado felizmente casados por más de cuarenta años. Cuando estaban asistiendo a uno de nuestros talleres de trabajo, les preguntamos cuál era el secreto. Respondieron que era el compromiso y la amistad. Ellos empezaron su relación con una gran amistad y nunca la abandonaron. Han mantenido un profundo respeto el uno por el otro, como amigos que comparten libremente sus pensamientos y sentimientos sobre toda clase de cosas, en una atmósfera de profunda aceptación. Eso ha mantenido su vínculo fuerte y vivo.

No se entreguen a la idea de que por estar casados o planean estarlo, no pueden ser amigos. ¡Sí pueden!

Ya no hablamos como amigos

Piense, por un momento, en una amistad que usted disfruta con alguien distinto de su pareja. ¿Con cuánta frecuencia tiene que conversar con esa persona sobre problemas entre ustedes dos? Apostaríamos que no muy a menudo. Los amigos no son personas con las cuales discutimos mucho. De hecho, una de las cosas más agradables de las amistades es que, usualmente, no hay que arreglar muchos problemas. En cambio, se comparten intereses mutuos en una forma divertida para los dos.

Los amigos conversan sobre deportes, religión, política, filosofía de la vida, amigos, mujeres, sexo, amor, cosas divertidas que hacen o no hacen, sueños para el futuro y pensamientos sobre lo que cada uno de ellos está enfrentando en este momento de la vida. Los amigos conversan sobre puntos de vista y puntos de interés. En contraste, ¿sobre qué hablan las parejas, sobre todo después de haber estado juntos durante años? Hagamos una lista de algunos de lo temas comunes: problemas con los niños, problemas con el dinero y los presupuestos, problemas con la reparación del automóvil, preocupaciones sobre quién dispone de tiempo para terminar algún proyecto en la casa, preocupaciones sobre los parientes, problemas con el perro del vecino, preocupaciones sobre la salud de cada cual; la lista es interminable.

Si las parejas no se cuidan, la mayoría de sus conversaciones terminan siendo sobre problemas y preocupaciones, no sobre puntos de vista o puntos de interés. Los problemas y las preocupaciones son parte de la vida matrimonial, y deben ser enfrentados y manejados, pero muchas parejas permiten que estas cuestiones consuman el tiempo que antes se dedicaba a las conversaciones más relajadas que disfrutaban y compartían. Y puesto que los problemas y las preocupaciones se convierten fácilmente en eventos que pueden desencadenar puntos de conflicto, hay mucho más potencial para el conflicto cuando se habla con el cónyuge que con un amigo. Esto nos conduce a la próxima barrera.

Tenemos conflictos que erosionan nuestra amistad

Una de las razones claves por las cuales las parejas tienen problemas para seguir siendo amigos es que las actividades que construyen la amistad se interrumpen cuando surgen puntos de conflicto en la relación. Por ejemplo, cuando usted está furioso con su cónyuge por algo que ha ocurrido, en ese momento no tiene sentimientos de amistad. O, peor aún, cuando disponen del tiempo para disfrutar de su amistad, inesperadamente surgen conflictos que les impiden seguir tranquilos como estaban. Creemos que ésa es la razón principal por la cual las parejas hablan cada vez menos como amigos con el paso de los años.

Una pareja, Claudia y Joaquín, estaba enfrentando grandes dificultades para preservar la amistad en su relación. Llevaban quince años de casados, tenían tres hijos y rara vez podían escaparse para, simplemente, estar juntos. Ellos criaban perros, pero no habían podido asistir a un concurso de perros desde que habían tenido su primer hijo. En una ocasión, lograron dejar a los niños en casa de los padres de Joaquín y se fueron a un concurso canino. Era su primera oportunidad de estar solos en años.

Estaban en el hotel dándose un baño, disfrutando una conversación sobre el concurso y sobre sus perros, cuando surgió un conflicto que destruyó ese agradable momento:

CLAUDIA: [*Muy relajada*] Éste es un lugar estupendo para el concurso canino.

JOAQUÍN: [*Igualmente relajado, acariciando la mano de Claudia*] Sí, es estupendo. No puedo creer que exista un pastor de ese tamaño.

CLAUDIA: Yo tampoco. Nunca había visto un pastor alemán tan inmenso. Eso me recuerda algo. Si vamos a reproducir a Sasha nuevamente este año, tendremos que arreglar el corral.

JOAQUÍN: [*Tensionándose un poco*] Pero ya te dije que ése era un trabajo demasiado grande. Tendríamos que derribar la cerca que divide la propiedad, reconstruir el costado de la colina y poner concreto en el perímetro de la cerca.

CLAUDIA: [*Sintiendo la tensión de él y ahora la suya*] ¿En verdad tendríamos que hacer todo eso? Sé que tenemos que arreglar ese corral, pero no creo que tengamos que hacer una cosa tan complicada para lograrlo.

JOAQUÍN: [*Exasperándose*] Otra vez lo mismo, siempre estás inventando cosas que tengo que hacer yo. Detesto tener pendientes todos esos proyectos. Es realmente un trabajo muy grande, si queremos hacerlo bien.

CLAUDIA: [*Exasperándose también*] Tú siempre agrandas las cosas. No tenemos que hacer un trabajo tan grande para que el corral pueda volver a utilizarse. Podríamos hacerlo durante un sábado.

JOAQUÍN: [*Alejándose*] Tal vez puedas tú, pero yo no quiero hacerlo a menos que lo hagamos bien, y no tenemos dinero en este momento para arreglar esa cerca correctamente.

CLAUDIA: [*Mirando directamente a Joaquín y con creciente desdén*] Si te cuidaras de cómo gastas el dinero durante un par de meses, podríamos pagarle a alguien para que hiciera todo el trabajo bien, si eso es lo que es importante para ti.

JOAQUÍN: [*Furioso y saliendo de la bañera*] Tú gastas lo mismo que yo. Me voy para el cuarto.

Presten atención a lo que ocurrió aquí. Ellos estaban relajados pasando un rato juntos, siendo amigos. Pero su conversación se convirtió en una pelea sobre un punto de conflicto. Cuando Claudia recordó el problema de la reproducción de su perro, Sasha, entraron en una discusión que desencadenó muchos puntos de conflicto —proyectos del hogar, sus diferentes estilos de hacer las cosas y el dinero. Tal vez se desencadenaron también algunos puntos de conflicto ocultos. Lo que habría sido una estupenda conversación entre amigos se convirtió en una desagradable discusión entre cónyuges.

Cuando las parejas son incapaces de evitar que surjan puntos de conflicto en los momentos más relajados que pasan juntos, se vuelve cada vez más difícil que esos momentos positivos sigan teniendo lugar en la relación. La peor cosa que puede ocurrir es que el tiempo que se dedica a conversar como amigos se convierta en algo que hay que evitar. Como lo dijimos anteriormente en este libro, la percepción creciente es que conversar conduce a pelear, incluso en las conversaciones como amigos. Entonces lo bueno termina por ser avasallado por lo malo. Ésta es una de las razones principales por las cuales las parejas pierden el contacto amistoso con el tiempo. Pero como lo veremos, podemos impedir que esto ocurra.

Yo ya conozco muy bien a mi cónyuge

Es muy fácil que la gente suponga que su cónyuge no cambia mucho con el paso del tiempo. Las parejas empiezan a suponer que no va a ser interesante conversar como amigos. Piensan que ya conocen lo que su cónyuge piensa sobre casi cualquier tema. ¿Pero es esto realmente cierto? No lo creemos. Todo el mundo cambia permanentemente. Ocurren eventos nuevos, nuevas ideas reemplazan a las viejas, y somos afectados por muchas de las cosas que nos ocurren.

Por ejemplo, Saúl ha estado casado con Paula durante once años, sin embargo ambos reconocen que siempre hay cosas nuevas sobre las que quieren conversar como amigos. Por ejemplo, Saúl estaba leyendo una edición reciente de una revista que contenía un artículo escalofriante sobre las formas de esclavitud que siguen existiendo actualmente en el mundo. Lo que realmente impresionó a Saúl fue una fotografía de un niño pequeño, no mayor de tres años, que estaba levantando dos pesados ladrillos en una empresa en un país del lejano oriente. Este niño y toda su familia habían sido esclavizados porque la familia tenía deudas que no había pagado.

Saúl había quedado destrozado al mirar esa fotografía porque su hijo tenía la misma edad que ese niño. Al reflexionar sobre el contraste surgieron en él muchas emociones, pero no había forma alguna de que Paula pudiera conocer sus reacciones a menos que él las compartiera con ella. Esto era algo que Saúl estaba sintiendo por primera vez. Él le comentó sus reacciones ante el artículo y Paula pudo apreciar sus sentimientos y conversar además sobre su propia reacción.

El hecho de compartir reacciones como ésta ante la vida a medida que van viviendo, puede ser algo muy fructífero para su amistad. Usted no puede saber cuáles pensamientos e ideas nuevas tiene su cónyuge, a menos que puedan conversar como amigos.

Somos víctimas del efecto búmerang

Una de las principales barreras a la amistad en el matrimonio se presenta cuando pensamientos compartidos en momentos íntimos y tiernos se usan, más tarde, como armas en las peleas. Cuando eso ocurre, es algo increíblemente destructivo para la amistad.

Jorge y Olga llevan tres años de casados y acaban de tener su primer hijo. Olga se ha estado sintiendo abrumada por las exigencias de su carrera y del nuevo bebé, y por eso empezó a conversar con un terapeuta. Después de una sesión, particularmente emocional pero productiva, ella compartió con Jorge su sensación de vulnerabilidad y de no estar muy segura de su habilidad como madre.

Más tarde en esa semana, se enfrascaron en una pelea sobre quien debería levantarse para ver al bebé en medio de la noche. Cuando la pelea ya era intensa, Olga acusó a Jorge de hacerse el dormido para que ella tuviera que levantarse siempre. Jorge se puso a la defensiva y dijo —"¿Por qué me estás acusando de no cumplir con mi parte? Tú misma admitiste que no estás manejando bien tu maternidad. ¿Por qué no manejas tus problemas antes de empezar a acusarme a mí?".

Esto destrozó a Olga y ella se alejó del cuarto llorando y diciendo que nunca más le contaría ninguna cosa personal. Infortunadamente, eventos como éste ocurren con mucha frecuencia en las relaciones. Las experiencias positivas e íntimas que compartimos como amigos, nos revelan cosas de nuestros cónyuges que, si no somos cuidadosos, podemos usar más tarde cuando estamos actuando más como enemigos. Pero usar las intimidades como armas tiene un efecto corrosivo muy grande. ¿Quién compartirá información personal y reveladora, si puede llegar a ser usada más tarde en una pelea?

Nunca fuimos amigos

¿Y qué ocurre si desde un comienzo no había amistad? Si ése es su caso, tal vez no sepan cómo ser amigos ahora. Es raro que las parejas no desarrollen una amistad al comienzo, puesto que actualmente hay muy pocos matrimonios arreglados. La mayoría de las parejas inician su relación con un gran énfasis en la amistad. Sin embargo, algunas parejas sí se pierden de esta importante etapa para el desarrollo de su relación.

Marco y Catalina eran una de esas parejas. Llevaban saliendo menos de cinco meses, cuando descubrieron que Catalina estaba embarazada. Aun cuando apenas estaban empezando a conocerse, ya abrigaban un sentimiento de amor y preocupación el uno por el otro y decidieron casarse. Cuatro años más tarde, tenían tres niños de pañales y todavía no se conocían realmente. Si éste es su caso, recuerden que es tan importante construir una amistad como mantener la que ya tienen. Ahora que hemos examinado algunas de las barreras comunes que impiden que su amistad siga viva, queremos darles algunos consejos para proteger esta parte vital de su relación. Las ideas que sugeriremos ahora pueden servir para construir, reconstruir o mantener la amistad en el matrimonio. Esto se debe a que captan lo que hacen las parejas primordialmente para alimentar la amistad.

CÓMO PUEDEN PROTEGER SU AMISTAD EN SU RELACIÓN

En nuestro trabajo con parejas, hemos descubierto algunos principios básicos que ayudan a proteger e incrementar la amistad. Si ustedes tienen una buena amistad actualmente, estos principios les ayudarán a impedir que su amistad se debilite con el tiempo. Si han perdido algo en términos de la amistad, usen estas ideas para recuperar lo que han estado añorando.

RESERVEN TIEMPO

Aun cuando es magnífico ser amigos, independientemente de lo que estén haciendo, pensamos que pueden beneficiarse si dedican tiempo específicamente a conversar como amigos. Para que esto ocurra, deben buscar el tiempo requerido. De lo contrario, las ocupaciones de la vida los mantendrán dedicados a sus problemas y ocupaciones. Ya mencionamos cómo Lucía y Pablo preservaron y ahondaron su amistad a lo largo de sus cuarenta años de matrimonio. Una de las cosas que hacían para mantener su amistad viva, era programar tiempo para estar juntos y solos. Daban largas caminatas y conversaban mientras caminaban. Salían a cenar. De vez en cuando, tomaban vacaciones de fin semana sin los niños. Sacaban tiempo para hacerlo y esto les ha dado frutos durante más de cuarenta años.

Si, como nos lo han dicho muchas parejas, la amistad es realmente importante para la relación, es necesario reservar tiempo para estar juntos como amigos. Eso implica darle prioridad a este aspecto de la intimidad. Ésta es una de las inversiones claves que deben hacer en su relación. Algunos de ustedes podrán necesitar darse permiso a sí mismos para pasar tiempo como amigos. A menudo, la gente dice, "¿Dónde está el tiempo?" Lo comprendemos. A pesar de las presiones, deben entender que serán mejores padres y que les irá mejor si su matrimonio está estable. Esto significa ponerle algunos límites a otras cosas que tienen que hacer en la vida y sacar tiempo para la amistad. Pero eso no es todo lo que necesitan hacer para proteger la amistad.

CÓMO PUEDEN PROTEGER LA AMISTAD DEL CONFLICTO

En la Primera parte de este libro, nos concentramos en las habilidades y técnicas que se pueden usar para manejar bien los conflictos, tales como la técnica del hablante–oyente, las habilidades para resolver los problemas bien y las reglas básicas. En la Segunda parte, complementamos este tema con la presentación de un modelo de puntos de conflicto y situaciones, así como conceptos sobre el perdón. Estas estrategias son herramientas poderosas para manejar el conflicto, pero ustedes no se convirtieron en una pareja solamente para manejar bien el conflicto. Eso es algo que deben hacer si quieren proteger los aspectos más maravillosos de la intimidad del perjuicio que causan los conflictos mal manejados. Por lo tanto, una clave para mantener la amistad viva es estar seguros de que están manejando bien los problemas y protegiendo su amistad en tiempos de conflicto.

Raquel y Camilo, una pareja que está comprometida, nos relató una pelea que surgió durante lo que había sido una cena relajada en su restaurante favorito. Uno de sus temas principales era la religión, Raquel es judía y Camilo metodista. Ellos se conocieron en el trabajo cuando conformaron un equipo de softball y se hicieron amigos, antes de empezar a salir juntos. Se consideraban excelentes amigos el uno del otro y hablaban orgullosamente sobre cómo su amistad era el pilar básico de su relación.

Esa noche su conversación durante la cena estaba fluyendo bien cuando Raquel comenzó a hablar sobre sus sentimientos respecto a una reunión que había tenido lugar en Washington entre Yitzhac Rabin y Yasur Arafat. La conversación transcurrió así:

RAQUEL: Pienso que es maravilloso que Rabin y Arafat estén conversando sobre la paz en el Medio Oriente. Pareciera que...

CAMILO: [*Interrumpiendo excitado*] Imposible. ¿Cómo pueden estos dos grupos que se han odiado durante años trabajar alguna vez juntos? Yo no creo que eso pueda ocurrir.

RAQUEL: [*Silenciosa, sintiéndose herida por haber sido interrumpida*]

CAMILO: [*Él se da cuenta que ella se ha retraído pero no quiere hablar sobre el tema por temor a iniciar una pelea. Trata de cambiar el tema*]

Sabes, dicen que puede que alguien compre este lugar. Me pregunto cómo cambiarán la carta.

RAQUEL: [*Ella se siente ahora más herida porque él ha cambiado el tema. Cree que esto significa que a él no le interesan sus puntos de vista sobre el Medio Oriente, y más aún, sus preocupaciones por el hecho de ser judía*] Me gustaría que te preocuparas más por lo que pienso y siento respecto a ser judía. Eso es realmente importante para mí.

CAMILO: [*Sintiéndose atacado aun cuando no está muy seguro de a dónde va ella*] Yo nunca dije nada respecto a eso.

RAQUEL: Cambiaste el tema. Siempre haces eso cuando pongo el tema de ser judía.

CAMILO: [*Furioso ahora*] Tú no pusiste ese tema. Tu hablaste de Arafat y Rabin. Si eres tan sensible por ser judía, tal vez ni siquiera deberíamos estar juntos.

RAQUEL: [*Sintiéndose muy herida y enojada*] Sabes, tal vez tengas razón.

La conversación de Raquel y Camilo ilustra cómo las conversaciones amistosas pueden rápidamente convertirse en discusiones sobre puntos de conflicto de la relación, de la misma manera que las situaciones pueden convertirse en problemas. Tales patrones continúan y se intensifican para muchas personas hasta llegar al punto en que el fundamento de su amistad se erosiona. ¿Después de todo, quién desea hablar sobre temas que frecuentemente se convierten en discusiones desagradables?

Nosotros tuvimos la oportunidad de enseñarle a Raquel y a Camilo la importancia de proteger su amistad, utilizando las habilidades que presentamos anteriormente en este libro. La clave para ellos fue aprender a mantener su capacidad para conversar de manera que se promoviera la intimidad y no el conflicto. Cuando estábamos enseñándoles nuestro enfoque, les pedimos que regresaran a la conversación que habían sostenido en el restaurante, "que devolvieran la cinta", por decirlo así, al punto en que Camilo planteó el tema de la compatibilidad. He aquí cómo manejaron la misma conversación, de manera diferente, y volvieron al buen camino:

CAMILO: Deténte, hagamos un receso. Yo realmente no quise decir eso. Estoy comprometido con nuestra relación. Pero me siento muy frustrado cuando planteas la cuestión de la religión.

RAQUEL: Lo sé, tiendo a plantear esa cuestión en muchas ocasiones, tal vez en momentos en que no es relevante. Pero valoro nuestra habilidad para conversar sobre sucesos mundiales y para estar en desacuerdo en ocasiones.

CAMILO: Yo también. Conversemos sobre la cuestión de la religión en nuestra próxima reunión de pareja. Por ahora, volvamos al tema de lo que ocurrirá en Medio Oriente.

RAQUEL: Estupendo. Debemos conversar sobre nuestras diferencias religiosas, pero concentrémonos en conversar simplemente como amigos en este momento.

Aun cuando ellos estaban representando un papel, eso es exactamente lo que necesitan ser capaces de hacer cuando tales problemas son desencadenados por situaciones de la vida real. Tomen nota cuidadosamente de lo que hicieron. Primero, separaron la situación (conversar sobre Israel y los palestinos) del punto de conflicto (sus diferencias religiosas y su compatibilidad). Segundo, acordaron conversar luego sobre el punto de conflicto muy importante de sus diferencias religiosas. Al hacer esto, no estaban evadiendo el tema sino planeando prestarle la atención que se merece. Tercero, al tomar el control sobre el giro que estaba dando la conversación, demostraron su apreciación del hecho de que estaban pasando un tiempo juntos como amigos y no enfrentando problemas en ese momento. Cuando ustedes estén pasando el tiempo juntos como amigos, no es apropiado discutir puntos de conflicto críticos, no si planean proteger su amistad y manejar con éxito los puntos de conflicto importantes. Separen los momentos en que manejan los puntos de conflicto, de los momentos en que se relajan y conversan como amigos.

Un último punto sobre cómo proteger su amistad del conflicto. Nunca use pensamientos compartidos en momentos de intimidad como armas en una pelea. Nada alimenta más el fuego que traicionar la confianza en esta forma. Como lo dijimos antes, esto es increíblemente destructivo y crea enormes barreras para la futura intimidad. Si usted está tan furioso que se siente tentado de hacer esto, probablemente no está manejando los puntos de conflicto efectivamente en su relación. Esto significa que puede necesitar trabajar más arduamente, y con su cónyuge, en todos los principios y técnicas en las cuales hicimos énfasis en la Primera parte. Se requiere mucha habilidad y práctica para llegar al punto en que puedan manejar los conflictos con respeto y maestría, pero ese trabajo vale la pena.

CÓMO PUEDEN CONVERSAR COMO AMIGOS

Avancemos ahora para discutir cómo pueden conversar como buenos amigos. Queremos recalcar algunos puntos sobre la forma como hablan los amigos que pueden ayudarlos a proteger y a ahondar su relación.

Escuche como un amigo

Los buenos amigos conversan sin ponerse a la defensiva. No hay que preocuparse tanto de herir los sentimientos de los amigos o de ofenderlos. Eso se debe a que los amigos están interesados en lo que usted piensa o siente, y rara vez se plantean problemas de relación. Escuchamos a una persona resumir esto así: "Un amigo está contento de verlo a usted y no tiene ningunos planes inmediatos para cambiarlo en forma alguna". Si ustedes están hablando como amigos y ninguno de los dos está tratando de cambiar nada del otro, simplemente pueden relajarse y disfrutar de la conversación. Incluso cuando usted se desinhibe y conversa sobre algo realmente importante, no desea que su amigo le diga qué debe hacer. Simplemente quiere que alguien lo escuche. Es agradable saber que alguien se preocupa. Los amigos a menudo proporcionan esta clase de apoyo, y ustedes pueden hacer esto mismo en su relación.

Si quieren mejorar realmente sus habilidades para escuchar, intenten usar la técnica del hablante-oyente. Aun cuando pensamos que esa estructura beneficia principalmente a las parejas cuando tienen que conversar sobre puntos de conflicto difíciles, el énfasis en escuchar bien puede ser un activo cuando ustedes estén conversando como amigos. El hecho de parafrasear los puntos claves que su pareja presenta puede fomentar la intimidad en sus conversaciones como amigos. Eso se debe a que las habilidades para escuchar bien tienden a abrir a las personas. Escuchar activamente invita a quien habla a seguir adelante, a decir más, a ser vulnerable o ridículo o cualquier otra cosa. Es estupendo tener un amigo que realmente quiere saber más sobre usted. Escuchar de esta forma es un regalo que usted puede darle a su pareja.

Los amigos no están concentrados en resolver problemas

La mayor parte del tiempo, cuando usted está con un amigo, no tiene que resolver un problema. Probablemente dispongan de una cantidad limitada de tiempo, pero no hay presión de hacer nada. Como lo dijimos en el capítulo cuatro, cuando se sienten presionados por resolver un problema, las parejas no sostienen las discusiones que pueden acercarlos más. Ésta es la razón por la cual es tan importante no conversar sobre problemas de la relación cuando estén pasando un tiempo juntos como amigos; hay demasiada tentación de resolver problemas y de dar consejos.

Incluso cuando estén conversando sobre problemas que no tienen nada que ver con su relación, dar demasiados consejos puede matar la conversación. Podría parecer que usted está diciendo, "Si solamente vieras la sabiduría en lo que te estoy aconsejando, podríamos seguir adelante y conversar sobre algo más interesante". Las personas, en general, no quieren consejos de un amigo tanto como sentir que alguien se preocupa. No caigan en la tentación de dar consejos o resolver problemas en el tiempo que pasen juntos como amigos. Traten de mantener las avenidas de la discusión abiertas de manera que puedan aprender más el uno sobre el otro.

Ensáyenlo

Recomendamos que reserven momentos para conversar como amigos. Resumamos las claves para que esto suceda:

1. Prohiban los puntos de conflicto problemáticos y los problemas de la relación en estos momentos.
2. Busquen un momento en el cual ustedes puedan alejarse de las

presiones de la vida. Por ejemplo, no respondan al teléfono, salgan a cenar y dejen a los niños con alguien que los cuide.

3. Concéntrense en temas de interés personal o mutuo.

4. Escúchense mutuamente de manera que ahonden el sentimiento de compartir.

Ustedes podrían pensar que esto suena muy artificial. Hemos escuchado esta objeción antes, pero nuestra meta no es convertir la amistad en algo artificial. Queremos que las parejas sepan cómo preservarla y protegerla —y cómo seguir adelante. Como lo dijimos al comienzo de este capítulo, la amistad es una expectativa básica que tienen las personas para el matrimonio. Si ustedes establecen las condiciones básicas para que nazca, florecerá y continuará creciendo a través del matrimonio. Si no son cuidadosos, puede desvanecerse.

Si su amistad es sólida y desean impedir que se erosione, estas sugerencias pueden ayudarlos a lograrlo. Si han estado juntos durante algún tiempo y han perdido algo en términos de amistad, es el momento de trabajar para recuperarlo. Las ideas anteriores también pueden ayudarles a lograr esto.

Al igual que otras cosas que han aprendido en este libro, la amistad es otra habilidad. Para mantener una amistad sólida, es posible que tengan que trabajar un poco, pero no se nos ocurre nada más importante para la salud de su matrimonio a largo plazo, distinto al fortalecimiento de la amistad. En este capítulo, hemos tratado de describir algunas de las estrategias que hacen que la amistad realmente funcione, especialmente aquéllas que los ayudan a comunicarse. En el próximo capítulo, cambiaremos nuestro enfoque hacia la diversión. Ésta es otra área clave de la intimidad y la amistad en el matrimonio que, a menudo, se da por sentada. Como en el caso de la amistad, la mayoría de las personas quieren divertirse con sus parejas. Esperamos que ustedes también lo deseen, porque tenemos algunas ideas específicas sobre cómo pueden preservar la diversión en su relación.

♣ EJERCICIOS

1. Programen un momento tranquilo y sin interrupciones. Planteen temas que sean de interés para cada uno de ustedes, alternadamente. Prohiban los conflictos de la relación y la solución de problemas. Luego examinen algunos de los siguientes temas:

    a. Algún aspecto de su familia de nacimiento en el cual haya estado pensando.

    b. Metas personales, sueños o aspiraciones.

    c. Un libro o una película recientes. Si lo desean, pretendan ser críticos profesionales.

    d. Sucesos actuales tales como deportes o política, por ejemplo.

2. Túrnense para representar a sus entrevistadores de televisión favoritos, y entrevisten a su cónyuge sobre la historia de su vida. Esto puede ser muy divertido, y está dentro del espíritu de escuchar como un amigo. Los mejores entrevistadores de televisión son expertos en escuchar y en lograr que sus entrevistados se exterioricen. Traten de lograr que ambos se exterioricen y compartan juntos como amigos.

3. Conversen sobre cómo pueden programar tiempo para la amistad en su rutina semanal. Si ambos piensan que eso debe ser una prioridad, ¿cómo quisieran demostrarlo?

12

Cómo pueden aumentar su diversión como pareja

N EL CAPÍTULO ANTERIOR, hablamos sobre la importancia de ser amigo de su pareja. Ahora avanzaremos aún más en el tema de mejorar su relación, concentrándonos en cómo preservar y aumentar la diversión en su relación. Notarán muchas similitudes entre este capítulo y el anterior. De hecho, les parecerá que ya han leído muchos de los puntos claves antes. Sin embargo, la diversión es un aspecto tan importante de la conexión mutua que pensamos que merece su propio capítulo. ¡La diversión es importante!

Las parejas a menudo se sorprenden de que incluyamos un enfoque sobre la diversión en nuestros talleres de trabajo y preguntan, "¿Por qué es tan importante la diversión?" En general, las experiencias divertidas les proporcionan a las parejas otra forma clave de conectarse y de lograr intimidad. Aquí, discutiremos el valor de la diversión y también les ofreceremos otras formas claves para mantenerla viva en su relación.

LA IMPORTANCIA DE PRESERVAR LA DIVERSIÓN

La diversión representa un papel vital en la salud de sus relaciones familiares. En la versión original del PREP, ésta era una parte muy pequeña del programa.

Sin embargo, como resultado de un estudio que llevamos a cabo en Denver, hace algunos años, comprendimos que no estábamos dedicando suficiente atención al papel de la diversión en el matrimonio. Siempre nos pareció que era de sentido común creer que la diversión era importante, pero la investigación puso en evidencia este hecho.

INVESTIGACIÓN SOBRE LA DIVERSIÓN

Howard Markman, la radio psicóloga Andrea Van Steenhouse, el psicólogo de la Universidad de Denver Wyndol Furman y Kristin Lindahl, ahora psicóloga y colega, llevaron a cabo un estudio para descubrir qué hacían las parejas felices para construir y mantener lo que nosotros llamábamos sus "supermatrimonios". En contraste con otros estudios nuestros, realizados en laboratorios, éste fue realizado por medio de un periódico local (The Rocky Mountain News), con el objeto de lograr que muchas parejas compartieran los secretos de sus matrimonios. Las personas que respondieron la encuesta contestaron cerca de cincuenta preguntas sobre todos los aspectos de sus relaciones, que incluían la satisfacción, el compromiso, la comunicación y casi cualquier otra cosa que se les ocurra.

Nos sorprendió mucho descubrir que, entre todas las variables, la cantidad de diversión de la que disfrutaban estas parejas emergió como el factor más importante para entender su felicidad matrimonial. Esto no significa que no estuvieran ocurriendo otras cosas en esas relaciones, pero las buenas relaciones se vuelven excelentes cuando se está preservando tanto la cantidad como la calidad de los momentos para la diversión juntos.

En contraste con las personas que forman esos supermatrimonios, muchas parejas no continúan divirtiéndose consistentemente. Lo que hace que esto sea inquietante es que la diversión representa un papel vital en el desarrollo de la mayoría de las relaciones durante el período del cortejo. El tiempo invertido en jugar juntos proporciona una intimidad relajada que fortalece el vínculo entre dos personas. Entonces, ¿por qué razón la diversión pasa a un segundo lugar en el caso de muchas parejas, cuando es tan importante para desarrollar la relación desde el comienzo? Podría pensarse que resulta fácil para las parejas mantener algo que es tan placentero. Examinemos, primero, algunas de las barreras para la diversión en su matrimonio; luego les mostraremos cómo proteger y aumentar el goce en su relación.

BARRERAS A LA DIVERSIÓN

La mayoría de las parejas se divierten mucho al comienzo de sus relaciones, pero para muchas de ellas la diversión va desapareciendo con el paso del tiempo. He aquí algunas de las razones más comunes que aducen las parejas.

Estamos demasiado ocupados

Frecuentemente, las parejas ya no reservan tiempo para la diversión en sus atareadas vidas. Al comienzo de la relación le otorgan una prioridad alta a ir al cine, ver vitrinas, caminar de la mano, jugar bolos, etc. Así eran las cosas para Miguel, de veintiocho años y Lucy, de treinta. Ellos pasaban muchos sábados juntos nadando en el mar, conversando y descansando en la playa. Daban largas caminatas en la arena y conversaban sobre su futuro juntos. Cuando se casaron continuaron yendo a la playa, pero con menor frecuencia. Pocos años más tarde, tuvieron su primer bebé y empezaron a dedicar menos tiempo a divertirse. Claro está que su hija, una niña llamada Amanda, era un deleite para ellos, pero ahora sólo en raras ocasiones Miguel y Lucy salían y se divertían en la forma como acostumbraban hacerlo.

Con el tiempo, notaron que su vida ya no era tan placentera como antes. Eran felices juntos y su matrimonio de ocho años era sólido, pero habían perdido algo. Esto es muy sencillo. La vida es más divertida cuando uno, en verdad, se divierte pero el resto de la vida invadirá la diversión si ustedes no se ocupan de impedirlo. Queremos animarlos a buscar tiempo para mantener el goce y la diversión que harán que su relación sea más agradable.

Carmen y Francisco son un buen ejemplo de una pareja que ha preservado el tiempo para la diversión en su matrimonio. Han estado casados durante veinte años, y no han permitido que la diversión desaparezca. Todos los viernes por la noche, durante esos años, han salido juntos a divertirse. Ésta es simplemente una de las formas en las cuales han preservado la diversión en su relación. Ellos se han valido de niñeras para cuidar a los niños y no han permitido que las cosas se interpongan en ese tiempo que pasan juntos. Ésa es una prioridad en su matrimonio.

También varían lo que hacen en esas citas —van a cenar y a cine, van a nadar, toman clases de baile, pasean en el parque disfrutando los atardeceres, etc. Han ensayado muchas cosas y han reservado tiempo para estar juntos y su matrimonio ha salido beneficiado. Sus experiencias de diversión se han acumulado para formar un cúmulo positivo de momentos y recuerdos agradables. Es imposible sobrestimar el valor de este activo.

Ahora estamos casados, entonces se supone que no nos podemos divertir

Una de las expectativas que algunas veces tienen las personas sobre el matrimonio, es que no debe ser divertido. Muchos de nosotros juramos amar, honrar y obedecer, pero ¿en dónde se menciona la diversión en los votos del matrimonio? Pareciera como si una vez que uno se casa, debe ser un adulto y los adultos no se divierten o no deberían divertirse. El trabajo y las responsabilidades a menudo se enfatizan más que la necesidad legítima de descanso y relajación. No hay nada malo en ser un miembro responsable de la sociedad. De hecho, nosotros lo fomentamos. Pero también es necesario distenderse y gozar el uno con el otro.

Recientemente estábamos hablando sobre la diversión y el matrimonio, cuando un marido mencionó que su esposa simplemente estaba demasiado ocupada en el trabajo para poder programar cualquier diversión. Julia trabajaba sin descanso. Se sentía culpable cuando no había terminado sus proyectos en el trabajo, pero había tantos proyectos que nunca lograba terminarlos. José le preguntaba si quería ir a jugar golf o salir a cenar, pero ella siempre tenía que trabajar hasta tarde. No se trataba de que a ella no le gustara divertirse, pero su sentido de la responsabilidad ante su trabajo era tan grande que, tanto ella como su matrimonio, estaban sufriendo las consecuencias.

¿Es éste su caso o el de alguien conocido? Esta ética antidiversión puede remontarse a los ideales puritanos que fueron parte tan importante de la psiquis del angloamericano. "Trabaje duro y llegarán las recompensas", reza el dicho. Y, de hecho, ciertas recompensas sí llegan cuando se trabaja tanto. Pero también es necesario mirar las prioridades generales. ¿Cuántas parejas conoce usted que trabajaron arduamente durante toda su vida para construir un hogar, enviar los niños a la universidad y tener un rincón para retirase, pero no pudieron gozar de estos beneficios a causa de la muerte o el divorcio? Al final de la vida, cuando las personas se preguntan qué les hubiera gustado hacer de otra manera, rara vez alguien dice, "Me hubiera gustado trabajar más arduamente, haber terminado más proyectos". Generalmente, la gente quisiera haber jugado más con sus hijos o haber pasado más tiempo con su cónyuge. No esperen. Asegúrense de que la diversión y el juego sean una parte esencial de su relación, ahora.

Los juegos son para los niños

Muchos expertos preescolares dicen que el juego es el trabajo que los niños hacen. A través del juego, adquieren habilidades relevantes para su desarrollo social, emocional y cognitivo. Creemos que la importancia del juego para el desarrollo, no se limita a la niñez sino se prolonga a lo largo de la vida. La diversión y el juego permiten liberarse de todas las presiones y preocupaciones de ser un adulto.

La sensación de unión que producen los momentos divertidos es importante en el desarrollo inicial de un vínculo entre dos personas. Eso se debe a que, cuando estamos divirtiéndonos a través del juego, en general estamos relajados y somos más nosotros mismos. Son estas condiciones bajo las cuales las personas se enamoran, cuando el uno ve al otro en su actitud relajada en el contexto de momentos de diversión juntos. Rara vez se escucha decir a alguien, "Realmente me enamoré de él cuando vi cuanto le gustaba trabajar".

Ya mencionamos que Miguel y Lucy acostumbraban ir al mar, al comienzo de su relación. Durante el tiempo que pasaban allí, chapuceaban en el agua, hacían castillos de arena juntos, se aplicaban loción bronceadora el uno al otro, se sepultaban en la arena —¡jugaban juntos como niños! En esos momentos, frecuentemente se miraban el uno al otro y sonreían por el deleite del momento. No se le puede poner precio al tiempo que construye tales vínculos básicos. Miguel y Lucy todavía sienten ese tipo de vínculo cuando juegan con Amanda, pero podrían aprovechar mucho más esta clase de relajación. Como lo dijimos antes, las parejas de los supermatrimonios crean oportunidades para jugar juntos, lo cual refresca constantemente el vínculo. Entonces, vuelvan a ser niños de vez en cuando.

El conflicto

Como en el caso de la amistad, el cual discutimos en el capítulo anterior, el conflicto mal manejado es un verdadero asesino de los tiempos de diversión juntos. De hecho, también insistiremos en este mismo punto en el próximo capítulo sobre sensualidad. El conflicto mal manejado puede arruinar los aspectos más placenteros de cualquier relación.

Natalia y David eran una pareja en la edad madura que dedicaba tiempo a la diversión. Ése no era el problema; pero, con demasiada frecuencia, cuando salían a divertirse alguna situación desencadenaba un punto de conflicto que acababa con la diversión del momento. Una noche contrataron a una niñera para los niños y se fueron juntos a una clase de masajes para parejas. Ellos pensaron, "Esto nos motivará a divertirnos de una forma nueva". ¡Gran idea! El instructor estaba indicándole a la clase que debía prestar atención a las reacciones de su pareja. David le susurró a Natalia, "Ése es un punto muy importante". Ella le respondió, "He tratado de decirte eso durante años". David se ofendió. Se sintió atacado y se alejó de Natalia, cruzando los brazos para expresar su disgusto.

Este suceso desencadenó algunos puntos de conflicto delicados para ellos. Durante años, Natalia había sentido que David no escuchaba bien lo que ella decía, lo cual afectaba el punto de conflicto oculto del cuidado. Ella se sintió herida porque él no había recordado que ella ya le había llamado la atención sobre el mismo punto que el instructor había planteado. Por su parte, David había estado sintiendo que Natalia criticaba prácticamente todo y que ahora lo estaba atacando cuando él se estaba entregando enteramente al taller de masaje con ella. Se sintió rechazado y desalentado; se preguntó, "¿No podrá dejar de presionarme ni siquiera cuando estamos afuera divirtiéndonos?" En esa ocasión, no pudieron recuperarse del suceso. David sugirió que abandonaran la clase y se fueran para la casa. Eso hicieron, en silencio.

Habrá ocasiones, para todas las parejas, en que el conflicto surja durante los momentos de diversión. Pero si eso ocurre con mucha frecuencia, los momentos divertidos perderán su encanto. La idea básica es hacer algo juntos que sea relajante y que haga surgir emociones positivas que puedan compartir. Los conflictos mal manejados echarán a perder estos momentos. La sensación de que el conflicto puede surgir en cualquier momento, no es compatible con la diversión relajada. Nuestros planes de diversión fracasarán si permitimos que en los momentos especiales dedicados a ella se interpongan los rencores o la ira.

Ahora que hemos discutido las barreras que pueden impedir que la diversión sea una parte permanente de la relación, queremos presentar algunas ideas para que logren mantenerla como una parte importante de la suya.

UNA GUÍA PARA QUE HAYA DIVERSIÓN EN SU MATRIMONIO Y PARA PROTEGER LOS MOMENTOS DIVERTIDOS

Ustedes pueden estar pensando que saben divertirse juntos y que no necesitan estrategias ni habilidades para hacerlo. Eso es estupendo. Pero pensamos que podemos darles algunas indicaciones muy útiles que pueden mantener a cualquier pareja en el buen camino. He aquí algunas sugerencias.

RESERVEN EL TIEMPO NECESARIO

Es difícil divertirse juntos, si no reservan un tiempo para que esto ocurra. Es claro que pueden tener un momento de diversión, en cualquier lugar, en cualquier momento, si ambos están de humor para eso. Incluso una simple broma o ver juntos algo entretenido en la televisión, puede ser divertido. Pero para obtener un verdadero beneficio, les sugerimos que conviertan la diversión en una prioridad de manera que ambos se dejen llevar por ella. Esto significa que tienen que ser serios en cuanto a reservar tiempo para ser menos serios.

La mayoría de las personas vive tan atareada y afanada que le toma un tiempo lograr pasar al modo de la diversión. Ésa es la razón por la cual muchas parejas pueden sentir más estrés que diversión los primeros dos días de las vacaciones. Se vive una transición. Esto también ocurre en recesos más cortos. A menudo es difícil distenderse lo suficiente para estar relajado. Pero una vez que ustedes se hayan relajado y estén jugando juntos, las oportunidades para acercarse más a través del vínculo de esta emoción positiva, realmente adquieren vida. No podemos pensar en ninguna forma más poderosa de recargar las baterías en su relación. Para hablar en el lenguaje del capítulo nueve, estarán realizando una inversión importante en su matrimonio al reservar tiempo para la diversión.

Para lograrlo, es posible que necesiten valerse de su agenda y programar tiempo juntos. Eso puede no parecerles muy espontáneo, pero muchas parejas tienen tantas cosas que hacer que se requiere un acto deliberado para sacar tiempo libre. Si ustedes tienen niños, podrían necesitar conseguir una niñera, y si no tienen una niñera de confianza, éste puede ser el momento de buscarla. No hay nada que pueda ayudarlos más a relajarse cuando están afuera divirtiéndose, que saber que sus hijos están con alguien confiable.

Por último, cuando estén dedicando tiempo a la diversión, eliminen la posibilidad de distracciones. Por ejemplo, si su trabajo requiere que usen un teléfono celular, ¿es necesario tenerlo encendido durante el tiempo reservado para disfrutar con su cónyuge? No es muy relajante saber que en cualquier momento pueden recibir una llamada. Reserven el tiempo y eliminen todas las demás distracciones. Sin duda, vale la pena. También es posible que esto les proporcione algo que les haga ilusión.

CÓMO PUEDEN PROTEGER LA DIVERSIÓN DEL CONFLICTO

Como lo dijimos en nuestra discusión sobre la amistad en el capítulo once, el material sobre cómo manejar el conflicto que se presentó en los capítulos uno a seis es importante, si aspiran a preservar la diversión en su relación. Como pareja, necesitan controlar los momentos y las condiciones para manejar los puntos de conflicto difíciles en su relación.

Cuando hayan reservado tiempo para divertirse, no trabajen en el conflicto. Reserven un tiempo aparte para manejar los problemas difíciles.

Muchas parejas finalmente adoptan la sabia medida de hacer una "cita nocturna" para escaparse y divertirse juntos. Sin embargo, en nuestra experiencia, hemos visto que muchas parejas tratan de hacer demasiadas cosas durante el tiempo que han reservado. Tratan de divertirse juntos y además resolver puntos de conflicto difíciles "ya que disponemos de este tiempo para nosotros".

Francisco y Carmen, mencionados anteriormente en este capítulo, aprendieron esta lección a las malas, antes de adquirir el hábito de divertirse en la forma adecuada. Al comienzo de su matrimonio, tuvieron una época en la que vivían tan ocupados que trataban de hacer todo en el poco tiempo que les quedaba para estar juntos. Contrataban una niñera, salían a divertirse y arruinaban la velada con los problemas.

Por ejemplo, una noche asistieron a un espectáculo de patinaje en el hielo. Cuando estaban sentados y esperando que empezara la función, Francisco dijo, "no hemos tenido tiempo para conversar sobre el problema del presupuesto. Veamos qué podemos adelantar ahora mismo". Grave error. Su presupuesto era un área de conflicto entre ellos y merecía mucho más tiempo del que le podían dedicar mientras esperaban a que empezara el espectáculo. Como es fácil imaginar, no llegaron a ningún lado en el tema del presupuesto en ese corto lapso, y lo único que lograron fue sentirse irritados el uno con el otro, a pesar de que habían salido a divertirse.

Aun cuando es comprensible y puede esperarse que, ocasionalmente, surjan conflictos durante los momentos de diversión, no comprendemos por qué las parejas reservan tiempo y luego, deliberadamente, gastan parte de él en manejar problemas. Eso no es compatible con la parte que le aporta mayores beneficios a la relación, pasar un rato relajados y estar contentos el uno con el otro.

Manejen los puntos de conflicto importantes de su relación en reuniones fijadas para este propósito, no durante los momentos que reserven para la diversión. Si se desencadenan puntos de conflicto durante estos momentos, pónganlos sobre la mesa. Declaren un receso. Vuelvan a ellos más tarde. Esto no es difícil de lograr, si lo ensayan un par de veces. En nuestra experiencia, el cambio más rápido y contundente que pueden hacer las parejas en su relación es el de acordar mantener el conflicto fuera de los momentos dedicados a disfrutar. Cuando ustedes se sientan seguros y confiados de que los problemas serán manejados en el momento y el lugar apropiados, les será mucho más fácil relajarse y divertirse.

ENTONCES, ¿QUÉ PODEMOS HACER PARA DIVERTIRNOS?

Bueno, ustedes han reservado un tiempo para la diversión y han acordado dejar los conflictos a un lado para proteger esos momentos. ¿Ahora qué? Para muchas parejas que tienen problemas para inventar cosas divertidas para hacer juntos, ésta es una pregunta difícil. Otras parejas, como las que describimos que tienen supermatrimonios, tienen muchas ideas. En muchos aspectos, la diversión es una habilidad como todas las demás habilidades en las cuales hemos hecho énfasis en este libro. Es necesario practicar estas habilidades, si esperan que les sean útiles. He aquí algunas ideas que podrían ayudarles.

Conversar puede ser divertido

Las conversaciones sobre temas íntimos son una manera importante de disfrutar juntos. Este punto es parecido al que tratamos en el último capítulo sobre amistad, pero el enfoque aquí está en sobre qué es divertido conversar, no en qué tiene interés para ustedes en términos de amistad. Usualmente, las conversaciones agradables tratan temas que les interesan a los dos interlocutores o que ambos consideran humorísticos. Utilizar un formato como el de la técnica del hablante–oyente no es usualmente necesario para sostener conversaciones divertidas; ese exceso de estructura está de más si están conversando sobre temas realmente divertidos. Hay varias clases de conversaciones que, en general, las parejas disfrutan.

La investigación realizada por el experto en comunicación oral, Fran C. Dickson de la Universidad de Denver, ha revelado que la mayoría de las parejas que han estado casadas durante cincuenta años han vivido guiadas por una visión de relación compartida. Su objetivo no es resolver cómo pagar la casa nueva. Es, más bien, compartir metas y sueños, deseos, esperanzas y preocupaciones hacia el futuro. Se trata de conversar sobre su futuro común, con la libertad para discutir las fantasías que cada uno de ustedes pueda tener sobre lo que les traerá el futuro. Estas conversaciones pueden versar sobre distintas cosas tales como el hogar soñado, unas vacaciones que quisieran tomarse o sobre sus planes respecto a cómo será su vida cuando se retiren. Es importante compartir planes y sueños para mantener su vínculo. Y es divertido.

También pueden recordar el pasado y luego proyectarlo al futuro. Todas las parejas tienen por lo menos una buena historia sobre cómo se conocieron o sobre algo que sucedió cuando estaban de novios. Es importante conversar sobre este tipo de recuerdos, para que al rememorar épocas divertidas se sientan motivados para volverlas a tener en el futuro. Mirar hacia atrás para recordar esas buenas épocas fortalecerá su habilidad para seguir hacia delante. En cambio, cuando se mira hacia atrás para concentrarse en épocas malas, la relación se enfanga. Así como compartir una visión sobre el futuro fortalece la relación, recordar las cosas positivas de su historia compartida también es fructífero.

Compartan toda clase de fantasías, por ejemplo ¿qué ocurriría si abandonaran la vida que llevan ahora y se fueran a vivir a una isla del Caribe durante un par de años? A muchas parejas no sólo les encanta conversar sobre esta clase de cosas, sino que además, al compartir estos sueños, a veces descubren ideas que pueden llevar a cabo para divertirse. Por ejemplo, una pareja nos contó las fantasías que compartían sobre cómo sería la noche romántica ideal. Luego pensaron que nada les impedía vivir esa experiencia.

También es importante para las parejas hacer locuras en compañía y compartir bromas y lenguajes privados. Una de nuestras colegas, Susan Blumberg, y su esposo, Luis, comparten una broma privada que se remonta a la época en que Susan estaba en la universidad. Luis fue a visitarla y estaban en su dormitorio mirándose a los ojos ensoñadoramente. Ella pensó que algo realmente romántico iba a ocurrir, como por ejemplo, una declaración de amor. Entonces, con una mirada de amor e interés, él dijo, "galletas Graham". Él, en realidad, no la estaba mirando a ella; estaba mirando una caja de galletas que estaba sobre el escritorio tras ella.

Aun cuando inicialmente ella se sintió bastante ofendida, con el paso del tiempo ésta se convirtió en una frase que usan para decir "Te amo". Los floristas quedan totalmente desconcertados cuando, en los cumpleaños y aniversarios, ellos escriben en la tarjeta "Galletas Graham" en vez de "Te amo".

Los cumplidos pueden ser divertidos

Recientemente, Howard Markman estaba trabajando con un cliente cuando tuvo una magnífica idea sobre algo divertido que pueden hacer las parejas. Mientras conversaban, el marido dijo: «En mi familia, durante nuestra crianza, se consideraba que no recibir noticias era como recibir buenas noticias, por eso solamente hablábamos de las malas noticias. Eso tenía sentido para mí. Por eso, cuando no le digo nada a mi esposa significa que las cosas van bien».

Howard le preguntó a la esposa, "¿Cuándo fue la última vez que escuchó un cumplido?". Ella replicó "¡Hace veinte años!" Esto les sucede a muchas parejas. El raciocinio es, "Si no digo nada, las cosas están bien. Si algo está mal, te lo diré, tal vez". Igual que en los medios de comunicación, escuchamos más malas noticias que buenas. Esto puede llevarnos a tener una relación aburridora y seca, concentrada en las cosas negativas. Hemos descubierto que las parejas pueden aprender a hacer cumplidos para incrementar la diversión. La clave es darle a su cónyuge las buenas noticias en forma de titulares. Las malas noticias pueden vender periódicos, pero llevan a las relaciones a la bancarrota.

Howard le sugirió a esta pareja que jugaran a recalcar las cosas positivas. Les dijo que se hicieran el uno al otro un cumplido cada día. Para seguir este consejo, empiece por pensar en algo que realmente aprecie de su cónyuge. He aquí algunos ejemplos de cumplidos.

Respecto al trabajo de su cónyuge en o fuera de la casa:

"Agradezco lo mucho que trabajas para ayudar a nuestra familia".

"Me gusta mucho la forma como trabajas conmigo para mantener la casa bien arreglada".

Respecto al manejo de los hijos por parte de su cónyuge (si están criando hijos):

"Me encanta tu sensibilidad hacia las necesidades de José".

"¡Realmente eres un gran papá!"

Respecto a la personalidad de su pareja:

"Eres una persona muy cálida y dedicada".

"Me gusta que pienses en lo que es importante para mí".

Respecto a su cónyuge en el área de la sensualidad:

"Es estupendo que muestres tanto entusiasmo por estar conmigo en la cama".

"Eres muy generoso cuando hacemos el amor, y eso me gusta mucho de ti".

Ésa es la idea. Esfuércese un poco para hacerle a su cónyuge un cumplido cada día. En el caso de la pareja de Howard, esto exigió mucha práctica porque iba en contra del estilo de su relación. Pero pronto, se volvieron expertos en cumplidos y se divirtieron mucho jugando este juego. El juego de los cumplidos es divertido y eleva el nivel de emoción positiva en su matrimonio. ¡Juéguenlo!

Lluvia de ideas para descubrir otras actividades divertidas

Es claro que las parejas participan en distintas actividades divertidas. ¿Qué hacen ustedes? Reúnanse y piensen cuáles son las actividades más deleitables, interesantes y divertidas que han hecho o que quisieran hacer juntos. Hagan una lista en la cual ambos contribuyan, y escriban todas las ideas que se les ocurran sin importar cuán locas o extravagantes puedan parecer. Parte de la diversión está en la sesión misma de lluvia de ideas sobre la diversión y en lanzar las ideas más locas que se les ocurran. Eviten dejarse atrapar en una rutina.

Ideas que les hemos escuchado a las parejas

Para ayudarlos, nos gustaría mencionar algunas ideas excelentes que hemos escuchado de las parejas en el curso de los años. Tal vez alguna de ellas pueda causar una cascada de ideas nuevas en su mente.

Las parejas han sugerido hacer ejercicio, yoga, o darse masajes juntos. La diversión no tiene por qué ser algo muy elaborado o que cueste dinero. Éstas son actividades que ustedes pueden hacer casi en cualquier parte, si las consideran placenteras. En contraste, esquiar es maravilloso, pero puede ser muy costoso. Sin embargo, si ustedes disponen del tiempo y el dinero, puede ser estupendo pasar el día juntos. Muchas parejas disfrutan yendo juntas al cine, ésa no es una idea muy original, y probablemente ya pensaron en ella, pero ¿hace cuánto que no lo hacen? O si ustedes van regularmente al cine, ¿cuánto hace que no se sientan en la última fila del teatro? Si nunca han pasado el cine besándose, ensáyenlo.

Pueden preparar juntos galletas y formar un gran desorden. Pueden escalar una montaña o recolectar conchas en la playa. Pueden ir a nadar o jugar a las escondidas. ¿Qué tal conseguir una película clásica y sentarse a verla abrazados en el sofá con una bandeja de palomitas de maíz? ¿Cuánto hace que no han tomado un solo refresco con dos pitillos? ¿Alguna vez han ensayado a preparar juntos una comida, y luego alimentarse el uno al otro?

Incluso las cosas que parecen ser un trabajo pueden convertirse en juego, si ésa es su actitud. Un marido nos dijo, "Mi esposa y yo hemos descubierto que es realmente divertido trabajar en el jardín. Es estupendo estar juntos engalanando nuestra casa, y al final del día es reconfortante ver lo que hemos logrado. Y en el verano, ver florecer las plantas que sembramos, es algo que nos produce gran placer y orgullo. Estas cosas son divertidas para nosotros porque las hacemos juntos".

Con el paso de los años, hemos notado que cuando les pedimos a las parejas que hagan una sesión de lluvia de ideas sobre cosas divertidas, el sexo usualmente no se menciona sino después de muchos otros temas. Las parejas tienden a olvidar que la intimidad sexual es una de las cosas más divertidas que pueden hacer juntos. Distintas variaciones, que naturalmente se adecúen a sus preferencias personales, deberían estar en su lista. ¿Qué tal reservar una velada sin los niños para hacer el amor?

Queremos que ustedes lleguen a una etapa en la cual todo tiempo divertido que pasen juntos sea algo que hayan estado deseando intensamente. ¡Sean creativos!

Cómo comenzar

Conformen una baraja de cosas divertidas, tomando unas tarjetas y escribiendo en cada una de ellas una de las ideas que surgieron en las sesiones de lluvia de ideas. Sugerimos que, para empezar, hagan una lista de veinticinco o treinta ideas, que cubran todo un rango de temas. Una vez hayan hecho la baraja, reserven tiempo para elegir las actividades y realizarlas. No permitan que nada se lo impida.

Puesto que van a divertirse más, si ambos están deseando realizar las actividades que eligieron, he aquí una forma de que esto ocurra cuando usen su baraja de diversiones. Cada uno de ustedes elige tres tarjetas de la baraja que describan cosas que le gustaría hacer en el tiempo que reservaron ese día. Intercambian luego las tarjetas y cada uno elige una tarjeta de las tres que sacó su cónyuge y se hace responsable de que esa actividad se lleve a cabo. De esa manera, estarán eligiendo algo que saben que a su cónyuge le agradará, pero como usted tiene la oportunidad de elegir entre tres, probablemente a usted también le agradará. No se preocupe respecto a cuál de ellas quisiera su cónyuge que usted eligiera. Si no hacen lo que él quería hoy, ¡ya tendrán otra oportunidad mañana!

Es posible que ustedes obtengan mucho placer de los rituales en su matrimonio, como salir a cenar todos los jueves, pero también es importante esforzarse por innovar. Muchas veces, las cosas más agradables son las cosas nuevas y la novedad de la actividad es una parte importante de la diversión. Tal vez una semana pueda usted decir, "Sabes, para cambiar, me gustaría conseguir una niñera e ir al teatro en vez de al cine, ¿qué opinas?" Acaso le parezca arriesgado ensayar algo nuevo y no saber qué opinará su pareja. Pero si ustedes están con el espíritu de divertirse juntos, su pareja podría decir, "Estupendo, ¿cuándo iremos?" O su cónyuge podría tener otra idea que a usted le parezca más atractiva. La clave está en que sean capaces de colaborar en la elección de esas actividades.

También, en ocasiones, pueden elegir intensificar el esfuerzo. Por ejemplo, podrían ensayar un enfoque algo diferente con su baraja de tarjetas de diversión, de modo que cada uno elija tres tarjetas y luego, durante el siguiente fin de semana, realicen las seis actividades. Rompan la barrera de la diversión. Tal vez piense usted, "Dios mío, yo no puedo hacer eso". Pero si lo piensa un poco más, ustedes podrían dar una caminata y ver el atardecer (ésa es la primera), luego salir a cenar (la segunda), ir al cine (la tercera), regresar a casa y hacer el amor (la cuarta), desayunar en la cama a la mañana siguiente (la quinta), y luego ducharse juntos (la sexta). Luego, se pueden realizar seis actividades en el curso de una velada y una mañana. Usualmente, las parejas de novios hacen muchas cosas divertidas en un corto período. Si sus prioridades están puestas en mantener una relación vibrante, no hay razón para no seguir haciéndolo. ¡Rompan la barrera de la diversión!

Si ustedes siguen los puntos claves de este capítulo, calificarán para un diploma en diversión en la relación. Pueden lograrlo. Al comienzo de las relaciones esto sucede fácilmente. Incluso después de muchos años de matrimonio, no es difícil lograrlo si reservan el tiempo, lo protegen y hacen que la diversión tenga lugar.

La sensualidad y la sexualidad también pueden ser divertidas. Demasiado a menudo sin embargo, el área sensual-sexual también es víctima de las barreras para la diversión que hemos discutido anterior-mente. Muchos profesionales creen que la química sexual lamentable-mente disminuye con el tiempo. Sin embargo, muchas parejas son capaces de sostener e incluso mejorar sus vidas sexuales. Nosotros no pensamos que las parejas pierdan la atracción mutua. En cambio, creemos que la principal razón por la cual la atracción muere es que las parejas descuidan justamente las cosas que en el primer momento fueron las que mantuvieron y construyeron la relación, la amistad y la diversión. Pero antes de concentrarnos en el lado sensual y sexual de las cosas, tenemos algunos ejercicios para ayudarlos a romper la barrera de la diversión.

♣ EJERCICIOS

Nos gustaría que realizaran los pasos que expusimos en este capítulo. Volvamos sobre ellos:

1. Realicen una sesión de lluvia de ideas para hacer una lista de cosas divertidas. Sean creativos. Todo es aceptable, entonces pasen un buen rato inventando ideas.

2. Escriban estas ideas en unas tarjetas para hacer una baraja de

diversiones. Les será útil cuando no dispongan de mucho tiempo para decidir qué hacer, pero estén dispuestos a divertirse.

3. Reserven tiempo. Elija tres cosas de la baraja que usted disfrutaría y entréguelas a su pareja. Cada uno de ustedes debe ser responsable de que realicen en el tiempo que reservaron una de las tres cosas que su pareja eligió. ¡Háganlo!

13

Cómo pueden mejorar su vida sexual

L A INTIMIDAD FÍSICA ES MUY IMPORTANTE para la mayoría de las parejas. De hecho, comúnmente las parejas informan que las preocupaciones sexuales se ubican entre las tres principales áreas de problema. Por lo tanto, es importante trabajar para preservar y mejorar la calidad de la intimidad física entre ustedes dos. En este capítulo, haremos énfasis en tres ideas principales: (1) la necesidad de separar la sexualidad de la sensualidad, (2) la importancia de proteger la intimidad física de la ansiedad y el conflicto, y (3) la necesidad de que los cónyuges se comuniquen claramente sus deseos sexuales o sensuales.

CÓMO PUEDEN SEPARAR LA SEXUALIDAD DE LA SENSUALIDAD

Piense sobre la sexualidad. ¿Qué viene a su mente? Para muchos, el primer pensamiento es el acto sexual y todos los actos placenteros anteriores o posteriores que lo acompañan. ¿Alguna otra cosa? Tal vez pensamientos sobre lo que lo excita a usted o a su pareja, o los sentimientos que usted experimenta cuando desea hacer el amor con su pareja.

Piense ahora sobre la sensualidad. ¿Qué viene a su mente? Usualmente alguna experiencia placentera que involucra los sentidos, por ejemplo, caminar en la playa o recibir un masaje con un aceite de aroma agradable. ¿Y qué hay de la aspereza de una barba o de la suavidad del cabello? ¿El aroma de su cónyuge después de una ducha? ¿El chocolate? Éstas son experiencias sensuales que no necesariamente están orientadas o conectadas con la sexualidad.

Nos gustaría sugerir que la sensualidad incluye el contacto físico o involucra otros sentidos, pero no siempre está relacionada con la relación sexual. Incluiríamos en ella, por ejemplo, los abrazos, las caricias de afecto, los masajes no sexuales; todos los actos que proporcionan placer físico en formas no sexuales. Esta distinción entre sexualidad y sensualidad es importante.

En las etapas tempranas de una relación, tocarse, cogerse de la mano, abrazarse y acariciarse es común. Infortunadamente, muchas parejas tienden a hacer a un lado las áreas sensuales y se dedican, con el paso del tiempo, más exclusivamente al comportamiento orientado al sexo. Prestan menos atención a las sensaciones y al contacto físico que antes eran tan deleitables. Esto trae problemas, porque tocarse es una parte básica y placentera de la intimidad. De hecho, en una encuesta que presentó en su columna Ann Landers, descubrió que tanto los hombres como las mujeres prefieren abrazarse que realizar el acto sexual. Así de importante puede ser abrazarse y tocarse para la mayoría de la gente.

Por ejemplo, Sandra y Julián han estado casados durante ocho años. Como muchas parejas, ellos pasaban mucho tiempo simplemente abrazándose y acariciándose. Con el paso de los años, sus ocupaciones crecieron con la llegada de los hijos, el trabajo y el hogar y, pasados uno o dos años de matrimonio, establecieron el patrón de realizar el acto sexual dos veces por semana. Debido a las presiones del tiempo y a otras ocupaciones de la vida, dedicaron cada vez menos tiempo a la sensualidad.

Sandra y Julián se habían vuelto bastante eficientes para hacer el amor —o, más bien, para realizar el acto sexual. Como no disponían, o no hacían el esfuerzo para tener más tiempo, se contentaban con eso. De hecho, ya no hacían el amor en el sentido completo de la expresión. Su enfoque de la relación sexual, en lugar de alimentar la sensualidad, les produjo insatisfacción a ambos, "¿Qué pasó con esas épocas en que nos recostábamos durante horas enteras para, simplemente, estar juntos?" Se preguntaba Sandra. "Me parece que Sandra era mucho más receptiva cuando hacíamos el amor" meditaba Julián. Volveremos a hablar sobre ellos en un momento.

El hecho es que es necesario que el contacto sensual tenga lugar en su relación, tanto dentro como fuera del contexto de hacer el amor. Esto es similar a la distinción entre la discusión y la solución. Así como las presiones de la vida llevan a muchas parejas a la etapa de resolver los problemas prematuramente, demasiadas parejas descuidan su sensualidad y se concentran prematuramente en el sexo. Eso conduce al sexo fuera del contexto general del tacto. Como lo aprendimos en el estudio clásico del psicólogo Harry Harlow, hasta los bebés chimpancés mueren si no tienen contacto físico, y los matrimonios también mueren si no hay contacto a través del tacto.

Por lo tanto, es importante tener experiencias sensuales como parte regular de su relación, aparte de la sexualidad. Es más, las experiencias sensuales preparan el escenario para mejores experiencias sexuales. Todo el clima de la intimidad física es mejor si se preserva la sensualidad. Hablen sobre lo que es sensual para cada uno de ustedes. ¿Qué disfrutan? Reserven tiempo para experiencias sensuales, como masajes, que no necesariamente conduzcan al sexo.

También es importante que la sensualidad forme parte de su relación sexual. Pensar en una serie de formas de tocarse, preserva y aumenta la importancia de la experiencia sensual como un todo. La mayoría de las parejas prefiere este enfoque sensual más amplio, al enfoque limitado al sexo. Esto fomenta una expresión más completa de la intimidad en su relación física. En los ejercicios de final del capítulo les daremos algunas sugerencias específicas para preservar y aumentar la sensualidad.

CÓMO PUEDEN PROTEGER LA INTIMIDAD FÍSICA DE LA ANSIEDAD

La excitación es el proceso natural a través del cual nos estimulamos para el placer sensual o sexual. Es un estado placentero de excitación. Aun cuando casi todo el mundo es capaz de excitarse, esta sensación placentera puede ser interrumpida por la ansiedad. Numerosos estudios sugieren que la ansiedad es el factor clave que inhibe la excitación. Nos gustaría discutir dos clases de ansiedad en este contexto: La ansiedad ante el desempeño y la tensión que proviene del conflicto en su matrimonio.

LA BARRERA DE LA ANSIEDAD ANTE EL DESEMPEÑO

Aquéllos que han estudiado más profundamente la relación sexual, como William Masters y Virginia Johnson, han descrito un tipo de ansiedad particular que es virtualmente incompatible con una buena relación sexual. La ansiedad ante el desempeño es la ansiedad que nace al pensar en cómo se está usted desempeñando cuando está haciendo el amor. Cuando usted se pregunta cosas como "¿Qué tal lo estoy haciendo?" o "¿Estará disfrutando esto mi pareja?" en forma constante, está reflejando ansiedad ante el desempeño.

Cuando usted está pendiente de su desempeño, crea una distancia con su pareja. Usted está concentrado en cómo se está desempeñando y no en estar con su pareja. Muchas personas dicen que se sienten distantes cuando están haciendo el amor, como si simplemente estuvieran observando lo que está ocurriendo, en lugar de estar participando. Se cree que esta clase de distanciamiento conduce a una serie de problemas sexuales. La concentración ya no está puesta en el placer que está compartiendo; sino que lo que está en juego es su autoestima. Es como si el evento de hacer el amor desencadenara cuestiones de aceptación y de temor al rechazo.

La concentración en el desempeño interfiere con la excitación porque la persona se distrae de sus propias sensaciones de placer. Esta distracción conduce a muchos de los problemas sexuales más comunes que experimentan las personas —eyaculación precoz y problemas para mantener la erección en los hombres y dificultad para lubricarse o para tener orgasmos en la mujer. No es posible estar ansioso y, al mismo tiempo, placenteramente excitado. Usted no puede estar relajado y disfrutar el hecho de estar con su pareja si está concentrado en no cometer errores.

Observemos nuevamente a Julián y Sandra. Julián tomó conciencia, con el tiempo, de que Sandra disfrutaba cada vez menos sus relaciones sexuales por la falta de sensualidad y de contacto físico en su relación. Ella comenzó a sentir que él, simplemente, estaba usándola sexualmente. Este sentimiento se intensificó porque él tenía orgasmos cada vez que hacían el amor, pero los de ella eran menos frecuentes. Aun cuando sus relaciones eran insatisfactorias para ambos, a Sandra le parecía que para él eran mejores y su resentimiento aumentó.

Julián sabía que Sandra estaba resentida y quería mejorar las cosas. Pero en lugar de hablar sobre el tema con ella para que trabajaran juntos en el problema, decidió que simplemente trataría de hacerle el amor mejor. No era una mala idea, como idea. Sin embargo, el resultado fue que él se concentró cada vez más en el desempeño y su ansiedad aumentó. Los pensamientos sobre desempeño se convirtieron en compañeros constantes en sus relaciones sexuales: "¿Cómo le está yendo a Sandra? ¿Está excitándose? ¿Le gusta esto a ella? ¿Me pregunto si ella piensa que estoy haciendo esto bien? Tal vez deba seguir ensayando esto durante un tiempo, creo que ella no está lista todavía".

Al poco tiempo, él estaba complaciendo más a Sandra, pero se estaba poniendo cada vez más tenso por pensar en lo que estaba haciendo cuando hacían el amor. Claro está, estaba satisfaciendo algunas de las necesidades de ella, pero no se sentía conectado ni satisfecho con sus relaciones sexuales. ¡Él estaba actuando! Sandra comprendió que había habido un cambio en la atención que Julián prestaba a su excitación, lo cual, hasta cierto punto, le agradaba. Pero tenía la sensación creciente de que Julián estaba en otra parte cuando hacían el amor. Ella tenía más orgasmos ahora, pero sentía que no estaban compartiendo una experiencia sensual.

La clave para Sandra y Julián era redescubrir el lado sensual de su relación. Tenían que hablar abiertamente sobre lo que estaba ocurriendo. Ambos sentían mucho amor y respeto el uno por el otro y una vez que empezaron a manejar estos problemas, las cosas mejoraron rápidamente. He aquí como empezaron a conversar sobre esto:

SANDRA: [*Poniendo el tema, después de que los niños se habían acostado, cuando estaban relajados leyendo en la cama*] ¿Podemos hablar un minuto sobre algo?

JULIÁN: Claro. ¿Qué ocurre?

SANDRA: He estado pensando que nuestras relaciones sexuales ya no son como antes.

JULIÁN: [*Siente una punzada de angustia pero decide escuchar sin ponerse a la defensiva. Se vuelve hacia Sandra para demostrar su interés*]. Estoy de acuerdo. Realmente me encanta que hayas puesto el tema ¿Qué has sentido tú?

SANDRA: Pues últimamente, me parece que te has estado esforzando para complacerme, pero, por alguna razón, no me gusta lo que está ocurriendo mucho más que lo que ocurría antes.

JULIÁN: Sé lo que quieres decir. Simplemente, ya no es algo relajado como acostumbraba serlo. Estoy tenso la mitad del tiempo que estamos juntos en el dormitorio.

SANDRA: Me preguntó qué pasa ¿Estás esforzándote demasiado? Yo siento que tú no estás allí conmigo.

JULIÁN: Pues bien, sí. Me estoy esforzando para agradarte. Sabía que no estabas contenta con lo que estábamos haciendo. Entonces decidí tratar que las cosas fueran mejores para tí. Pero eso ha sido un peso para mí. Ahora me preocupo tanto por hacer las cosas bien que ya no es divertido hacer el amor.

SANDRA: Te agradezco que hayas tratado de mejorar las cosas para mí. Y me he dado cuenta de eso que dices acerca de esforzarte tanto, que para ti ya no es divertido. En parte, por eso es que no estoy contenta con lo que está ocurriendo. Ya no es como acostumbraba ser. Cuando los dos realmente disfrutábamos estando juntos en la cama.

JULIÁN: Resulta claro que lo que estoy haciendo no nos está ayudando a que las cosas vuelvan a ser como antes. Antes disfrutábamos mucho el tiempo que pasábamos juntos en la cama, como esa vez en San Diego en que estuvimos los dos solos durante todo el fin de semana.

Antes, pasábamos mucho más tiempo tocándonos y besándonos, creo que eso hacía que todo fuera mejor.

SANDRA: Seguro que sí. Eso es lo que yo más quiero realmente, no lo que estamos haciendo ahora. Como tú lo dices, acostumbrábamos a invertir el tiempo necesario para que eso fuera así. Pienso que el tiempo es nuestro mayor problema. La mayoría de las veces, ahora, parece que tuviéramos afán, como si hacer el amor fuera algo que tuviéramos que despachar, en vez de ser algo que estamos disfrutando. Eso me produce frustración.

JULIÁN: A mí también. Cuando hay presión de tiempo, no dedicamos tiempo a simplemente acariciarnos el uno al otro y a relajarnos. Pienso que eso nos predispone a sentir frustración porque pasamos directamente a la relación sexual sin los preámbulos necesarios.

Como pueden ver, ellos no trataron de solucionar el problema prematuramente. Cada cual escuchó las frustraciones y deseos del otro respecto a su relación física. Estuvieron de acuerdo en que estaban dedicando muy poco tiempo a este importante aspecto de su matrimonio. Más adelante, decidieron dedicar más tiempo a hacer el amor, y buscaron la sensualidad, tanto dentro del contexto de la relación sexual, como fuera de él. Luego, trabajaron en simplemente tocarse y darse masajes el uno al otro en formas diferentes. Estos cambios hicieron una gran diferencia. Eliminaron gran parte de sus temores sobre el desempeño y restablecieron una relación física completa y placentera.

En el enfoque PREP, hacemos énfasis en que ustedes pueden prevenir el desarrollo de problemas, si están dispuestos a hacerlo y saben cómo hacerlo. Lo mismo ocurre con la intimidad física. Se puede hacer mucho para evitar que se presenten problemas como el de Sandra y Julián. Para algunos de ustedes esta historia resulta muy familiar; para otros, su relación física no se ha deteriorado, y eso es magnífico. Su meta es aprender a lograr que las cosas sigan siendo así.

LA BARRERA DEL CONFLICTO EN LA RELACIÓN Y LA ANSIEDAD

Los conflictos mal manejados pueden destruir su relación física al incrementar la tensión tanto dentro como fuera del dormitorio.

Enfrentémoslo, cuando ustedes han estado discutiendo y están enojados el uno con el otro, no se sienten muy sensuales ni con deseos de hacer el amor. Aun cuando para algunas personas la relación sexual temporalmente puede mejorar a través del conflicto seguido por la reconciliación, para la mayoría el conflicto mal manejado agrega una capa de tensión que afecta todo lo concerniente a la relación.

Para la mayoría de la gente, la tensión no es compatible con las relaciones sexuales íntimas y placenteras. De hecho, tal vez no haya un área de conexión íntima que sea más vulnerable a los efectos del conflicto y el resentimiento que la relación física. Si ustedes están teniendo conflictos en otras áreas de su relación, puede ser muy difícil sentirse dispuestos a compartir una experiencia física íntima. Peor aún, estos conflictos, demasiado a menudo, surgen en el contexto de las relaciones sexuales.

Aun cuando el contacto físico sensual y las relaciones sexuales son formas poderosas de conectarse, el conflicto destructivo establece barreras. Si pueden proteger los momentos de intimidad física del conflicto, estarán contribuyendo para mantener su relación física viva y satisfactoria. Para hacer esto, deben trabajar en manejar el conflicto efectivamente —por ejemplo, usando las reglas básicas y las demás técnicas que hemos venido subrayando. Es importante acordar que se deben mantener los problemas y los desacuerdos por fuera de los momentos que reservan para estar juntos. Ésta es una de las armas más poderosas para preservar su capacidad para disfrutar la intimidad física.

Algunas veces, los conflictos que afectan la relación física son inherentes a la sensualidad o al acto sensual. Analicen el caso de Daniel y María, una pareja con la cual conversamos en un receso durante un taller de trabajo PREP, que quería indicaciones sobre cómo mejorar su relación física. Habían estado casados apenas unos pocos años y estaban preocupados porque su cercanía estaba desapareciendo. Sus comentarios fueron los siguientes:

DANIEL: Cuando regreso a casa del trabajo, me gustaría poder abrazar y besar a María durante un momento para saludarla. ¿Eso no parece algo poco razonable, o sí?

MARÍA: No, no lo es, pero eso no es lo que yo veo que ocurre. Tu empiezas a tocarme, sin fijarte si estoy dispuesta o si estoy ocupada. A veces, siento que ni siquiera soy una persona.

DANIEL: Pero lo mismo ocurre en la cama. Yo quiero acercarme a ti y tú te alejas. Me gusta mucho tocarte y a ti no parece gustarte ya.

MARÍA: Realmente si me gustaría, pero siento que necesitamos relajarnos, y que tú estés más consciente de lo que yo quiero. Y si tu me has gritado en el curso del día, no siento el deseo de que nos toquemos o que hagamos el amor más tarde.

Daniel y María tenían una relación positiva. Asistieron a nuestros talleres de trabajo para aprender cómo mantenerla así. Su relación física era un área en la que estaban teniendo problemas, y nosotros les hicimos algunas sugerencias que los ayudaron, antes de que naciera un resentimiento real.

Nos interesa que noten varias cosas en este ejemplo:

1. Daniel y María habían caído en un patrón de perseguidor-evasor en lo que respecta a su intimidad física. No es raro que los hombres evadan el conflicto pero sean, al mismo tiempo, quienes persiguen la intimidad física. Cada vez que existe un desequilibrio fuerte en el cual uno de los dos persigue y el otro evade, la situación está madura para el conflicto.

2. Lo que cada uno de ellos hacía en este patrón estaba afectado por el otro. Mientras Daniel más presionaba, María más se retiraba, y mientras ella más se retiraba, más presionaba él, tal como lo describimos para las diferencias de género en el capítulo dos. Los actos de un cónyuge, rara vez, son independientes de los del otro.

3. Ambos habían construido algunas interpretaciones negativas respecto a lo que todo esto significaba y sobre las cuales no habían conversado constructivamente. María empezó a creer que Daniel simplemente estaba interesado en el sexo, lo cual no era cierto, y él había empezado a pensar que ella no estaba interesada en ningún contacto físico, tuviera o no fines sexuales.

Los hombres a menudo buscan la intimidad sexual como una forma de conectarse con sus esposas, mientras las mujeres más frecuentemente se vuelven hacia la conversación con el mismo propósito. Aun cuando los hombres y las mujeres puedan tener diferentes preferencias por el tipo de intimidad, nosotros pensamos que ambos sexos desean conectarse en distintas formas positivas. Daniel y María estaban ambos interesados en conversar, tener contacto físico, hacer el amor, pero se estaban creando barreras en su matrimonio. Necesitaban empezar a conversar sobre lo que estaba sucediendo y eso fue lo que nosotros les aconsejamos que hicieran.

Obviamente, una falta de comunicación respecto a su relación física puede crear barreras. Si Daniel y María no hubieran estado interesados en impedir que este patrón siguiera instalándose, habrían podido surgir problemas reales en su relación, como el conflicto. Además, la ansiedad y la tensión resultantes habrían podido conducir a la disminución de la excitación y del interés en su relación física. Cuando una pareja permite que esto ocurra, un área de intimidad placentera se convierte en algo que debe evadirse o que debe hacerse para salir del paso y evitar el conflicto.

La intimidad física es un área particularmente fértil para desencadenar puntos de conflicto ocultos de control, cuidado y aceptación. Por ejemplo, la forma como su cónyuge busca la relación sexual, puede hacer que usted se sienta controlado. Eso era lo que María estaba sintiendo, cuando Daniel la tocaba y ella no estaba lista o interesada. O también puede suceder que uno de los cónyuges evite el sexo como una forma de obtener algún control en la relación. De la misma manera, es muy fácil sentirse descuidado si el cónyuge no demuestra interés en el contacto físico o en hacer el amor en las formas que a uno le interesan más. Daniel estaba empezando a creer que María no lo quería puesto que rechazaba sus intentos de abrazarla cuando él llegaba a la casa. Ser rechazado física o sexualmente parece ser algo particularmente hiriente para la mayoría de la gente. A menudo, se considera como un rechazo profundo.

No es posible prevenir o reparar dichos patrones a menos que se esté manejando bien el conflicto y exista una comunicación abierta y segura. Es tan fácil que los resentimientos se agraven si no se expresan abiertamente las preocupaciones, principalmente cuando se desencadenan puntos de conflcto ocultos. Daniel y María, posteriormente, nos comentaron que habían tenido una gran discusión sobre su problema y habían sido capaces de crear soluciones reales para manejar la intimidad física. En su discusión, ella comprendió que él no estaba tratando de usarla sexualmente y que él se interesaba, verdaderamente, en mantener una relación física sana. Él comprendió que ella estaba interesada en su relación física pero quería que se realizaran algunos cambios para mejorarla. Ella quería que él tuviera en cuenta sus necesidades y sus deseos cuando hiciera sus acercamientos físicos.

María sintió que él había escuchado sus preocupaciones y se sintió aliviada cuando vio su deseo genuino de trabajar en esta parte de su relación.

Daniel sintió que había sido escuchado cuando expresó cuan importante era para él la relación física, no sólo por el sexo, sino también porque era una avenida importante para la intimidad.

Después de haber sostenido una discusión tan provechosa, pasaron a la etapa de solución de problemas que los ubicó de nuevo en el buen camino. Por una parte, decidieron hacer más énfasis en su sensualidad programando momentos para tocarse cuando el interés no estuviera en el sexo. Esto le ayudó a María a relajarse respecto al contacto físico y permitió que entendiera que Daniel no estaba concentrado sólo en el sexo. También acordaron algunas reglas básicas propias respecto a cuándo y dónde era aceptable cierta clase de contactos físicos. Planearon una forma de disfrutar de un largo abrazo al final del día de trabajo, sin que ninguno de los dos sintiera ninguna presión de tener relaciones sexuales. Finalmente, también acordaron reservar tiempo para hacer el amor, de tal manera que pudieran compartir más, verbalmente y no verbalmente, lo que realmente le gustaba a cada cual. Esto nos conduce a nuestro último punto importante en este capítulo.

CÓMO PUEDEN COMUNICARSE LOS DESEOS

Es muy importante para ustedes comunicarse respecto a su relación física en formas que protejan y fomenten esta importante parte de la intimidad. Esto no solamente se aplica a la forma de manejar los conflictos potenciales respecto a la intimidad física, sino también permitiéndole al otro saber cuáles son sus deseos. Estamos hablando aquí de comunicación real. No de lectura de la mente. La lectura de la mente puede causar muchos conflictos graves a lo largo de una relación, incluyendo conflictos sobre sensualidad y sexualidad. El problema reside en que las personas, muy fácilmente, creen saber qué quiere su cónyuge y cuándo.

¡TÚ DEBERÍAS SABER QUÉ ME GUSTA!

Es un error suponer que a su cónyuge le gustará todo lo que a usted le gusta, o que ustedes pueden leerse la mente el uno al otro. ¿Saldría usted a un restaurante y ordenaría la cena de su pareja sin preguntarle qué desea? Claro que no.

También es muy fácil para mucha gente suponer que a su cónyuge no le gustarán las cosas que a él le gustan. En ambos casos, se están haciendo suposiciones y, dado que a muchas parejas les cuesta trabajo comunicarse sobre su relación física, es muy fácil que estos supuestos tomen el control. Usted no sabe cuáles son las expectativas de su cónyuge hasta no preguntarlas, y viceversa.

Claro está que, basados en sus experiencias previas juntos, a menudo pueden suponer correctamente y las cosas pueden funcionar bien, basados en estos supuestos. Sin embargo, mantengan en la mente que las personas cambian, y por lo tanto, es importante verificar con el otro los deseos y expectativas para tener una buena relación sexual. Son muchas las parejas con las cuales hemos hablado, en las cuales un cónyuge espera que el otro "sepa" lo que a él o ella le gusta más cuando hacen el amor. Pareciera que la gente cree que: "Simplemente no es romántico o excitante tener que decir lo que uno quiere, ¡tú deberías saber!" Ésa es una expectativa insensata. Si usted tiene esta fantasía, probablemente debería revisarla por la salud de su relación.

Las parejas que tienen las mejores relaciones sexuales tienen formas de comunicarse, tanto verbalmente como no verbalmente, sobre lo que les gusta. Más aún, usualmente tienen un deseo genuino de agradar el uno al otro. Hay un profundo sentido de trabajo de equipo, incluso en la relación sexual, a través del cual ambos dan y reciben de la intimidad que comparten. Este acto de dar, combinado con la comunicación directa, conduce a excelentes relaciones sexuales. Les recomendamos que comuniquen claramente lo que sienten que es agradable para ustedes cuando se estén acariciando o haciendo el amor. Su cónyuge no lo sabrá a menos que usted diga algo. No estamos sugiriendo que sostengan una discusión con la técnica del hablante-oyente en medio del acto sexual (¡aunque si eso los excita, díganoslo!).

Finalmente, busquen formas de dar a su cónyuge en su relación física. Si mantienen el conflicto fuera del dormitorio, y están manejando bien el conflicto en el resto de su relación y reservando tiempo y energía para preservar la sensualidad, esta clase de comunicación será mucho más fácil.

ASUMIR UN RIESGO

Muchas personas tienen también que superar el temor del rechazo que puede ocurrir cuando piden lo que quieren. Sus deseos dicen algo acerca de quién es usted, por lo tanto, pedir algo es arriesgarse a ser rechazado. Pero es necesario asumir el riesgo o, de lo contrario, se contentará con menos de lo que puede recibir en su relación. De nuevo, no espere que su cónyuge lea su mente. Igualmente importante, no lo tome como un rechazo grave si su cónyuge no está interesado en algunos comportamientos en la relación sexual que a usted sí le interesan. Eso es normal en cualquier matrimonio. Al igual que en otras áreas, deben tratar de ser sensibles a las necesidades y deseos de cada cual. Aún cuando pueda haber algunos comportamientos que uno de ustedes disfruta pero el otro no, probablemente existen muchos otros en los cuales ambos estén interesados y ambos disfruten, incluyendo algunos que tal vez no hayan ensayado o conversado anteriormente.

Les daremos un ejemplo. Sonia y Andrés, tenían muchos problemas para comunicarse lo que deseaban sexualmente. Ambos provenían de familias en las cuales nadie hablaba directamente sobre sus deseos. En consecuencia, habían sostenido una relación sexual agradable, aun cuando no completamente satisfactoria durante veinticino años de matrimonio. De hecho nunca habían tenido una relación sexual fuera del dormitorio, y rara vez dedicaban el tiempo suficiente para hacer el amor prolongada y sensualmente. Los dos suponían que realizar el acto sexual una vez a la semana, en su cama, con las luces apagadas, durante cinco o diez minutos, era lo único que le interesaba al otro. Ambos querían más que eso, pero nunca habían dicho nada.

Ahora que sus dos hijas se habían ido a la universidad, disponían de más tiempo para hacer el amor. Sonia y Andrés escucharon algunas de nuestras grabaciones y estaban ensayando cosas nuevas. Utilizaron la técnica del hablante–oyente para comunicarse sobre la intimidad física, y ambos quedaron complacidos al descubrir que el otro quería más de la relación sexual. Sus supuestos anteriores eran, por lo tanto, erróneos.

Descubrieron que ambos estaban interesados en dedicar mucho más tiempo para acariciarse en toda clase de formas y en convertir su relación sexual en una experiencia enteramente sensual.

Para Sonia y Andrés, la clave fue llegar al punto en el cual pudieron hablar abiertamente sobre sus expectativas y deseos. Lo que siempre había parecido un buen matrimonio se convirtió en un matrimonio aún mejor, y no simplemente debido a los adelantos en su relación física. El incremento de la sinceridad los hizo sentirse más cerca de lo que habían estado desde que estaban recién casados.

La comunicación es la clave. También ayuda a ensayar algunas ideas nuevas para cambiar las rutinas, como lo hicieron Andrés y Sonia. Lean un libro sobre masajes o sobre sexo juntos. Esto puede ayudarles a conversar sobre estos temas. Acuerden sorprenderse el uno al otro una noche.

Ensayen algo nuevo, aun cuando sea sólo una vez. Explorar juntos los campos sexuales y sensuales de su relación puede aliviar las preocupaciones sobre desempeño y puede ayudarles a descubrir aún más placer.

No estamos diciendo que todas las parejas pueden tener una maravillosa relación física. Es necesario que ambos la deseen, la protejan y la alimenten. Si las cosas están marchando bien en su relación física, manténgalas así. Si han surgido problemas, las ideas que estamos enfatizando aquí pueden ayudarlos a volver al buen camino.

En este capítulo hemos subrayado varias formas claves para mantener su relación física vibrante y floreciente. Ahora, todo depende de ustedes. No es nuestra intención en este capítulo ser sustitutos de la terapia sexual, en caso de que ustedes tengan una historia de importantes dificultades sexuales. Si ése es su caso, queremos animarlos a trabajar juntos para superar los problemas. Cuando se tienen problemas importantes, usualmente da resultado trabajar con un terapeuta sexual experimentado. Nuestro enfoque aquí ha sido más el de ayudar a las parejas que tienen relaciones físicas satisfactorias, para que las mantengan así, o para que las mejoren aun más.

Este capítulo fue diseñado para ayudarlos a mantener, y a incrementar, la intimidad física. Al igual que en otras áreas que hemos discutido, trabajar inteligentemente en este aspecto de su matrimonio puede producirles grandes beneficios. La intimidad física no es lo único que cuenta en el matrimonio, pero es una de las áreas, como la diversión y la amistad, en las cuales pueden desarrollar una habilidad satisfactoria y duradera para conectarse. Para cerrar este capítulo, les ofrecemos ejercicios que pueden ayudarles a desarrollar sus habilidades para conectarse físicamente. Son ejercicios que han sido ensayados exitosamente, durante años, por muchas parejas. Si están listos para una mejor relación sensual y sexual, continúen leyendo. Luego, pasaremos a analizar las implicaciones que tienen para el matrimonio los sistemas de creencias esenciales.

♣ EJERCICIOS

1. *Concentración en la sensualidad.* Hace algunos años William Masters y Virginia Johnsons empezaron a estudiar las distintas formas en las cuales surgían problemas en las relaciones sexuales. Crearon un ejercicio que puede beneficiarlos a ustedes, independientemente de que hayan tenido o no problemas con su relación física. Este ejercicio se llama concentración en la sensualidad. Tiene dos propósitos: (1) Mantenerlos concentrados en la sensualidad y las caricias en su relación física y (2) Ayudarlos a aprender a comunicarse más abierta y naturalmente acerca de lo que les gusta y no les gusta, en su relación sexual.

   Éste no es el momento para realizar el acto sexual, lo que iría en contra del propósito del ejercicio, puesto que queremos que se concentren en la sensualidad. No se fijen una meta, la única meta es relajarse y hacer este ejercicio en una forma que cada cual la disfrute. Si ustedes quieren hacer el amor después del ejercicio, eso depende de ustedes. Pero si han tenido preocupaciones respecto a sentirse sexualmente presionados, les recomendamos que separen completamente estos tiempos de práctica, de los tiempos en que tienen relaciones sexuales. De hecho, no deberían tener relaciones sexuales a menos que ambos estén completamente de acuerdo en hacerlo y lo hayan expresado abiertamente. ¡No lean las mentes, ni hagan supuestos!

La idea general es que cada uno de ustedes se turne, dando y recibiendo placer. Las primeras veces, usted será el que da, o el que recibe hasta que intercambien los papeles en la mitad del ejercicio. Cuando usted esté en el papel del que recibe, su trabajo es disfrutar las caricias y dar retroalimentación sobre lo que lo hace sentir bien y lo que no. Su cónyuge no puede saber esto, a menos que usted diga lo que siente. Puede dar retroalimentación verbal o guiar con la mano. La retroalimentación verbal consiste en decirle a su cónyuge qué actos lo hacen sentirse bien, qué tan fuerte debe frotar, o qué áreas le gusta a usted que le acaricien. La retroalimentación guiando con la mano consiste en mover suavemente la mano de su cónyuge por la zona de su cuerpo que está siendo masajeada, para proporcionar retroalimentación respecto a lo que siente que es agradable.

En el caso del que da, el papel consiste en proporcionar placer tocando a su cónyuge y respondiendo a la retroalimentación. Pida retroalimentación tan frecuentemente como sea necesario. Esté pendiente de los cambios en la forma como está reaccionando su pareja: lo que puede ser agradable en un momento dado, puede doler en el siguiente. Concéntrese en lo que quiere su pareja, no en lo que usted cree que es agradable.

Elijan su papel y dé luego un masaje a las manos o a los pies del cónyuge durante diez o veinte minutos, solicitando y dando retroalimentación. Recomendamos los masajes en áreas como las manos, la espalda, las piernas o los pies, en las primeras veces, para que aprendan la técnica. Esto también los ayuda a relajarse si existen puntos de conflicto de sexualidad entre ustedes. Luego intercambien los papeles. Repitan esto tan a menudo como lo deseen, pero recuerden también practicar estos papeles en otros aspectos de su relación sensual y sexual.

Les recomendamos que ensayen el ejercicio de la concentración en la sensualidad durante varias semanas, varias veces por semana. A medida que vayan trabajando en este ejercicio pueden incluir variaciones en la técnica. En el caso de que todo haya salido bien en estos ejercicios, empiecen a avanzar hacia otras áreas del cuerpo. Cualquier parte del cuerpo en que usted quiera ser acariciado, incluidas las áreas sexuales, está bien.

Después de un tiempo de hacer este ejercicio, pueden abandonar el énfasis rígido en los papeles del que da y el que recibe y ejercitarse en dar y recibir ambos al mismo tiempo, pero manteniendo siempre un énfasis en la sensualidad y en la comunicación de los deseos. También pueden variar el tiempo en que cada uno permanece en su papel, según lo deseen. A través de la práctica, se volverá más fácil para ustedes comunicarse abiertamente sobre el tacto. También será más fácil para ustedes trabajar juntos, en la medida en que sigan manteniendo la intensidad física, vibrante y vital.

Exploración de la Sensualidad. Además de realizar el ejercicio de concentración en la sensualidad, reserven un tiempo específico para realizar actividades sensuales juntos. Esto les sirve a todas las parejas, independientemente de que se embarquen o no en la actividad sexual. Asegúrense de no ser interrumpidos (éste es el momento para las niñeras o los contestadores automáticos).

Al comienzo de este ejercicio, hablen acerca de lo que es sensual para cada uno de ustedes y de lo que les gustaría ensayar para mantener experiencias sensuales en su relación. He aquí algunas ideas:

- Dé un masaje a su cónyuge, usando la técnica de concentración en la sensualidad descrita anteriormente.

- Comparta una fantasía que usted ha tenido acerca de su pareja.

- Acaricie y abrace a su cónyuge mientras le dice las cosas positivas que le encantan de él o de ella.

- Planeen una actividad sexual o sensual para su próxima reunión.

- Planeen una maravillosa comida. Prepárenla juntos y siéntense cerca el uno del otro. Compartan la comida.

- Lave el cabello de su pareja.

- Pasen algún tiempo simplemente besándose.

14

La importancia de las creencias

A CABAMOS DE CONCENTRARNOS EN CÓMO MEJORAR su relación haciendo énfasis en la amistad, la diversión y la intimidad física. Ahora vamos a analizar cómo las dimensiones religiosas o espirituales tienden a afectar y a mejorar la calidad general de las relaciones para muchas parejas. Aun cuando no todo el mundo puede ser religioso o tener inclinaciones espirituales, hay puntos claves en esto que son de relevancia para cualquier pareja. Puesto que para mucha gente, el reino religioso o espiritual incorpora sistemas de creencias esenciales, lo usaremos como enfoque en la mayor parte de lo que vamos a decir. Este tema tiene puntos importantes para cualquier relación, puesto que todas las personas tienen algún sistema de creencias esenciales.

Si ustedes, usualmente no están interesados en temas religiosos o espirituales, pueden ser escépticos respecto a la relevancia de lo que vamos a decirles. O si están muy comprometidos con una fe en particular, puede que consideren que este capítulo es vago y demasiado secular. De todas formas, los invitamos a explorar ahora el efecto que estas dimensiones tienen sobre las relaciones. Queremos señalar el camino para que usted y su cónyuge participen en discusiones que fomenten la intimidad sobre estos temas esenciales.

Empezaremos con un énfasis en la religión, puesto que la investigación más relevante ha sido llevada a cabo en este contexto. Luego miraremos las implicaciones de los descubrimientos claves de la investigación para cualquier pareja, independientemente de su credo. Les pediremos que evalúen esas implicaciones, así sean ustedes judíos, cristianos, islámicos, ateos o seguidores de una de las religiones orientales, agnósticos o seguidores de alguna otra convicción filosófica. Empecemos por algunas definiciones.

La palabraespiritual se define como "del espíritu o del alma", y la palabra espíritu abarca múltiples definiciones que incluyen, "el principio de la vida"; "vida, voluntad, conciencia, pensamiento, etc., consideradas como algo separado de la materia"; y "calidad característica o esencial". Entonces, se puede considerar que lo espiritual atañe a la esencia del interior de la persona, la esencia de la vida.

La religión está definida como "cualquier sistema específico de creencias, de culto, de conducta, etc., que a menudo involucra un código ético y una filosofía". Un participante en uno de nuestros talleres de capacitación para profesionales, lo expresa en esta forma: "La religión es típicamente una estructura en la cual las personas expresan su espiritualidad". Entre otras cosas, en la religión las personas encuentran códigos y rituales que llamaremos estructuras en nuestro modelo, que los guían en la vida. Por lo tanto, para muchos, aun cuando no para todos, la religión y la fe religiosa encarnan las creencias centrales y esenciales sobre la vida, su significado y sobre cómo debe uno vivir. Más aún, para muchas personas, los tema que conciernen al espíritu pertenecen primordialmente al dominio religioso, mientras otras las mantienen muy separadas de cualquier tradición religiosa particular.

Gran parte de la investigación que les describiremos ahora está basada en creencias y prácticas religiosas más que en la espiritualidad. Eso se debe a que no se puede conducir una investigación sobre cosas que no se pueden medir; no es difícil medir la actividad religiosa e incluso las creencias esenciales, pero es extremadamente difícil medir la espiritualidad. No estamos diciendo que la espiritualidad no sea importante, simplemente la mayoría de las investigaciones versan sobre el comportamiento religioso.

INVESTIGACIÓN SOBRE EL COMPROMISO RELIGIOSO

El impacto de la religión sobre el matrimonio ha sido estudiado durante años. Gran parte de esta investigación ha sido llevada a cabo con personas comprometidas en sistemas religiosos tradicionales, particularmente dentro del espectro judeo-cristiano. Aun cuando algunos de ustedes no pertenezcan a una de estas tradiciones, las implicaciones de estos estudios pueden beneficiar a todas las parejas. Esto se debe a que muchas religiones codifican las creencias esenciales, los valores y las prácticas que promueven la estabilidad y la salud en las relaciones. Nuestra meta aquí es decodificar estos descubrimientos y recalcar las implicaciones claves para todas las parejas, sean religiosas o no.

¿QUIÉNES SE CASAN?

Las personas religiosas tienen más probabilidad de casarse. Bernard Spika es un colega nuestro en la Universidad de Denver, experto en el estudio científico de la religión. Él atribuye las tasas menores de matrimonio entre los no religiosos a dos motivos. Primero, el compromiso religioso reúne a las personas. Incluso Ann Landers sugiere que los solteros van a una iglesia o una sinagoga a conocer gente.

Segundo, Spika señala que, en general, las personas que son menos religiosas se adaptan menos a la sociedad. Consideran que no se ajustan a una serie de estructuras tradicionales; por lo tanto, pueden estar menos interesadas en instituciones como el matrimonio.

LA RELIGIÓN Y LA CALIDAD MARITAL

Numerosos estudios sugieren que la religión tiene un impacto favorable sobre el matrimonio. Por ejemplo, las parejas que son más religiosas parecen estar un poco más satisfechas con sus matrimonios. También tienen menor probabilidad de divorciarse. En uno de nuestros estudios, las personas casadas que se calificaban como más religiosas presentaron niveles de satisfacción un poco mayores, menores niveles de conflicto sobre temas comunes y niveles más altos de compromiso.

Las que eran más religiosas también tendían a creer que el divorcio era malo, especialmente las más conservadoras. Además, tenían más probabilidad de creer que si se presentaban problemas, estarían sujetas a una presión social importante que las haría permanecer unidas y salir adelante. Y presentaban mayor probabilidad de informar que las satisfacía el sacrificio mutuo y que contaban con un mayor sentido de identidad como equipo. Estos resultados tienen sentido, dados los valores que se enfatizan en los grupos religiosos tradicionales.

Una importante encuesta realizada por Tavris y Sadd, en 1975, mostró que las mujeres más religiosas reportaron mayor satisfacción sexual tanto en términos de frecuencia orgásmica como de sinceridad en la comunicación sobre temas sexuales con sus esposos, al compararlas con mujeres moderadamente religiosas o no religiosas. Estas mismas mujeres también reportaron una mayor satisfacción general con su matrimonio.

El punto no es que las parejas más religiosas tengan matrimonios sustancialmente mejores. Los efectos de los cuales estamos hablando son consistentes y estadísticamente significativos pero las diferencias también son, a menudo, bastante pequeñas. Sería correcto decir que algo que tiene que ver con los factores asociados con el compromiso religiosos, les da a las parejas religiosas una ventaja para mantener sus matrimonios más fuertes. Antes de que estudiemos esto con más detalle, consideremos la investigación sobre un tema de gran relevancia para un número creciente de parejas —los matrimonios entre personas de distintas religiones.

LOS MATRIMONIOS DE PERSONAS PERTENECIENTES A RELIGIONES DISTINTAS

Debido a los cambios en nuestra sociedad, la gente tiene ahora más probabilidad de casarse por fuera de su fe. Esto se debe, en parte, a que la religión probablemente tiene actualmente menos impacto en nuestra cultura que el que acostumbraba tener, y por esta razón, la gente tiene menos probabilidad de tenerla en cuenta cuando está buscando una pareja. Además, como nuestra sociedad se está volviendo más y más móvil, las conexiones con las comunidades religiosas se tornan más difíciles de mantener y tanto el matrimonio con personas de religión distinta, como el divorcio, se vuelven más probables. En contraste, la gente criada con mayor educación religiosa tiene más probabilidad de casarse dentro de su religión. Encontrar a alguien que sea de su misma religión, probablemente se vuelve una prioridad más importante cuando se está fuertemente atado a ella.

Sean cuales sean las razones para los matrimonios entre personas de distinta religión, la investigación consistentemente muestra que las parejas de religiones diferentes presentan mucha mayor probabilidad de divorcio. Aunque no hay estudios representativos a gran escala que hayan investigado esto, varios estudios sugieren que existe un riesgo más grande para los matrimonios de religiones distintas. Parece probable que estos efectos estén relacionados con el grado de compromiso de los individuos con su religión. Suponemos que los riesgos de divorcio son menores si personas con antecedentes diferentes se casan pero no son muy apegadas a esos antecedentes.

Muchos matrimonios de distintas religiones se inician bien, pues las parejas piensan que pueden ir en contra de las probabilidades y que "el amor vencerá". Aun cuando el amor puede superar muchas cosas, especialmente cuando se traduce en un comportamiento respetuoso y amable, mientras más cosas haya que superar, mayor es el riesgo de fracaso. Pero, lo mismo que en el caso de todas las demás parejas, la forma como las parejas de religión distinta manejan estas diferencias en sus relaciones se constituye en el factor más determinante del éxito futuro de la relación.

Existen dos razones claves por las cuales un optimismo inicial puede provocar problemas posteriores. Primero, las personas tienden a volverse más religiosas o con mayores inclinaciones espirituales a medida que envejecen, tal vez debido a que la muerte está más cerca. Además, los desafíos de la vida pueden cambiar nuestra perspectiva sobre los temas religiosos o espirituales, de manera que lo que no parece importante al comienzo de nuestra vida, puede llegar a serlo con la edad.

Segundo, cuando las parejas empiezan a pensar sobre los hijos, enfrentan una serie de decisiones respecto a cómo deben ser criados en lo que atañe a las creencias religiosas o espirituales. Es en ese momento cuando la educación religiosa anterior se vuelve decisiva, incluso si la persona no se considera creyente. He aquí algunas de las decisiones y preguntas claves que surgen:

- ¿Tiene usted un niño circuncidado en ceremonia religiosa, por un médico, o no circuncidado?

- ¿El bebé será bautizado? ¿Confirmado? ¿Se hará el bautismo más tarde cuando sea responsable de sus propias creencias, o ahora recién ha nacido?

- ¿Qué harán respecto a las celebraciones religiosas como la Navidad, el Rosh Hashanah, la Pascua, el Ramadan o el Día de la Tierra?

- ¿Y qué decidirán sobre los colegios religiosos? ¿Asistirá a un colegio público o a un colegio parroquial? ¿Irá a la Escuela Dominical o a la Escuela Hebrea?

- ¿Y que harán respecto a los Bar Mitzvahs, las confirmaciones, etc.?

Margarita y Simón se casaron a los veintitrés años. Se enamoraron en la universidad en donde él se graduó en mercadeo y ella en inglés. El problema era que él era hebreo y ella católica. A los padres de él no les gustaba que Simón estuviera saliendo con una niña católica. Los de Margarita estaban preocupados, pero ella había salido con tantos hombres en el pasado, que pensaron que Simón era otro de sus caprichos pasajeros. No lo era.

Los padres de Margarita empezaron, luego, a sentirse bastante pre-ocupados. Le preguntaron, ¿Cómo es posible que no te cases con un hombre católico? Simón y Margarita sintieron presión por parte de ambas familias para que acabaran la relación. Pero como se amaban realmente, ¿qué importancia podía tener la religión? ¿Y los hijos? "Ningún problema: les permitiremos que ellos mismos elijan su credo". ¿Y los parientes? Ningún problema: "Aprenderán a aceptar nuestro matrimonio". ¿Y las prácticas religiosas? Ninguno de los dos estaba particularmente involu-crado, ni era practicante en ese momento de su vida, por lo cual pensaban: "Tú harás lo tuyo y yo lo mío".

Se casaron al terminar la universidad, y a pesar de todas las amenazas por parte de sus familias, ambas asistieron a la boda que fue oficiada por un juez en un hotel campestre. Las cosas anduvieron bastante bien para Simón y Margarita hasta el cuarto año de matrimonio, cuando Margarita quedó embarazada. Para ella la idea de tener un hijo era maravillosa, pero la llenó de preocupaciones. Empezó a preguntarse, "¿A qué clase de mundo estoy trayendo a este niño?" Esta ansiedad natural la condujo a reevaluar seriamente su fe. Ningún otro contexto parecía tan relevante para abordar tales cuestiones. Simón, al visualizarse en su condición de padre, también volvió a interesarse por su fe. Él se preguntaba, "¿Qué ocurre si tengo un hijo? No puedo permitir que un doctor lo circuncide".

Margarita buscó a un sacerdote para hablar con él y empezó a asistir nuevamente a misa. Simón se preguntaba a quién debería llamar para que hiciera la circuncisión en caso de que naciera un niño. Como había regresado a la iglesia, Margarita comenzó a pensar en el bautismo. "Los niños deben ser bautizados", le dijo el sacerdote. Ella pensaba ahora que eso era fundamental. Las cosas se volvieron bastante complicadas entre Margarita y Simón. Súbitamente, ambos sentían interés por los temas religiosos, para su hijo y para ellos mismos, que unos años antes no parecían importantes.

Nació un niño, Benjamín. Decidieron que lo bautizarían y que le harían la circuncisión en ceremonias religiosas. El problema residía en que el sacerdote quería que ella se comprometiera a educar a Benjamín como católico, como condición para bautizarlo. Para complicar las cosas aún más, no pudieron conseguir a un mohel que circuncidara a su hijo, puesto que había nacido de una mujer gentil que no se había convertido al judaísmo. Terminaron por no hacer ninguna de las dos cosas. Finalmente, llegaron a unos compromisos que dieron resultado durante un par de años. Ambos padres le leían a Benjamín historias de la Biblia, y él ciertamente disfrutaba las celebraciones del Hanukkah y de la Navidad. Pero las cosas se volvieron cada vez más difíciles. Cuando Benjamín cumplió cuatro años, ambos padres estaban más convencidos de que Benjamín debía ser educado en su propia religión. Los conflictos fueron más frecuentes y más intensos. Comprendieron que sería confuso para Benjamín exponerlo a enseñanzas distintas, pero ninguno de los dos estaba dispuesto a abandonar la idea de que Benjamín aprendiera su fe.

Simón y Margarita se fueron distanciando cada vez más, a medida que experimentaban la gran frustración de no poder llegar a un acuerdo que tuviera algún sentido. Los sentimientos negativos se intensificaron hasta el punto que sus conflictos sobre Benjamín se mezclaban con toda clase de eventos en la relación. Una a una, todas las áreas de la intimidad se vieron afectadas por el peso del conflicto sobre Benjamín. Margarita y Simón no tenían ya ningún lugar seguro para relajarse y disfrutar de la compañía mutua.

Ocasionalmente, Margarita sugería que buscaran ayuda profesional. Simón decía, "No, nosotros podemos manejar esto". Tampoco podían conversar sobre estas cosas con los miembros de la familia porque lo único que escuchaban era, "Ya te lo habíamos dicho". Abatidos por la frustración y el aislamiento, se separaron y empezaron a pensar en el divorcio. Siguieron sin buscar ayuda profesional y trataron de tomar ellos mismos las decisiones sobre la custodia del niño, el tiempo que cada cual compartiría con Benjamín y cuáles serían las prácticas religiosas para él.

Como en el caso de muchas parejas que se separan, lo que no pudieron hacer cuando estaban juntos, tampoco lo lograron ya separados. Esto condujo al divorcio y a una desagradable batalla por la custodia del niño, en la cual se le pidió eventualmente al juez que decidiera no sólo cual de los dos tendría la custodia del niño, sino además en qué religión debería ser educado. Eso puede parecer chocante, pero ahora las cortes tienen que decidir cuestiones como ésta.

Es claro que muchos matrimonios de religiones distintas no llegan hasta este punto, pero es fácil comprender la clase de presiones que tienen que enfrentar parejas como Simón y Margarita. Conocemos otras parejas que han logrado que los matrimonios de distintas religiones funcionen bien. La diferencia clave reside en cómo manejan los conflictos religiosos o de otra índole. Naturalmente, éste es un tema esencial del enfoque PREP.

He aquí una historia ilustrativa más positiva. Juliana y Jairo tenían antecedentes religiosos diferentes, pero lograron que su matrimonio funcionara. Juliana fue educada en el Metodismo y Jairo en la Cristiandad Científica. Ambos estaban comprometidos con sus religiones, por lo cual no era fácil solucionar los problemas. La clave para ellos fue ser extremadamente claros en cuanto a sus expectativas y manejar estos puntos de conflicto con gran habilidad. Las decisiones más difíciles fueron las que concernían a sus hijos. Tenían dos hijos, Estefanía y Felipe, y decidieron que ambos niños estarían expuestos a las enseñanzas de cada religión. Encontraron dos iglesias para que los niños pudieran asistir a la escuela dominical en una y a la iglesia para niños en la otra. También decidieron que los niños serían alentados a tomar sus propias decisiones respecto a la religión, cuando crecieran.

El problema de la atención médica era el más difícil de resolver. Como cristiano científico, Jairo creía que los procedimientos médicos no eran deseables y que si uno estaba enfermo, podía ser curado espiritualmente. Juliana no había sido educada en esta forma. Para ella era un gran problema pensar que la atención médica no se utilizaría, aún cuando fueran necesario. Jairo y Juliana llegaron a un compromiso que les ha funcionado. En caso de una condición grave, tal como fiebre alta o ruptura de un miembro, Juliana podía llevar a los niños al doctor. Sin embargo, para enfermedades menores, ambos acordaron que no utilizarían la medicina tradicional. Si se requería alguna intervención, Jairo llevaba a los niños a un sanador de su religión.

Como lo demuestran los matrimonios como el de Jairo y Juliana, las parejas pueden lograr que los matrimonios de distintas religiones funcionen. Simplemente se requiere más trabajo del que necesitan las demás parejas. Pero incluso eso depende mucho de qué tan comprometida esté cada persona con el sistema de creencias. Si uno o dos de los cónyuges en un matrimonio de religiones distintas no está profundamente comprometido, y si no llega a comprometerse más con el tiempo como resultado de los cambios en la vida, tales diferencias en los antecedentes tendrán menos potencial para producir fricción y conflicto.

Para resumir, he aquí qué indican los estudios sobre la influencia religiosa en los matrimonios. Las parejas que están más inclinadas religiosamente y que tienen los mismos antecedentes religiosos, parecen tener una ventaja para mantener matrimonios satisfactorios y evitar el divorcio. Quisiéramos presentarles ahora un análisis sobre por qué eso puede ser cierto, con la esperanza de estimularlos a buscar formas de fortalecer su propia relación.

Aun cuando nos concentraremos en explicaciones relativamente pragmáticas, reconocemos que muchos de ustedes también pueden tener en cuenta explicaciones espirituales para tal efecto. En nuestro intento de decodificar el significado de estos estudios para todas las parejas, nos concentraremos en dos factores claves: (1) El valor del apoyo social para su relación y (2) El efecto de tener una visión del mundo compartida. Analicemos esto en detalle.

EL APOYO SOCIAL

Independientemente de las demás cosas que hagan, las creencias religiosas y espirituales acercan a las personas que tienen conceptos similares. El hecho de formar parte de un grupo social, religioso o no, le trae un beneficio claro a la mayoría de la gente, siempre y cuando tengan una sensación clara de que pertenecen o "se ajustan" a ese grupo. De hecho, la investigación realizada por nuestro colega, Kent Pargament, ha mostrado que los miembros de la iglesia y de las sinagogas que se adaptan bien a su comunidad religiosa tienen mayores niveles de salud mental que los demás.

Los estudios han mostrado consistentemente que las personas que están más aisladas tienen más riesgo de problemas emocionales, tales como depresión y suicidio, así como problemas de salud y pobreza. Muchos estudios en el campo del manejo del estrés demuestran que las personas son mucho más vulnerables si tienen factores de estrés importantes pero no tienen un sistema de apoyo social que las ayude. Simplemente, para la mayoría de las personas no es saludable estar aisladas. Para parafrasear a John Donne: "¡Ninguna persona es una isla!"

El compromiso religioso trae consigo estructuras sociales predeterminadas. Las religiones especifican códigos de comportamiento y rituales, muchos de los cuales dan lugar a puntos naturales de conexión entre quienes están involucrados. Por ejemplo, la mayoría de los grupos espirituales y religiosos se reúnen regularmente para realizar numerosas actividades. Las actividades espirituales incluyen el culto, la plegaria, la lectura, el estudio y los grupos de discusión. Las actividades sociales pueden incluir horas para tomar café, reuniones para comer helado, meriendas, salidas en grupo, cenas, ligas de softball, y cualquier otra actividad imaginable. También son comunes las actividades de servicio, que incluyen repartición de comida, visitas a inválidos, ministerios de servicio para grupos de menores recursos, servicios para la comunidad, trabajo voluntario y grupos de apoyo. Los vínculos sociales dentro de una comunidad son importantes para la pareja, independientemente de cómo se adquieran.

Por ejemplo, William y Sandra se conocieron en la iglesia en la cual, más tarde, se casaron. Habían estado comprometidos durante años con esa comunidad antes de decidirse a unirse, e invitaron a la boda a toda la congregación así como a sus amigos y familiares. La asistencia fue muy grande y las demostraciones de apoyo fueron muy claras. No se casaron simplemente frente a sus amigos, sino frente a toda una comunidad que los conocía, los apoyaba y que estaría regularmente involucrada en sus vidas.

Como pueden imaginar, una pareja como ésta tiene un sistema de apoyo inmenso. Sandra y William asisten a reuniones semanales en la iglesia, los domingos, y participan en numerosas actividades dentro de su comunidad religiosa. Su relación está apoyada y fomentada por su entorno social y por las enseñanzas que le otorgan gran valor al matrimonio, al compromiso y especialmente a la dedicación.

Es claro que hay otras formas que pueden acercar a las personas en nuestra cultura, tales como las reuniones de vecindario, los grupos políticos, los grupos de interés, los eventos deportivos, los grupos de apoyo y los clubes. Nuestro punto clave es que es importante para todas las parejas tener un sistema de apoyo fuerte para su relación. ¿Están ustedes socialmente conectados con algún grupo que, de alguna manera, apoya y ayuda a su relación? Si no es así, ¿quisieran estarlo? Es importante que usted y su cónyuge respondan estas preguntas directamente.

Ahora analizaremos otras implicaciones claves de la investigación que hemos descrito. Cuando usted aborda el reino religioso o espiritual, analiza las creencias esenciales sobre su visión del mundo, en otras palabras, piensa cómo le da sentido a la vida. Todo el mundo tiene alguna explicación para las grandes preguntas, sean sencillas o complejas, religiosas o no. De ahí que todo el mundo tenga un sistema de creencias esenciales. Cuando ustedes, como pareja, comparten dicho sistema de creencias, tienen una visión compartida del mundo.

UNA VISIÓN COMPARTIDA DEL MUNDO

Como lo mencionamos en nuestra discusión sobre la diversión en el capítulo doce, el experto en comunicación de la Universidad de Denver, Fran Dickson, demostró en sus estudios que las personas que han permanecido juntas durante cincuenta años tienen una visión compartida de la relación, que incluye sueños personales y metas para el futuro. Un sistema de creencias compartido, que incluye una comprensión mutua del significado de la vida, de la muerte y del matrimonio, facilita el desarrollo de una visión para la relación. A su vez, el hecho de tener una visión para la relación apoya la noción de compromiso a largo plazo.

La mayoría de las religiones tiene un sistema de comprensión y de lenguaje común para pensar y hablar sobre las creencias esenciales. Entonces, otra explicación para el beneficio del compromiso religioso es que las parejas religiosas tienen un sistema de creencias que facilita la formación y el mantenimiento de una visión compartida del mundo. Los expertos en el estudio de la religión, Bernard Spilka, Ralph Hood y Richard Gorsuch lo expresan de la siguiente manera en su libro *La Psicología de la Religión* (1985): "Puesto que es bastante probable que los sentimientos religiosos de los cónyuges tiendan a ser similares, entre los más religiosos que probablemente provienen de hogares religiosos, puede existir un *complejo de apoyo a las percepciones* que conduce a una satisfacción marital más grande" (p. 105, la letra itálica es nuestra). En eso consiste una visión compartida del mundo.

Un factor importante que todas las parejas deben tener en cuenta es el impacto de sus visiones del mundo sobre el matrimonio. ¿Comparten ustedes un sistema de creencias esenciales? ¿Cómo están siendo manejadas las similitudes y diferencias en sus visiones? Piensen en estas preguntas a medida que examinemos tres áreas específicas en las cuales su visión del mundo puede tener un efecto sobre su matrimonio: Valores esenciales para la relación, juicios morales y expectativas. Luego daremos una mirada a la forma como las distintas parejas manejan estos puntos de conflicto.

LOS VALORES ESENCIALES PARA LA RELACIÓN

Concentrémonos en cuatro valores claves, enfatizados en muchos sistemas de creencias, valores con implicaciones positivas obvias para las relaciones tales como el matrimonio: compromiso, respeto, intimidad y perdón. Cuando usted y su cónyuge tienen sistemas similares de valores esenciales, es probable que tengan una comprensión similar de estos valores y de cómo pueden darles vida en su matrimonio. Independientemente de las creencias esenciales, creemos en la necesidad de que todas las parejas tengan alguna manera de reforzar dichos valores.

El compromiso en sus distintos aspectos está fuertemente enfatizado en muchos sistemas de creencias, tanto en términos de dedicación como de obligación. Aun cuando existen grandes diferencias en los sistemas de creencias sobre la moralidad del divorcio, existe amplio acuerdo acerca del valor del compromiso. Las relaciones a largo plazo necesitan un sentido permanente del compromiso. Este tema es tan importante que le dedicamos dos capítulos a presentarlo.

El respeto es un valor esencial enfatizado en la mayoría de los grupos religiosos o espirituales. Aun cuando las distintas religiones se aferran a creencias específicas que otros pueden rechazar, el respeto hacia el valor y la importancia de los demás sigue siendo enfatizado en la mayoría de los sistemas. El respeto es una necesidad esencial para todas las personas; respecto a la pareja, es necesario que el sistema de valores haga un énfasis grande en el respeto mutuo.

Con el enfoque PREP, a pesar de que ustedes tengan importantes diferencias y desacuerdos, pueden demostrarse respeto el uno al otro a través de la forma como se comunican. Esto es la validación. Usted demuestra interés y respeto hacia su cónyuge incluso cuando ve las cosas de manera bastante diferente. No se puede tener una buena relación sin un respeto básico.

La intimidad es valorada en la mayoría de los sistemas religiosos y espirituales. Aun cuando pueda ser entendida de manera diferente, usualmente se enfatiza y se fomenta, especialmente en el matrimonio. Todos los sistemas religiosos tradicionales de las culturas occidentales parecen adjudicarle un gran valor a la importancia del matrimonio y a la relación entre dos cónyuges.

Una forma de pensar en todo lo que hemos dicho en este libro es que las parejas necesitan tener maneras claras de mantener y fomentar la intimidad. Más aun, el mal manejo de los conflictos puede perjudicar inmensamente todo lo que atañe a la intimidad. Todas las parejas que buscan matrimonios satisfactorios a largo plazo necesitan valorar la intimidad y la importancia de preservarla y protegerla.

El perdón es un tema esencial para la salud de la relación. Las relaciones saludables a largo plazo necesitan un elemento de perdón, de lo contrario las deudas emocionales pueden llegar a destruir el potencial para la intimidad y el trabajo en equipo. Por esa razón fue que dedicamos todo un capítulo simplemente a tratar este tema. Los matrimonios necesitan del perdón para permanecer saludables en el largo plazo.

El enfoque PREP es bastante específico y orientado a las habilidades. Bajo ese enfoque, esperamos que hayan podido ver cómo estos cuatro valores esenciales que hemos discutido aquí, se reflejan en las actividades y actitudes que nosotros recomendamos. Los sistemas de creencias religiosas han venido enfatizando esos mismos valores durante miles de años a través de su ética, sus códigos de conducta, y de los estándares para tratar con los demás. Al hacerlo, estos sistemas de creencias han reflejado la importancia del compromiso, el respeto, la intimidad y el perdón.

Nuestra comprensión del éxito y el fracaso matrimonial nos conduce a hacer énfasis en estos mismos valores. En esencia, el enfoque PREP enseña formas de pensar y actuar que le permiten a las parejas actuar dentro de estos valores. Son relevantes para todas las parejas. A medida que ustedes practiquen y lleven a cabo las estrategias y estructuras que aconsejamos, estarán construyendo rituales positivos para la relación y para la salud futura de su matrimonio.

En contraste con estos cuatro valores de la relación, otros aspectos de la visión del mundo de la gente que están basados en sistemas de creencias esenciales individuales, específicamente, los juicios morales y las expectativas varían inmensamente. Dependiendo de cómo se manejen, tales diferencias pueden tener un impacto positivo o negativo en un matrimonio.

LOS JUICIOS MORALES

La forma como dos cónyuges visualizan lo que es y lo que no es moral puede tener relación con su capacidad para desarrollar una visión compartida del mundo. Examine la siguiente lista de interrogantes morales:

- ¿En dónde está la línea divisoria entre la responsabilidad individual y la responsabilidad comunitaria? ¿Por qué la gente hace el mal?

- ¿Es moralmente correcta la pena capital?

- ¿Cuál es nuestra responsabilidad hacia nuestros congéneres? ¿Hacia los animales? ¿Hacia el medio ambiente?

- ¿Cuál es el comportamiento sexual apropiado? ¿Por qué? ¿En qué basa usted su juicio?

- ¿Qué piensa del uso de drogas y/o alcohol? ¿Está eso bien? ¿Por qué?

Ésta es simplemente una muestra de las preguntas que la gente tiene que responder en su vida. Muchas parejas tienen visiones morales similares a través del sistema compartido de creencias religiosas. De la misma manera, para las parejas menos religiosas o no religiosas, una filosofía similar de la vida mejoraría su visión compartida del mundo en este aspecto.

¿Pero cuál es el impacto que tienen sobre una pareja las visiones morales no compartidas? Ésta es la clase de pregunta que produce mayor controversia y conflicto en nuestra cultura. En el matrimonio, tales puntos de conflicto pueden ser discutidos en formas que fomenten la intimidad. Algunas parejas pueden no llegar nunca a un acuerdo sobre algunos temas morales que afectan a la sociedad. La habilidad para hablar abiertamente sobre temas morales en los cuales no están de acuerdo, conduce a una mayor comprensión de quién es cada uno de ustedes. De hecho, ésta es la clase de temas sobre la cual muchos amigos conversan, porque puede ser muy interesante. La capacidad para manejar bien estas diferencias tiene mucho que ver con la habilidad de una pareja para comunicarse, para disfrutar el uno del otro como amigos y para evitar que esta clase de diferencias desencadene puntos de conflicto ocultos de aceptación y rechazo.

La clave para preservar la amistad en conversaciones en las que se tienen puntos de vista diferentes respecto a los temas morales es tratar de mantener el enfoque, no en el acuerdo ni en la necesidad de resolver tales dilemas morales, sino en aprender más acerca de lo que piensa su cónyuge. Después de todo, ¿hasta qué punto depende su matrimonio de compartir el mismo punto de vista sobre esos temas?

LAS EXPECTATIVAS

Otro aspecto en el cual la visión del mundo puede tener un impacto significativo sobre su matrimonio es a través de sus expectativas en campos tales como la crianza y la disciplina de los hijos, la intimidad, el trato con los parientes políticos y los papeles matrimoniales. En contraste con los puntos de vista morales discutidos anteriormente, este aspecto de la visión del mundo tiene implicaciones muy importantes para su matrimonio en la vida diaria.

El potencial que tienen las diferentes expectativas para encender el conflicto es tan grande que dedicamos todo un capítulo (capítulo siete) para animarlos a exponer claramente esas expectativas, independientemente de su origen. Cuando dos personas comparten una perspectiva sobre expectativas claves para la relación, les resulta más fácil negociar en la vida. Las expectativas compartidas conducen a rutinas y rituales, también compartidos, que guían a las parejas más fácilmente a través de las transiciones y los problemas que tienen que enfrentar diariamente.

En los sistemas religiosos, tales puntos de vista tienden a ser muy claros y están codificados en las creencias y los rituales; esto puede facilitar el hecho de tener una visión compartida del mundo en términos de las expectativas diarias. También podría explicar, en parte, los descubrimientos de la investigación que muestran que a las parejas que son más religiosas y a las que tienen antecedentes con creencias similares, se les facilita el matrimonio. Compartir un sistema estructurado de creencias simplifica el hecho de manejar muchas expectativas, puesto que éstas no tienen que ser discutidas o negociadas. Presumiblemente, las parejas que no son religiosas pueden disfrutar de este mismo beneficio, si comparten alguna posición filosófica que les facilita mantener un punto de vista compartido sobre las expectativas.

TRES TIPOS DE PAREJAS

Sean cuales sean sus antecedentes y creencias, no deberían dar por sentado el acuerdo en su relación. Las diferencias y similitudes claves en sus puntos de vista deben ser identificadas y expresadas de manera que les ayuden a trabajar como equipo. Examinemos tres clases diferentes de parejas, antes de recomendarles algunos ejercicios.

Tipo 1: Una visión compartida

Para muchas parejas, el hecho de tener creencias esenciales similares produce una probabilidad menor de conflicto por las distintas razones señaladas anteriormente. Simplemente, necesitan trabajar menos en varios campos. Sin embargo, todas las parejas tienen que aclarar sus expectativas claves sobre cómo manejarán distintos asuntos maritales y familiares. Lo mejor es discutir estas diferencias al comienzo de la relación y tomar decisiones que formarán una base de puntos preestablecidos en su relación. Esto significa que habrá un acuerdo básico sobre cómo serán manejadas distintas cosas, por defecto y así no tendrán que estar ajustando constantemente las diferencias en sus visiones del mundo en el contexto de las situaciones.

Tipo 2: Visiones respetadas pero no compartidas

Estas parejas tienen importantes diferencias de opinión sobre sus creencias esenciales, pero manejan estas diferencias con respeto. Las diferencias no producen alejamiento y pueden, de hecho, ser una fuente de intimidad si las parejas son capaces de disfrutar el intercambio de perspectivas diferentes.

Para lograr esto, las parejas necesitan por lo menos dos cosas: (1) las habilidades necesarias para mantener el respeto a la luz de sus diferencias y (2) suficiente seguridad personal sobre sus creencias esenciales para no sentirse excesivamente amenazados por la ausencia de un acuerdo. Las visiones y expectativas de estas parejas no son compartidas por ser similares, pero pueden ser compartidas en el sentido de que hay una expresión abierta que no desencadena puntos de conflicto ocultos de aceptación y rechazo.

Tipo 3: Visiones no compartidas con conflicto

Estas parejas no comparten la misma perspectiva y esto enciende el conflicto, que generalmente no es bien manejado. Tales parejas no son capaces de hablar libremente sobre las diferencias en sus visiones y mantener el respeto mutuo al mismo tiempo. Discuten desagradablemente sobre estas diferencias o evitan hablar sobre ellas. Esto fácilmente desencadena puntos de conflicto ocultos de aceptación básica. Las diferencias en las creencias esenciales se convierten en barreras, y los cónyuges son incapaces de compartir abiertamente sus perspectivas sobre las cuestiones más profundas de la vida.

Simón y Margarita, de quienes hablamos anteriormente en este capítulo, caen dentro de esta última categoría. Aun cuando compartían muchas creencias esenciales, el nacimiento de un niño hizo surgir diferencias importantes en sus expectativas para su hijo, expectativas que estaban enraizadas en sus sistemas de creencias esenciales. Si no se hubieran interesado tanto en las creencias y prácticas de sus religiones, probablemente no habría habido mayor conflicto. Pero las transiciones claves de la vida tales como el matrimonio, el nacimiento y la muerte, acostumbran a ponernos más en contacto con nuestras creencias esenciales y, de hecho, muchas religiones especifican rituales claves para tales eventos.

Pensamos que tener una visión del mundo compartida es muy beneficioso para la relación cuando ustedes están atravesando por una transición importante en la vida. En tales momentos, una similitud en las creencias esenciales los guía para superarlos con menor tensión y malestar. Estas transiciones también son momentos en los cuales es necesario contar con el apoyo social. Cuando no se tiene una visión compartida, lo mejor que puede hacerse es ser claro acerca de las expectativas y acordar cómo procederán como pareja. Traten de pensar anticipadamente sobre las transiciones claves de la vida y conversen acerca de cómo manejar las cosas llegado el momento.

En resumen, usted y su cónyuge pueden tener perspectivas diferentes, incluso si fueron criados de manera similar. Cuando se piensa en diferencias espirituales y religiosas, hay mucho en juego. En cualquier sistema de creencias esenciales, como, por ejemplo, en una filosofía de la vida ocurre lo mismo. Todo el mundo tiene sus creencias, y no es probable que exista una pareja en la cual los dos miembros se ajusten perfectamente en todas las dimensiones. El punto es que es necesario enfrentar los efectos sobre su relación. Los ejercicios para este capítulo están diseñados para ayudarlos a hacer eso. Queremos que exploren sus creencias en las dimensiones espirituales o religiosas y que conversen al respecto.

Explorar y compartir claramente lo que ustedes creen y esperan sobre algunas de estos puntos de conflicto claves puede ser una experiencia enriquecedora e instructiva para su relación. Conversar sobre estas cuestiones con respeto puede ser una experiencia muy íntima. Ensáyenlo y comprendan lo que queremos decir. Luego, pasen al último capítulo, en el cual hablaremos sobre algunas estrategias para reunir todas las cosas que han aprendido en este libro.

♣ EJERCICIOS

Hay tres ejercicios para este capítulo, en los cuales seguimos de cerca los temas claves que usamos para explicar los descubrimientos de la investigación respecto al impacto de la religión y los valores espirituales en la relación. Primero, les pediremos que examinen cuáles son sus valores esenciales, de dónde provienen y cómo afectan su matrimonio. En segundo lugar, que evalúen su sistema social de apoyo. Por último, queremos que exploren sus sistemas de creencias esenciales y las expectativas específicamente relacionadas con ellos. Necesitarán libretas separadas para hacer estos ejercicios.

1. Quisiéramos que examinen cuáles son los valores básicos en su vida. ¿Cuáles valores son centrales para usted? ¿De dónde provienen esos valores? Dediquen algún tiempo a pensar esto en forma individual. Tomen algunas notas al respecto. Luego compartan entre ustedes lo que han estado pensando.

    Es posible que tengan ideas adicionales después de trabajar en el próximo ejercicio. Además de las ideas que se les ocurran, específicamente discutan juntos sus puntos de vista sobre los valores esenciales de la relación mencionados en este capítulo: el compromiso, el respeto, la intimidad y el perdón. ¿Cuál es su punto de vista sobre estos valores?

2. Conversen sobre su sistema social de apoyo. ¿Tienen ustedes un sistema social de apoyo con personas en las cuales pueden confiar, que les dan ánimo, y que, en ocasiones, les insisten en sus responsabilidades? ¿Están involucrados en una comunidad que apoya y alimenta el crecimiento de su matrimonio? ¿Quisieran estarlo en el futuro? ¿Qué podrían hacer como pareja para contar con más apoyo si vieran la necesidad de hacerlo?

3. Ahora queremos que explore cada uno por sí mismo y comparta con su cónyuge los puntos que sean relevantes a su sistema de creencias esenciales. Para muchas personas, la fe religiosa o la orientación espiritual refleja o determina prácticas o creencias culturales, morales y filosóficas. Si éste es su caso, responda estas preguntas de acuerdo a sus creencias. Para otras personas, estas preguntas pueden parecer menos orientadas hacia la religión y más filosóficas.

De cualquier forma, puede ser muy importante que las personas conozcan el sistema de creencias esenciales del cónyuge, ya sea que se base en creencias religiosas, espirituales o en otras filosofías de vida. Este ejercicio les ayudará a lograr ese objetivo. Es muy parecido al ejercicio que hicieron en el capítulo siete, pero está centrado en el área de los sistemas de creencias esenciales.

Las siguientes preguntas están diseñadas para que piensen en un amplio rango de puntos de conflicto relacionados con sus creencias. Puede haber otros puntos importantes que pasamos por alto, por lo tanto, siéntanse en libertad de contestar preguntas que no hayamos hecho, así como las que hicimos. Quisiéramos que escribieran en su libreta una respuesta a cada pregunta. Esto les ayudará a pensar más claramente sobre los puntos de conflicto y también les servirá de guía cuando llegue el momento de conversar con su cónyuge al respecto. Mientras piensa y responde cada pregunta, puede ser especialmente valioso anotar qué cosas le enseñaron cuando niño versus lo que cree o espera ahora como adulto.

PREGUNTAS PARA REFLEXIONAR

a. ¿Cuál es su sistema de creencias esenciales o su visión del mundo? ¿En qué cree usted?

b. ¿Cómo llegó usted a creer en ese punto de vista?

c. ¿Cuál es el significado o el propósito de la vida en su sistema de creencias esenciales?

d. ¿Cuál era su creencia en la época de su crianza? ¿Cómo se practicaba esta creencia básica en su familia de origen? ¿Con prácticas religiosas? ¿De alguna otra forma?

e. ¿Hace usted una distinción entre espiritualidad y religión? ¿Cuál es su punto de vista sobre estos temas?

f. ¿Cuál es el significado del matrimonio en su sistema de creencias?

g. ¿Qué juramentos hará usted o qué juramentos hizo usted? ¿Cómo los vincula a su sistema de creencias?

h. ¿Cuál es su opinión acerca del divorcio? ¿Cómo encaja en su sistema de creencias?

i. ¿Cómo practica o espera practicar sus creencias dentro de su relación? (Esto podría incluir el compromiso religioso, las prácticas espirituales u otros comportamientos que dependan de su sistema de creencias) ¿Cómo quiere practicar sus creencias?

j. ¿Cuál cree usted que debería ser el impacto diario de su sistema de creencias sobre su relación?

k. ¿Existen puntos de vista específicos sobre la sexualidad en su sistema de creencias? ¿Cuáles son? ¿Cómo los afectan a ustedes dos?

l. Si ustedes tienen o planean tener niños, ¿cómo los están criando o cómo los criarían en relación con su sistema de creencias?

m. ¿Da usted o espera dar apoyo financiero a una institución religiosa o a otro esfuerzo relacionado con su sistema de creencias? ¿Cuánto dinero? ¿Cómo determinará eso? ¿Están ambos de acuerdo?

n. ¿Ven ustedes áreas potenciales de conflicto respecto a sus sistemas de creencias? ¿Cuáles son ellas?

o. ¿Qué cree usted respecto al perdón en general? ¿Cómo se aplica el perdón en una relación como la que usted tiene con su pareja?

p. En su sistema de creencias, ¿cuál es su responsabilidad hacia otros seres humanos?

q. ¿Cómo celebra usted o espera celebrar las fiestas religiosas?

r. ¿Cuál es la base para el respeto a los demás en sus creencias?

s. ¿Existen algunas otras preguntas que se le ocurran y que pueda contestar?

Cuando usted y su cónyuge hayan terminado este ejercicio, formen un plan para dedicar tiempo a discutir entre ustedes estas expectativas. Deben planear una serie de discusiones. Examinen el grado en el cual cada uno de ustedes sintió que la expectativa que se estaba discutiendo había sido claramente compartida en el pasado. Utilicen la técnica del hablante-oyente, si piensan que necesitan una estructura adicional para manejar estos puntos de conflicto que, algunas veces, son difíciles. Si surgen algunas expectativas nuevas, aclaren hasta qué grado cada uno de ustedes las considera razonables o no razonables y acuerden qué quieren hacer al respecto.

15

Pasos positivos para mantener una relación sólida

EMOS ANALIZADO MUCHOS CONCEPTOS en este libro, que incluyen la comunicación y el manejo del conflicto, el compromiso, el perdón, la amistad, la diversión, la sensualidad y, en el último capítulo, el impacto de los sistemas de creencias esenciales y del apoyo social sobre su relación. Confiamos en que estas ideas y técnicas del enfoque PREP puedan ser de mucha utilidad para ayudarlos a mantener un matrimonio fuerte.

Podría pensarse que este libro proporciona una receta para tener una relación satisfactoria, duradera y sólida. Los ingredientes están en su lugar: su amor, atracción y amistad unidos a las habilidades descritas en nuestro enfoque. Todo lo que deben hacer es mezclar estos ingredientes con su compromiso, para tener un excelente matrimonio. Basados en nuestra experiencia con parejas, hemos proporcionado recomendaciones para mantener su relación fuerte y vital durante muchos años. Ahora queremos plantear algunos puntos finales importantes.

USTEDES NO ESTÁN SOLOS

Cuando las personas tienen problemas en sus relaciones, los errores que cometen son bastantes similares a los de todas las parejas: escalada y evasión, invalidación e interpretaciones negativas. En contraste, hay muchas formas de tener una buena relación. Las parejas saludables y felices pueden parecer muy diferentes a otras parejas a quienes también les va bien, pero todas podrían tener estupendos matrimonios con intimidad y trabajo de equipo. En otras palabras, las parejas que están luchando se parecen más entre sí, que las parejas a las que les va bien.

Durante un taller de trabajo que realizamos recientemente, un hombre se emocionó cuando escuchó que otras parejas estaban cometiendo los mismos errores que él y su esposa. Estaba contento de saber que no eran los únicos. De hecho, ésta es una reacción común cuando trabajamos con parejas. Ellos se sienten frustrados respecto a distintos patrones negativos que los están afectando, pero aliviados porque pueden decir, "Aun cuando nuestro matrimonio es bastante bueno, de vez en cuando tenemos problemas como toda la demás gente".

Ustedes están en buena compañía si tienen algunos de los patrones y actitudes negativas discutidos a lo largo de este libro. Todos los tenemos. Son comunes. Pero el divorcio es común también, por lo tanto, es importante preocuparse por esos patrones negativos. Es más importante aún, hacer algo al respecto.

Afortunadamente, hay buenas noticias. Hay esperanza para las parejas que están dedicadas a acabar con esos patrones negativos y a preservar todas las cosas buenas del matrimonio. Nuestra investigación muestra que ustedes pueden impedir que tales problemas crezcan y perjudiquen su relación, pero es necesario que trabajen en ello. Esto nos lleva al tema de la motivación.

LA MOTIVACIÓN

Nuestros principios, nuestra base de conocimientos, nuestras investigaciones y técnicas no funcionarán a menos que ustedes estén motivados a hacer lo necesario para tener una buena relación. Algunas veces, las más difíciles de motivar son las parejas que pueden hacer el máximo esfuerzo para prevenir que surjan problemas graves en primer lugar: las personas recién casadas o comprometidas. Simplemente, hay demasiadas cosas ocurriendo simultáneamente. Cuando ustedes están iniciando una relación, es difícil imaginar que más tarde tendrán problemas graves. Si ésa es su situación, por favor no pierdan de vista que trabajar para implementar la clase de estrategias que hemos recomendado aquí, puede ser muy provechoso para que su relación permanezca vibrante.

Si ustedes han estado juntos por algún tiempo, probablemente caerán dentro de una de tres categorías:

1. Aquéllos a quienes les va bien y quieren que las cosas sigan así.

2. Aquéllos que están luchando y necesitan algunos ajustes.

3. Aquéllos que han tenido problemas importantes y necesitan hacer cambios sustanciales para volver al buen camino.

Independientemente de la categoría en que ustedes se encuentren, no podrán obtener el máximo de este enfoque, si no hacen un gran esfuerzo. Aun cuando hacemos énfasis en técnicas e ideas relativamente directas, de todas formas es necesario esforzarse para hacer algún cambio significativo en la vida.

PERO MI CÓNYUGE NO QUIERE ENSAYAR ESTAS COSAS

¿Qué ocurre si su cónyuge no está motivado para aprender algunas de las técnicas que hemos presentado? Eso puede ser un problema muy frustrante, si a usted realmente le gustan nuestras ideas. Podría ensayar distintos enfoques.

Trabaje primero en sí mismo

Lo más sabio es empezar a trabajar en lo que usted puede cambiar en su propio comportamiento, independientemente de lo que su cónyuge esté dispuesto a hacer. Es muy fácil para todos nosotros concentrarnos en lo que nuestros cónyuges pueden hacer. En vez de eso, concentre su atención en donde usted tiene el mayor control, ¡en usted mismo!

¿Tiene usted tendencia a hacer interpretaciones negativas? ¿Tiene usted tendencia a evadir la conversación sobre estos puntos de conflicto? ¿Trae usted a colación sus rencores o quejas cuando ha salido una noche a divertirse con su cónyuge? Usted puede hacer cambios sustanciales en estos patrones, independientemente de lo que su cónyuge esté haciendo.

Hay muchas formas en las que puede trabajar para mantener y demostrar su dedicación, sin que su cónyuge se lea nunca este libro.

Usted también puede poner en práctica algunas de las reglas básicas, sin que necesariamente trabaje en ello con su cónyuge. Por ejemplo, si salieron a divertirse y empiezan a discutir sobre algún conflicto, usted podría decir, "Sabes, salimos a divertirnos esta noche. Discutamos sobre eso mañana cuando tengamos más tiempo, y concentrémonos en relajarnos esta noche". La mayoría de los cónyuges comprenderá esta idea incluso si nunca ha oído nada sobre las reglas básicas o sobre el PREP. Es bastante sencillo realizar algunos de estos cambios y además es poderoso.

Aun cuando todas las cosas que sugerimos, dan mejores resultados cuando se trabaja en equipo, usted puede lograr mucho por su parte, si está dispuesto a ensayar y si su cónyuge no está trabajando activamente para perjudicar la relación.

EL PREP LIGERO: Tiene buen sabor pero alimenta menos

Usted puede intentar lograr que su cónyuge se interese en algunos de los temas más ligeros que hemos discutido, tales como la diversión o la amistad. Los capítulos once y doce tienen muchas ideas que podría sugerirle a su cónyuge, para empezar. Con ellos podrían iniciar cambios poderosos y positivos que pueden crear interés en otras características de este programa. Como habrá notado, muchas de las ideas claves sobre diversión y amistad no dependen del conocimiento de los demás conceptos claves de este libro.

Hay más de una forma de matar pulgas

Si las ideas anteriores no logran interesar a su cónyuge, entonces usted tiene que hacer una elección. Reflexione sobre el significado de la reticencia de su cónyuge. Puede simplemente significar que él o ella está menos interesado que usted en adoptar un enfoque particular para fortalecer su matrimonio. Si ése es el caso, sería una grave e inexacta interpretación negativa suponer que su cónyuge no está tan interesado como usted en mantener su vínculo matrimonial fuerte.

De hecho, a menudo conversamos con parejas en las cuales uno de los dos, más a menudo la mujer, cree que el otro no está haciendo lo suficiente por su matrimonio, mientras el otro, más a menudo el hombre, menciona toda clase de cosas que está haciendo, porque sí está interesado en la relación. Una pareja que conocimos en nuestra asesoría, tenía un grave problema con esta forma de pensar. A la esposa le encantaba leer libros de autoayuda y al marido no. La esposa interpretaba esta falta de interés como una falta de motivación hacia el matrimonio; sin embargo, su esposo estaba haciendo otra clase de cosas que demostraban su interés, estaba activamente involucrado en nuestra asesoría, quería salir y pasar tiempo en compañía de su cónyuge y era un proveedor responsable para la familia.

Por lo tanto sean cuidadosos con su interpretación de la reticencia de su cónyuge. Conversen sobre las formas en que cada uno piensa que pueden progresar como pareja. Su cónyuge puede tener ideas muy diferentes acerca de lo que es mejor para el matrimonio y cómo lograrlo. ¡Escúchelo!

Pero mi cónyuge realmente no está interesado

Si, por otra parte, usted está convencido de que su cónyuge está sustancialmente menos motivado que usted para trabajar en la relación en cualquier forma, su situación más difícil. Lo que elija hacer depende sólo de usted pero, sin embargo, le recomendamos que, para darle a su relación la mejor oportunidad, haga todo lo que pueda para fortalecer su matrimonio, siguiendo la clase de principios que estamos defendiendo aquí.

Como lo dijimos anteriormente, una persona puede producir cambios sustanciales en el matrimonio. Simplemente, es mucho más fácil y mucho más divertido cuando se hace en compañía. Si usted valora su matrimonio, el hecho de que haga una inversión positiva, le ofrece la mejor oportunidad de lograr los cambios que desea. Simplemente recuerde que algunas veces la inversión más positiva que puede hacer, es encarar los problemas de frente. Es posible que necesite sentarse con su cónyuge y decir: "He estado preocupado durante algún tiempo respecto al futuro de nuestra relación. Estoy realmente comprometido en lograr que éste sea un matrimonio excelente y no tan sólo uno mediocre. Estoy dispuesto a hacer lo que sea necesario para que esto sea así. Tengo la esperanza de que podamos trabajar juntos y quiero que sepas que me estaré esforzando mucho. Déjame saber si quieres ensayar algunas de las cosas que yo estaré haciendo".

EN CASO DE QUE DESEEN AYUDA

Aun cuando pensamos que prácticamente todas las parejas pueden beneficiarse del enfoque educacional que hemos esbozado, hay ocasiones en que las parejas pueden beneficiarse de la ayuda profesional, ocasiones en que la sola motivación no es suficiente para enrumbarlos en un mejor camino. Nos gustaría que todo el mundo pudiera prevenir que se presentaran problemas graves, con lo cual no habría tanta demanda por las asesorías matrimoniales. Pero en nuestra calidad de terapeutas maritales, así como de investigadores, reconocemos que hay ocasiones en que las parejas pueden realmente beneficiarse de las habilidades de un profesional.

No es nuestra intención que el enfoque PREP sea un sustituto de la terapia, cuando ésta se necesita realmente. Hay muchas razones por las cuales una pareja o un individuo puede necesitar consejo profesional —por ejemplo, en el caso de abuso físico, abuso de drogas, depresión, o de un conflicto permanente que nunca se resuelve. Éstas son señales de peligro que indican que el enfoque educativo puede no ser suficiente.

La razón más común por la que las parejas buscan ayuda profesional es que sienten que están estancadas; quieren o esperan que ocurran cambios importantes pero no tienen la capacidad de promoverlos. Por ejemplo, es posible que ustedes dos lean este libro, que les guste el enfoque y ensayen algunas de las técnicas, pero descubran que todavía tienen problemas para cambiar algunos patrones muy arraigados.

Los buenos terapeutas pueden ayudarles de muchas maneras. Pueden plantearles diferentes perspectivas de un problema. Pueden proporcionarles un lugar seguro y estructurado para conversar sobre los puntos de conflicto difíciles, algo similar a la estructura que proporcionan algunas de las técnicas que recomendamos. Pueden exigirles una mayor responsabilidad para realizar ciertos cambios. Pueden ayudarles a aprender habilidades que no hayan podido adquirir por sí mismos. Y también pueden ayudarlos a explorar el efecto de antecedentes familiares y expectativas diferentes sobre su relación.

Si deciden que deberían ver a un profesional, busquen ayuda cuanto antes. Los estudios muestran que hay personas que han llegado a soportar hasta siete años de estrés, antes de empezar a buscar ayuda. Ése es realmente un tiempo muy largo de espera. Es más fácil cambiar patrones, pronto que tarde, especialmente si esperan tanto tiempo que uno de ustedes se da por vencido.

QUÉ DEBEN HACER AHORA

Bill Coffin, un colega y especialista en prevención que trabaja para la marina de los Estados Unidos, ha propuesto que las parejas piensen respecto al buen estado de la relación, en la misma forma en que piensan respecto al buen estado físico. Así como los expertos en el buen estado físico recomiendan hacer ejercicio tres o cuatro veces por semana, durante 20 o 30 minutos, las parejas deberían dedicar, por lo menos ese mismo tiempo, a trabajar en su relación. No solamente sosteniendo reuniones de pareja, sino también planeando juntos momentos de diversión, teniendo conversaciones amistosas, haciendo el amor, dándose un masaje en la espalda, descansando juntos mientras leen un libro en el mismo cuarto, escuchando música o jugando con los niños. Dediquen tiempo a renovar regularmente su relación en estas formas.

Si están pensando seriamente poner en práctica estas ideas claves, he aquí otros puntos que deben mantener en su mente.

REPASO

Para obtener el máximo provecho de lo que les hemos presentado aquí, asegúrense de revisar el material. Todos aprendemos más cuando repasamos, una y otra vez, conceptos claves. Tal vez hayan subrayado algunas secciones claves de este libro, cuando las leyeron. Retornen a ellas y léanlas nuevamente. Por ejemplo, éste sería un momento magnífico para regresar al capítulo cinco y revisar las reglas básicas. ¿Han estado utilizándolas? ¿Han insistido en ellas?

Sería especialmente valioso revisar las reglas de la técnica del hablante-oyente, las de resolver problemas y los principios del perdón. Ninguna de estas reglas o ideas es demasiado complicada, pero deben llegar a dominarlas para obtener el máximo beneficio para su matrimonio. Sería todavía mejor que volvieran a leer el libro completo juntos.

PRÁCTICA

El enfoque PREP es un modelo muy específico y orientado hacia la habilidad para construir relaciones sólidas. La clave de este enfoque es practicar las habilidades y las formas de pensar que hemos recomendado. No es suficiente simplemente revisar las ideas, es necesario que formen parte de su vida. Practiquen las técnicas y estrategias de manera que puedan usarlas cuando sea necesario. Sabemos que al comienzo pueden parecer artificiales —que no se parecen a su comportamiento habitual. Pero si practican las habilidades, técnicas y formas de pensar que hemos enfatizado lo suficiente, llegarán a convertirse en hábitos normales en su relación.

RITUALES Y RUTINAS

Una forma de ver el enfoque PREP es como un modelo en el cual la clase de patrones que funciona para las parejas felices puede ser aplicada a todas las parejas, incluso a las parejas infelices. Son muchas las parejas que descubren que los problemas de la relación los están controlando. Queremos que sean ellas las que tomen el control. Los rituales son hábitos bien organizados que guían a las personas en la vida. Un colega nuestro, Bob Weiss de la Universidad de Oregon dice que el beneficio de los rituales es que lo colocan a uno bajo control por reglas y no bajo control por estímulo. El control por estímulo significa que la persona reacciona constantemente ante las cosas que ocurren a su alrededor, los estímulos de su vida. Les hemos dado unas reglas bastante buenas, pero de ustedes depende que se conviertan en hábitos. Les sugerimos que no caigan en el patrón de reaccionar ante los eventos, sino que construyan rituales para su estilo de vida que les den, como pareja, control sobre los aspectos importantes de su vida.

Muchos rituales tienen lugar durante las transiciones importantes de la vida. Eso se debe a que las transiciones tales como el nacimiento, el matrimonio, abandonar el nido, y la muerte, producen tensión. Los rituales y rutinas pueden reducir la tensión, al proporcionar una estructura durante estos tiempos de cambio. Por ejemplo, casi todas las culturas han ritualizado la forma de manejar la muerte y el luto. Los rituales proporcionan un mapa o una estructura para ayudar a manejar estas transiciones. Pero los conflictos diarios que se presentan en la vida también producen tensión y los rituales y rutinas proporcionan los mismos beneficios para reducir la tensión en estos casos.

Ustedes pueden tener ya muchos rituales en su relación, sencillas rutinas para irse a la cama o para celebrar las fiestas. Claramente, los niños se benefician de las rutinas en la vida familiar. Pero no solamente los niños se benefician con la estructura. Por ejemplo, si ustedes están sosteniendo una reunión semanal de pareja para manejar los puntos de conflicto en su relación, han iniciado un ritual que creemos tendrá un efecto muy positivo en el largo plazo. Reunirse regularmente ayuda a prevenir el conflicto destructivo y promueve la intimidad. Esto les proporciona una rutina para prepararse para los problemas que puedan surgir, tales como las preocupaciones sobre las próximas vacaciones o la educación de los hijos.

No estamos sugiriendo que se agobien con toda clase de reglas. Simplemente pensamos que algunas habilidades sólidas y de sentido común pueden hacer una gran diferencia respecto a la forma en que los puntos de conflicto más difíciles afecten su relación. Obtendrán el mayor beneficio cuando tales habilidades y formas de pensar se conviertan en una rutina. Algunos de los rituales poderosos que estamos recomendando aquí incluyen:

1. Usar la técnica de hablante-oyente.

2. Separar la discusión del problema, de su solución.

3. Aplicar el modelo del perdón cuando lo necesiten.

4. Tener una reunión semanal de pareja.

5. Acordar que los momentos de diversión y de amistad no incluyan discusiones sobre los problemas.

6. Dedicar tiempo a practicar las habilidades que les ayudarán a mantener un vínculo fuerte en su matrimonio.

Preserven la espontaneidad y la creatividad en los aspectos más maravillosos de su relación. Estructuren el conflicto y den rienda suelta a la diversión.

PONGAN EN PRÁCTICA LAS HABILIDADES

A medida que ustedes consoliden sus habilidades a través de la práctica y del desarrollo de rituales positivos, lo más importante es que sean capaces de emplear las habilidades cuando las necesiten. Saber cómo utilizar la técnica del hablante-oyente o el modelo para resolver problemas es muy bueno, pero el verdadero beneficio se obtiene al usar estas habilidades cuando más se necesitan. Infortunadamente, los momentos en los cuales se requiere mayor habilidad, usualmente, son los momentos en que es más difícil usarla, por lo tanto, ser capaces de hacer un cambio para emplear más habilidad es crítico. Ahí es donde la práctica y los buenos hábitos realmente son fructíferos.

Las primeras veces que se ensayan es cuando es más difícil emplear las habilidades. Por ejemplo, les será más difícil utilizar la regla básica número I, el receso, al comienzo, que después de haberla usado varias veces. Cuando están empezando a usar el receso, éste puede parecerse a la evasión, pero el hábito se fortalecerá a medida que vean que funciona, y su relación se verá beneficiada por el mayor control sobre cómo y cuándo manejan los puntos de conflicto difíciles.

RESPALDE Y ESTIMULE

Cuando capacitamos a otros profesionales y para-profesionales en el trabajo con parejas, hacemos énfasis una y otra vez en la necesidad de dar respaldo y estímulo ante los pasos positivos que dan las parejas a medida que aprenden las habilidades que les enseñamos. Es muy importante reforzar las nuevas habilidades, así como las cosas positivas que están ocurriendo.

A ustedes les hacemos esta misma sugerencia. A medida que trabajen en aprender nuevos patrones y formas de pensar, estimúlense el uno al otro. Elogie a su cónyuge por ensayar, por escuchar, por trabajar con usted en el buen manejo de los puntos de conflicto, por demostrar su compromiso, etc. No den las cosas por sentadas. Demuestren su aprecio por un esfuerzo positivo. Y no se devuelvan al pasado. En otras palabras, no pregunten, "¿por qué no hiciste eso hace siete años?" ¡Por el contrario, concéntrense en estimular y respaldar los cambios positivos que están ocurriendo ahora!

¿Cuándo fue la última vez que usted dijo, "Oye, querida, realmente me gusta que hagas eso" o "Realmente me sentí muy bien la otra noche en que hiciste a un lado lo que estabas haciendo y pasaste un tiempo, simplemente escuchándome hablar sobre mis problemas en el trabajo"? No es difícil decir "gracias" o "buen trabajo" o "realmente agradezco la forma en que hiciste eso". Los efectos en su relación pueden ser impresionantes. Con frecuencia nos concentramos únicamente en lo negativo. En vez de hacer eso, intenten buscar formas de recompensar lo positivo. Ésa es la mejor manera de fomentar un comportamiento más positivo en el futuro.

En general, nuestra cultura subestima inmensamente el poder del respaldo verbal. Tal vez esto se deba a que estamos demasiado concentrados en las recompensas materiales. No se dejen llevar por esta tendencia cultural, el respaldo verbal positivo es el agente de cambio más poderoso que se haya inventado. Utilícenlo. Si a usted le gusta lo que ve que está ocurriendo, exprésELO. ¡Respalde y estimule!

PARA TERMINAR, QUISIERAMOS DECIR...

Si ustedes tienen la técnica y la voluntad para lograr un buen matrimonio, existe una buena oportunidad de que así sea. No pretendemos saber todo acerca del matrimonio y de las relaciones, pero pensamos que el material de este libro les servirá para un buen comienzo.

Nosotros comenzamos nuestro trabajo con parejas que eran felices y que estaban planeando casarse. Como investigadores y terapeutas, nuestra meta principal era ayudarlos a prevenir la clase de heridas y perjuicios que sufre la mayoría de las parejas en el matrimonio. No es posible impedir que el matrimonio exija mucho trabajo en ciertos momentos, pero si trabajan juntos, pueden convertir su relación en una que se ahonde y crezca en el curso de los años, independientemente de lo que tengan que enfrentar en su camino.

En este libro hemos explicado en detalle nuestro enfoque. Hemos intentado proporcionarles herramientas que puedan usar para construir una relación que les traiga satisfacción a largo plazo, y para proteger su relación de las tormentas que ocurren naturalmente. Pero, como en todo lo demás en la vida, una vez que se tienen las herramientas, de ustedes depende lo que hagan con ellas.

Agradecimientos

EL ENFOQUE PREP, como se describe en este libro, está construido sobre fundamentos proporcionados por muchos colaboradores en los campos de las terapias de pareja, los enfoques psicoeducativos de las relaciones matrimoniales y familiares, y las relaciones personales, en general. En particular, queremos reconocer la influencia de Clifford Notarius (coautor con Howard Markman de *We Can Work It Out: Making Sense of Marital Conflict*), cuyo trabajo en la Universidad Católica de América tuvo una profunda influencia sobre el material del libro y cuya amistad constituyó un inestimable apoyo. El trabajo de numerosos investigadores y teóricos en este campo ha sido también extremadamente importante para nosotros, entre ellos mencionaremos a Don Baucon, Steve Beach, Andy Christensen, Steven Duck, Norm Epstein, Frank Fincham, Frank Floyd, John Gottman, Bernard Guerney, Kurt Hahlweg, Kim Halford, Amy Holtzworth-Munroe, Jill Hooley, Ted Huston, Ted Jacob, Neil Jacobson, Danielle Julian, Gayla Margolin, Sherod Miller, Pat Noller, Dan O'Leary, Gerald Patterson, Cas Schaap y Robert Weiss.

También tuvimos la buena fortuna de conectarnos con muchas personas que nos apoyaron de manera significativa a medida que nuestro trabajo se iba desarrollando, entre las cuales se cuentan William Coffin y sus colegas de la Marina de los Estados Unidos, y Kathryn Barnard, Michael Cassidy, Lynn Davis, Robert Emde, Scott Halford, Swanee Hunt, Richard Hunt y Philip Yun. Todos ellos merecen nuestro agradecimiento por el estímulo que nos dieron para que ampliáramos nuestra capacidad para satisfacer las necesidades de las parejas.

A lo largo de los años, nos ha colaborado un eficiente grupo de asistentes de investigación, asesores y colegas, durante el desarrollo y la evaluación del enfoque PREP. Queremos expresar nuestro muy sentido reconocimiento a Mari Clements, Wayne Duncan, Joyce Emde, Amy Galloway, Paul Howes, Lisa La Violette Hoyer, Donna Jackson, Karen Jamieson-Darr, Holly Johnson, Matthew Johnson, Shelle Kraft, Dougals Leber, Hal Lewis, Kristin Lindahl, Savanna McCain, Nancy Montgomery, Naomi Rather, Mari Jo Renick, Dawn Richards, Christopher Saiz, Daniel Trathen, Brigit VanWidenfelt y Wendy Wainright.

La mayoría de las investigaciones presentadas en este libro se realizaron con fondos de la Universidad de Denver, del Instituto Nacional de Salud Mental y de la Fundación Nacional de Ciencia. Agradecemos el apoyo de estas instituciones, que nos ha permitido desarrollar las bases de investigación para el programa presentado en *Luchando por su Matrimonio*. En particular, quisiéramos destacar a Daniel Ritchie, canciller de la Universidad de Denver, por su especial interés en nuestro trabajo y por haber sido una fuente importante de apoyo emocional y de estímulo. El énfasis de nuestro libro en la prevención de los problemas, además de tratarlos, es compartido por el Instituto Nacional de Salud Mental y queremos expresarle nuestra gratitud por respaldar nuestro programa de investigación en lo referente a las posibilidades de prevenir el divorcio y el infortunio marital.

Las caricaturas del libro fueron realizadas por nuestro amigo y colaborador, Ragnar Storaasli. Ragnar no sólo llevó a cabo gran parte de los análisis de la investigación que sustentan los hallazgos de este libro, sino además cuenta con un maravilloso sentido del humor para captar las cuestiones claves que afectan a las relaciones. Le agradecemos sus esfuerzos en todos estos campos. También queremos agradecerle a Sandra Rush su colaboración en los bosquejos iniciales del manuscrito.

Nuestro editor en Jossey-Bass, Alan Rinzler, nos brindó su apoyo incondicional y contribuyó con sus críticas cuando lo creyó necesario. Hizo, sin duda, un importante aporte a la calidad del libro. Nos impulsó en nuestro intento por lograr que *Su matrimonio vale la pena* sea un libro útil para las parejas. Agradecemos a Alan y a los funcionarios de Jossey-Bass su apoyo y pericia.

Finalmente, queremos expresar nuestro profundo aprecio por las parejas y familias que compartieron su vida con nosotros durante el desarrollo de los proyectos de investigación. Estas personas abrieron sus corazones y sus relaciones a nuestros entrevistadores y a sus cámaras de vídeo. Compartieron sus luchas y sus éxitos, y esperamos que los conceptos ofrecidos aquí representen siquiera una pequeña compensación, puesto que sin ellos este libro nunca habría podido escribirse.

También queremos reconocer el papel que han jugado nuestros clientes y los participantes en los seminarios en lo tocante a dar forma a las ideas y los casos que presentamos. La identidad de las parejas que actúan en los diálogos ilustrativos fue disfrazada mediante la alteración de detalles y la composición. Sin embargo, las historias relatadas por muchas parejas a lo largo de los años son tan llamativamente similares, que muchas personas se identificarán con los temas de los casos que incluimos. Todos podemos aprender los unos de los otros.

Este libro reposa sobre la premisa del apoyo y la asistencia. Deseamos que ustedes utilicen los conocimientos que hemos adquirido a lo largo de los años, por medio de la investigación, para modelar el tipo de relación que ambicionan.